社会化する
アート／
アート化する
社会

文化と
まちづくり
叢書

社会と文化芸術の共進化

小松田儀貞＝著

水曜社

まえがき──社会化するアート／アート化する社会

「アート」と「社会」が近づいている。それをどの程度意識するかはともかく、われわれにとって「アート」は以前に比べてずっと身近な存在になっていることは確かだろう。以前は、美術館や博物館あるいは劇場や音楽ホールといった特殊な（非日常的な）空間の中で有り難く鑑賞されていた「芸術作品」が、今では、山中や海辺のような自然空間あるいは街角のちょっとした空きスペースなどの日常的な生活空間の中に多様な形で存在し享受されるものになってきている。われわれは「芸術」「美術」という語とは異なる感覚──よりカジュアルな感覚で「アート」という語を用いるようになっているが、このことはそうした現実を示していると言ってよいだろう。

この100年ほどの間を通じて、産業化の進展を基調にした教育・知識水準の全般的上昇や各種メディア等情報環境の変化を背景にして、文化芸術とその享受の形態は大きく変容した。文化は産業になり、国家も企業もさまざまな利害関心から文化に強い関与を示すようになった。特に20世紀後半の急激な量的質的な変化──多様化と民主化／大衆化（アーティスト・クリエイター、観衆・聴衆等の享受層および専門家、研究者、管理運営者等々、公的私的な利害関係者（ステイクホルダー）を含む関係者全般の拡大）──には目を見張るものがある。さまざまなジャンルが生まれ膨大な数の人々がこれに関わり巻き込まれるようになった。少し重々しい言い方になるが、要するに文化芸術は内包的かつ外延的な拡大を遂げたのである。

この過程は、主題においても素材や手法の点でも多元主義的で「何でもあり」の、融通無碍な「現代芸術」の誕生（とりわけマルセル・デュシャン以降）とその社会化の過程でもあった。敷居の高い近寄りがたいもの、難解で堅苦しいものも、時代を経て、相対的にではあるが気安く親しみやすいものになってきた。

多くの人を引きつけ、巻き込むアート。多様な価値を生み出し、それらを交換し、流通させるアート。社会や地域のさまざまな「問題」を解決するアート。アートは本来的な意味で社会的な〈メディア〉（媒介あるいはその契機）として

機能しているようにも見える。こうした複合的なコミュニケーションの機能を持つアートの力にわれわれは以前にも増して強い関心を向けるようになっている。

「アート」と「社会」の関係は大きく変わった。このことは、「アート」がその一部であるところの（広義の）「文化芸術」と人々との関わり方の変化に表れている。それは「アート」と「社会」が近づいているという以上に、互いが互いを必要とする関係、それぞれが他方の重要な一部になっていくような関係がより強まっているということである。「アートの社会化」と「社会のアート化」という二つの契機の並行的進行としてこれを考えることもできるだろう。

本書では、こうした状況を「社会とアート（文化芸術）の共進化的動態」として捉えてみたい。社会はアートに働きかけ、アートもまた社会に何かしらの影響を与える——いわば相互作用を通して両者の関係は変化している。こうした見方を通して社会的現実のさまざまな側面に目を向けたいと考えている。

社会とアートをめぐる問題状況の中に鮮明に浮かび上がってくるのが「地域」である。「地域」とはもちろん、われわれの個別具体的な経験と生活の場であり、一人一人がさまざまな形で他者と出会い関わり合う社会空間である。まさに人々の生きる場としての「地域」の中に大きな意味での「社会」が現れている。

この〈問題系〉を焦点にして、コミュニティの問題はもちろん、地域経済やグローバリズム、創造経済の新しい動き、さらに公共性、多様性、参加、民主主義等、市民社会論にまで関わる問題群を再認することができる。本書では、こうした諸問題との関連の中で、主として「地域」に焦点化しながら、単に「アート」というより、さらに広い対象を含んだ「文化芸術」の現代的な様相について——もちろん扱える対象は限られるが——考察を深められたらと考えている。

産業・労働構造の激変、グローバリズムの拡大、環境・エネルギー問題など、20世紀末から今世紀にかけて、われわれは人類史的な転換期を迎えている。それは根底的な転換と言うべきものかもしれない。社会・経済の領域だけでなく文化芸術もその動態的状況と無縁ではない。「アート」そして「文化」や「芸術」はこうした現代社会の問題状況や課題を映し出す鏡でもある。しかし、

そこにはまたそれらの課題を克服していく契機や道筋も隠れているように思われる。社会経済と文化芸術の間の相即的な関係性の中にわれわれが読み取るべきものは決して少なくない。

この「社会とアート（文化芸術）の共進化」がもたらしている社会的現実からわれわれは何を学び、得ることができるだろうか。本書を通じて、こうした課題に向き合ってみたい。

本書の構成は以下の通りである。

「第1章 アートプロジェクトの生成と展開」では、まず近年動きが活発化し注目されているアートプロジェクトをめぐる状況を概観し、次いでアートプロジェクトとは何かについて、関係する議論とこの歴史的経緯を振り返って検討した。アートの「地域」志向など、昨今の社会とアートをめぐる状況の全体像を把握しようと試みた。同様の議論は少なくないが、筆者なりの視点を示したつもりである。

「第2章「地域」とアートプロジェクトの模索」では、地域（型）アートプロジェクトを焦点化した。全国的にも注目されたある事例（「ゼロダテ」（秋田県大館市））に焦点を当て、その生成発展の過程をたどることを通して地域におけるこうした活動の意義について考察している。後半では、より一般的な形でこの問題について考えるために、社会関与的なアートの代表的な実践者の活動を通して、地域・コミュニティを強く意識したプロジェクトの設計と実装の問題について検討した。

「第3章 地域を超えるアート、地域をつなぐアート──地域とアートの関係再考」では、やはり地域と関連性の深い一人のアーティストの一連のアートプロジェクトに注目し、自生的な表現行為が地域を媒介としながら社会化されていく過程──地域を超えたアートの生成について論じた。これを踏まえ、後半では、アートにとって「地域」とは何かついて考察し、このことを通して文化芸術の視点から「コミュニティ」の可能性を探った。

「第4章 コミュニティに向き合うアート──参加、協働、共創」では、コミュニティデザインとアートとの関係に焦点を当て、まずこの主題に関して最近言及されることの多い「参加」や「共創」について、その意義と課題を検討した。

これを踏まえ、特に「参加」の問題に関連して、手法としてのワークショップの可能性と課題についても考察している。

「第5章　地域社会と文化資源のゆくえ──文化と経済の間」では、地域と文化資源の問題を中心に文化と経済の問題を論じている。前半では、筆者が関わったある文化財調査（「円空仏」調査）を通して、文化財、地域文化などの論点について検討した。後半では、学術的枠組みの変化や政策転換などを背景とした文化と経済の関係性の変化に視点を置きながら、特に地域文化と地域経済との関係について考察している。

「第6章　震災とアート──「3.11」から見えてくるもの」では、2011年の東日本大震災と原発事故という災禍にアートはどう向き合ったか、地域とアートとの関係性についてまた別の側面から焦点を当てて考察した。

「第7章　文化芸術の効用と社会実装──地域で活きるアート」では、近年の文化芸術に有用性や効用を求める傾向と文化芸術が社会実装を志向する傾向の間で何が起こっているのか、いくつかの論点をめぐって論じている。前半では「地域」における「文化の経済化」や社会的包摂に関する議論を検討し、後半ではアートの社会実装について「社会課題」の解決に関連する事例を通して考察した。

最終章である「第8章　市民社会と文化芸術──社会とアートをめぐる課題と展望」では、文化芸術をめぐる今日的状況について市民社会論的視点から考察している。文化政策と市民活動をめぐるジレンマ、文化芸術におけるシティズンシップの問題などを検討することを通して、本書の総括的な議論として「社会と文化芸術の共進化」をめぐる課題と展望を示した。

注記：
1）表記に関しては、カタカナ表記、「・」［ナカグロ］等基本的に引用元に従い、統一していない。
2）文献資料については、インターネットから入手したものも含まれるが、URLや閲覧年月日などは特に記載しない。資料出典元として挙げたURLは2022年1月現在閲覧できないものも含まれている。
3）敬称は省略した。
4）注記のない写真は筆者の撮影による。
5）［　］内は筆者による注記・補足。

第 1 章

アートプロジェクトの
生成と展開

はじめに

　多くの人々にとってかつては少々敷居が高く堅苦しいものでもあった「美術」や「芸術」も、今では気軽で身近な「アート」という〈顔〉を持つようになった。

　産業化の進展と情報化・消費化の深化に支えられた、それなりの文化的成熟を背景にして、これまでになく「社会」と「アート」の関係は近くなっている★1。こうした状況を端的に示しているのが、各種の文化芸術イベントやアートプロジェクトの隆盛ぶりである。

　世界的にもよく知られ長い歴史を持つ国際芸術祭「ヴェネツィア・ビエンナーレ」（1895 年開始）は別格として、1980 年代末から 90 年代にかけて光州（韓国）、リヨン（フランス）など各国で、それぞれの個性を持つアートイベントが開催されるようになっているが、日本でも 2000 年代に入る頃からこうした地域芸術祭が盛んになっている（吉本 2014）。かつて大都市や一部の社会的経済的に恵まれた層の専有物であった文化芸術は、より敷居の低い、アクセスが容易になった「アート」として、今や場所を問わず都市のみならず海山川自然豊かな農山漁村でも体験できるものとなった。全国各地で「芸術祭」「アートフェスティバル」「ビエンナーレ」「トリエンナーレ」など呼称も形態もさまざまな文化芸術イベントが、賑々しく、あるいはささやかに開催され、開催地域の人々だけでなくその外部の人々もまたさまざまな形で関与している。アートをめぐる活況は、特に地域との関係を深めながら展開しているこうした多様な試みの中に見いだすことができるだろう。

　本章では、まず、このような一般に「アートプロジェクト」と呼ばれる多様な試みに焦点を当て、それがどのように生まれ、発展してきたかについて見ていくことにしたい。

第1節 アートプロジェクトをめぐる状況

1. 活性化するアートプロジェクト

大規模アートイベント、芸術祭の隆盛

　日本では、今世紀に入る頃から、さまざまな芸術祭、特に「トリエンナーレ」（3年に1度開催）「ビエンナーレ」（隔年開催）と呼ばれる形式の規模の大きいアートイベントやフェスティバルが次々に誕生した。吉本光宏は、2010年代半ばの時点で「ひとつの国で、これほど多くの大規模かつ多様なトリエンナーレが開催されている国は日本をおいて他にないのではないか。しかもそのほとんどが2000年以降に創設されたものである」と述べ、こうした動向について分析している（吉本2014）。

　同類の先行事例がないわけではない。「東京ビエンナーレ（日本国際美術展）」（1952～1970［2020年再開予定だったがその後延期]）、「白州・夏・フェスティバル　白州アートキャンプ」（1988～1998［終了まで毎年開催]）、「福岡アジア美術トリエンナーレ」（1999～）など、終了、継続、（数年間を置いて）再開など含め、興味深い先駆的な事例があるものの、その後「ブーム」と呼ばれるような現在の状況を生み出したのは、「越後妻有　大地の芸術祭アートトリエンナーレ」（2000年開始）と「横浜トリエンナーレ」（2001年開始）である（同：55）。いずれも日本社会で「グローバル化」が強く人々に意識されるようになった世紀転換期2000年前後から相次いで誕生した、現在国内外で存在感の大きい国際芸術祭である。横浜トリエンナーレに代表されるように大都市圏で開催されるイメージが強かった芸術祭だが、「大地の芸術祭」は、同様の事例がないではないものの、東京、大阪のような大都市圏ではない地方の中小規模自治体で開催される国際芸術祭の先駆けとなった。さらに「瀬戸内国際芸術祭」（2010年開始）は、「大地の芸術祭」と対比すれば、かたや山間地、かたや島嶼と自然環境は大きく異なるがそれを生かしたまた別のコンセプトで興味深い展開を見せている、国内最大規模の来場者を誇る文字通り国際的な芸術祭である。

吉本は農山村や離島で開催される「里山型」と「大都市型」に大きく分けられるとし、「この二つのトレンド」の起点を、それぞれ「大地の芸術祭」と「ヨコハマトリエンナーレ」に見ている（吉本同）。もっとも、吉本自身が認めるように、分類困難な形態もあり（「海港都市にいがた 水と土の芸術祭」（新潟市、2009年開始）、「別府現代芸術フェスティバル混浴温泉世界」（別府市、2009年開始）等）、地方都市で開催される中間的なスタイルも増えている。後続の試みは他との差異化を図って個性化を追求する傾向が強まっていると言えそうである。

　「大地の芸術祭」と「ヨコハマ」が先導する形で、地域における芸術祭あるいはアートプロジェクトの認知も進んできた。これらの成功例が契機となり、地域の知名度向上や地域活性化あるいは経済効果への期待など、文化芸術を核としたイベントやプロジェクトの意義と可能性についての関心が一気に高まることとなった。このように、2010年代はこうした試みの社会的認知が飛躍的に進んだ。

　実際、各種のアート系活動は2010年前後に大きく活発化している[★2]。アートと地域活性化に関するある報告書では、2013年時点で小規模な例99を含む全国152の事例が紹介されている（地域活性化センター 2013）。また、数年後の「文化芸術による社会課題の解決」を主題化したシンクタンク系の報告書では、狭義の美術系の芸術祭だけでなく音楽、映画などの領域の活動（音楽祭、映画祭等）を含め、地域レベルの長期的な取り組みなど全国60以上の事例紹介と分析が示されている（野村総合研究所 2015）。この時期のこうした活動の量的質的拡大の傾向がうかがわれる。

地方に広がるアートプロジェクト
　実際、こうした動きは地方でますます盛んになっている。規模においては政令指定都市圏のそれに目は行くが、2000年代から2010年代にかけて、「BIWAKOビエンナーレ」（滋賀県近江市、2002）、「中之条ビエンナーレ」（群馬県中之条町、2007）、「ゼロダテ」（秋田県大館市、2007）、「あいちトリエンナーレ」（名古屋市他、2010）、「十和田奥入瀬芸術祭」（青森県十和田市、2013）、「札幌国際芸術祭」（札幌市、2014）と大小さまざまな芸術祭が生まれている（い

写真 1-1
「島と星座とガラパゴス」のタイトルで開催された「ヨコハマトリエンナーレ2017」

写真 1-2
ジョコ・アヴィアント『善と悪の境界はひどく縮れている』(ヨコハマトリエンナーレ2017)

ずれも第1回開催年。その後名称変更したもの、終了したものもある)。さらにこの後にも、「茨城県北芸術祭」(2016)、「さいたまトリエンナーレ」(2016)、「Reborn-Art Festival」(宮城県石巻市、2017) など、圏域も広く財政・動員の規模も決して小さくない試みも相次いでいる。

　現在どれだけのアートプロジェクトが存在するのか。それを正確に把握することは難しい。内容・形式の定義 (分類方法)、継続期間、離合集散等について共有される認識が明確にあるわけではない。とはいえ、「アートに関連する芸術祭」としてその概数を把握することはそれなりに可能だろう。

　あるサイト (「現代アートよ永遠ナーレ 日本各地で開催されている芸術祭について」(http://eiennare.site/) は、トリエンナーレ、ビエンナーレ、芸術祭等の名称がつく「芸術祭」と総称される催事を制作者の判断でまとめている (「県民芸術祭」のような自治体の恒例芸術祭等、いくつかの除外条件を付している)。同サイトによれば、2019年4月15日現在全国で89、東京都内に関しては別集

計で芸術・アートフェスティバル38（大学・専門学校、映画祭・映像祭の計50余りはここでは除く）、同4月21日時点で活動休止が確定した芸術祭は7とカウントされている。

　ここに含まれない芸術祭も確認できたので（2020年3月1日）、全国で行われているこうした催事は、分類の仕方にもよるが少なくとも130程度はあると考えられる。

　同サイトに掲げられている分布図を見ると、やはり人口密度にほぼ対応するように首都圏・関東圏と西日本にかけての濃密さとそれに比して大都市圏からの遠隔地（例えば北東北）の空白が目につく。しかしそうした地域でも2010年前後から同様の試みが生まれてもいる★3。芸術祭、アートプロジェクトは今や全国津々浦々に広がっていると言っても過言ではない。

　いずれにせよ、「現状」の正確な把握が難しいほど、アートをめぐって多様かつ活発な動きがあること（もちろん消滅も含めてだが）を認めることができる。

　文化芸術をめぐる環境の充実もこれを後押ししている。遡れば1990年前後からの一連の企業メセナ活動および企業メセナ協議会の設立（1990）等が一つの大きな動きだが、2000年代以降を取っても、個人や民間団体が担い手となる企画だけでなく、文化芸術振興基本法の制定（2001）と同法改正・文化芸術基本法（2017）、内閣府による一連の「地方創生（地域創生）」総合戦略（2015〜2019）などを背景に、自治体が主導したり、公的資金を用いて行われているプロジェクトが近年急激に増えている。ここには、東京2020オリンピック・パラリンピック競技大会に向けてこれと一体の形で全国で展開される「文化プログラム」に対する支援強化という条件もプラスに働いている（太下 2016）。もちろん、全般的な市民活動の活発化を背景にしたこの間の各地におけるアートNPOの相次ぐ設立と支援活動の実質化という要因も見落とすことはできない。こうしたアート活動を支援する団体として2006年設立された特定非営利活動法人アートNPOリンクによれば、アートNPOの数は2003年9月の535から2016年9月には4272へと約8倍ほどの数になっているという（解散したNPOを除く）（アートNPOリンク 2017：8）。この間調査主体のカウント方式の変更等もあり、解散団体も相当数あるので単純比較はできないものの、こうしたプロジェクトの実施、支援体制は格段に進んできたことは確か

だろう★4。

2.「大地の芸術祭」とその影響

「大地の芸術祭」── 拡大するアートプロジェクトの原点

　上述したように、2020年時点で全国各地で少なくとも100を越えるさまざまなアートイベントやアートプロジェクトが行われるようになっていると見られる。その状況は地域によっては「叢生」と言ってもよいだろう。ここまでさまざまな呼称を用いてきたが、多様な内容と形態を持ち多様な展開を見せているこうした集合的な文化芸術活動を、以下「アートプロジェクト」と総称して議論を進めていくことにしたい★5。

　ここではまずはやはり、地域とアートの結びつきの可能性を社会に知らしめた先駆的試行として、2000年新潟県の中越地域で開かれた「大地の芸術祭越後妻有アートトリエンナーレ」を取り上げるべきだろう。「交流人口の増加」「地域の情報発信」「地域の活性化」を主要目的としたアートプロジェクトの先駆けである（北川2001；北川2014；北川2015；石崎2004他）。

　同芸術祭（以下、「大地の芸術祭」）は、「人間は自然に内包される」をコンセプトに3年ごとに開催され（トリエンナーレ方式）、徐々にその内容と規模を発展させながらこれまで7回開催され現在に至っている（2020年末現在）。来場者は第1回ののべ約16万人から年々増え、5回目（2012年）には約48.8万人に上った。このときの参加アーティストは44の国と地域から310組、開催地新潟県内の経済効果も46億円余とされる（北川2014）。2018年の第7回では、同じく44か国から約380点の作品が展示され、来場者（同年7月から9月まで）は54万8,000人を超え、前回第6回をさらに上回ることとなった。過去最大の来場者である（同芸術祭公式ホームページによる）。近年、より広がりを見せているSNSの影響も指摘されているが、いずれにせよ、この間に同芸術祭の認知度が県外、海外で一層高まっていることは確かだろう。

　過疎と高齢化が進む山深い豪雪地域で開かれたこのプロジェクトは「雄大な山の景色や棚田が広がる田園風景の中に現代美術をインストールするという斬新な方法で」（石崎2004：30）都会から多くの観客を集め、社会的にも大きな関心を呼んだ。著名海外アーティストの参加もあって国際的な交流も生

写真1-3　イー・ユンウ『野原に吹く風』（大地の芸術祭）

写真1-4　マ・ヤンソン／ MADアーキテクツ『Tunnel of Light』（大地の芸術祭）

写真1-5　内海昭子『たくさんの失われた窓のために』（大地の芸術祭）

写真1-6　草間彌生『花咲ける妻有』（大地の芸術祭）

まれ、関心が関心を呼んで芸術祭は国内外から高い評価を得る。この種の企画としては大きな成功を収め、その後の同様の地域アートプロジェクトのモデルとなったことは衆目の認めるところだろう★6。

　多くの追随者を生んだ、アートプロジェクトの「原点」とも言える「大地の芸術祭」だが、「芸術祭」と銘打ってはいるものの、そこから一般に受け止められるイメージとは大きく異なる特殊な経緯を辿っている。総合ディレクターの北川フラムによれば「大地の芸術祭はもともと美術展（美術フェスティバル）として構想されたものではない」という（北川 2014：6）。新潟県出身の彼が同郷のこの地域を訪れた際の実感──過疎と高齢化が他地域より厳しくのしかかる山間地農村で生きる人々が生活の基盤を徐々に失うことでそこで暮らす誇りを失いやがてその生活そのものを喪失することへの強い危機感──がこの企画の初発の動機である。「一軒一軒消えていく集落のなかで、それら爺さま婆さまに一時でもよいから楽しい思い出ができたら、というのが大地の芸術祭の初心だった」（同：6）。北川自身は自らの経験と履歴を元にアートを通じてこれを現実化しようとした。多分にナイーヴな動機であったとしても、それが同種の試みの多くに共通するという意味でこの「大地の芸術祭」が近年の地域アートプロジェクトの原型であることがここからもうかがえる。この「初心」を実現するための企画がこの芸術祭であったわけだが、その実現までには長い困難な過程があり、現代美術への拒否反応があったことを北川自身が回顧している。「アートでまちづくりなんて、できるわけはない」「現代美術という意味のわからないものに、お金をかけるなんて無意味だ」（同：221）などの否定的、消極的な意見が当初支配的であったという。パブリックアート（公共空間に提示・設置される作品）を「取っかかり」にしようとした北川は、地元住民、行政、事業者等の地域内外の関係者との長く厳しい意見交換・調整を続けざるをえなかった。その過程での支援者・仲間作りが芸術祭のサポート組織につながり、3年半説明会を重ね2,000回を超える会議を経て当初の予定1999年から1年遅れた2000年に芸術祭は現実化することになる（同：214-230）★7。

　このコミュニケーションと意思決定の過程は興味深い。プロジェクトが実現に至った経緯と芸術祭そのものの性格を見る上で重要なのは、この企画が「公的資金を元にした公共事業として開催された」（石崎 2004：30）ことである。

この企画は、新潟県が進める「ニューにいがた里創（りそう）プラン」(1994)
を起点とし、そこから展開した「越後妻有アートネックレス整備構想」の下の
一事業として実現したものである。越後妻有6市町村（十日町市、津南町、川
西町、中里村、松代町、松之山町）が地域振興計画「里創プラン」を通して広
域行政圏の一つになることがこの事業の公式の目的であったのである★8。

アートによる地域づくり——「妻有方式」の開発

　地域アートプロジェクトの「モデル」と見られることの多い「大地の芸術祭」
だが、その成り立ちから見ればきわめて特殊な芸術祭であることを見ておく
必要がある。

　国際美術展のマネジメントのあり方について、世界的にも著名な「ヴェネ
ツィア・ビエンナーレ」と「大地の芸術祭」とを比較検討した石崎尚によれば、
「その公共事業の枠組みは全て町おこし、地域振興のためのものであって、
現代美術はそのために利用されているに過ぎないということである。他の多く
のビエンナーレも観光事業などと結びついてはいるが、妻有の場合はその開
催の根幹に地域の抱える問題を置き、その解決をトリエンナーレに委ねてい
る点で非常に特殊である」(石崎 2004：30) という。

　当時の状況からすれば、同芸術祭は自治体が主催者である点に大きな特
徴があった。石崎は、こうした特殊性を否定的に見ているわけではないが、
このプロジェクトが施設建設等のハード事業を伴う公共事業であることに伴う
諸々の難しい問題について言及している。当然ながら、税金を使う以上、ど
れだけの利益が生まれ地元にそれがどれだけ還元されるのか、あるいは費用
対効果の問題は厳しく問われるし、事業費の使途を明確にする情報公開も果
たすべき責任の一つになるだろう。これらの課題に加えて、施設利用やその
維持など長期的な展望の下でプロジェクトを構想し実現することの難しさは、
とりわけ同芸術祭の初期には大きな問題だったことがうかがわれる (同：31)。

　こうした背景＝条件が芸術祭のあり方に影響を及ぼしたのはある意味自然
なことであり、このことは実際さまざまな企画に反映している。企画の初発の
動機とこの公共事業型のプロジェクトであることを背景にして、既存のアート
イベントとは異なる多くの試みがここで実践された。1か所に作品を集中させ

るのではなく域内100以上の集落をベースに360点を越える作品を散在させる（第5回の場合）方式はその一つである。田畑、民家、廃校等の点在する多数のスポットを活かした作品展示がそれである。こうした方式の中から多くの作品が生み出された★9。

　交通の便や時間の経済を考えれば不合理にも見えるが、この形を取ることにより各地域／集落の特性を生かすことができる。また何よりこの形式自体が観客を各ポイントにランダムに誘導し全体として地域内の回遊性を高める仕掛けにもなっている。観客は回遊しながらその地域の魅力を発見することができる。というよりそれを促す仕組みがここにある。作品は各スポットで制作されたりそこに持ち込まれたりするが、期間が過ぎてもすべてが撤去されるわけではない。そのスポットに恒久展示される作品も少なくない。展示スペースとして恒久化した施設（「ハコもの」）もある。期間外に訪れる者にもそれらは享受でき、地元の人々も利用できる資源として残る。

　この他にも、地域の特徴が濃縮された「農」と「食」を組み合わせた体験プログラムの構築、人的交流とそれを通じた地域活性化を狙ったアーティスト・イン・レジデンス（アーティストが一定期間地域に滞在し作品制作を行う）プログラムなど、今では各地でそのまま模倣されたり、発展的に実践されている企画が「大地の芸術祭」で試みられてきた（日本政策投資銀行大分事務所2010：12）。

　こうした「アートによる独特な地域づくりの手法」は「妻有方式」（北川2014：238）として今では各地で意識的にあるいはそれと自覚されずに学ばれ応用されている。「大地の芸術祭」は、多くの困難や障害を克服しながら、資金調達、事業運営、人的資源の動員そしてアーティストはもちろん地域の人々と地域外の人々の協働連携の手法、何より地域性を生かした芸術祭のあり方を具体的に示したという点においてまさに今日の地域アートプロジェクトの基本形なのである★10。

　北川は、大地の芸術祭を応用、展開させる形で2010年スタートした「瀬戸内国際芸術祭」の総合ディレクターも務め（福武, 北川 2016）、その後も「北アルプス国際芸術祭」「奥能登国際芸術祭」（いずれも2017年開始）の立ち上げに関わった。北川は、あるインタビューで「僕の手掛ける芸術祭の定義は

「田舎で行われる、現代アートが中心のお祭り」です。日本社会が政治的、経済的に迷走する中で、地方の衰退が著しい。その解決策として芸術祭を開いてきました。地域で積み上げられてきた先人の知恵とものづくりの伝統を生かすために、美術の力を役に立てたいのです」と述べ、その基本姿勢は一貫している（「アートフェス、芸術と社会の関係」2017年10月14日（https://www.tokyo-np.co.jp/article/culture/hiroba/CK2017101402000219.html）[★11]。

第2節 アートプロジェクトとは何か
——「共創」と「サイト・スペシフィック」

1. アートプロジェクトとは何か

アートプロジェクトの概念と特徴

「大地の芸術祭」は衆目が認める一つの成功モデルであり、その存在感と

写真1-7 チェ・ジョンファ『太陽の贈り物』（瀬戸内国際芸術祭）

写真1-8　ワン・ウェンチー『小豆島の恋』（瀬戸内国際芸術祭）

写真1-9 高橋治希『SEA VINE―波打ち際にて―』(瀬戸内国際芸術祭)

写真1-10 鴻池朋子『リングワンデリング(皮トンビ)』(瀬戸内国際芸術祭)

影響力は大きいことは確かだが、当然ながらこの事例にアートプロジェクトの性格すべてが尽くされているわけではない。全般に、アートプロジェクトというと「地域密着型アートイベント」というイメージが強いものの、個々の事例も一般化しうる議論の中で捉え直す必要がある。

　アートプロジェクトとは何か。この語自体、定義は使用者によって異なり、その名を冠した個々のプロジェクトによって目的も内容も違っている。幅広い解釈として、「制作過程や社会的文脈を重視するアートの多様な実践活動」を指すと考えてよいだろう[12]。ここではこれを、さしあたり、リレーショナル・アート、ソーシャリー・エンゲイジド・アート、コミュニティ・アート等さまざまな呼称が与えられている集合的アート実践活動を総称する語として扱うことことにする。

　アートプロジェクトを「社会関与の美術」の議論の枠組みで捉えようとする加治屋健司（加治屋 2016）をはじめ、その定義や可能性をめぐる議論は既に多くのものがあるが[13]、一般的な議論を焦点化する意味でもここではやはり、「取手アートプロジェクト」などの数々の実践活動に携わり、「アートプロジェクト」の理論と実践に関する第一人者である熊倉純子とアートプロジェクト研究会による2010年代前半時点の議論を参照したい。

　2000年代の諸動向を受けての一つの総括『アートプロジェクト　芸術と共創する社会』（熊倉 2014）[14]によれば、アートプロジェクトは次のように定義される。

　「現代美術を中心に、おもに1990年代以降日本各地で展開されている共創的芸術活動。作品展示にとどまらず、同時代の社会の中に入りこんで、個別の社会的事象と関わりながら展開される。既存の回路とは異なる接続／接触のきっかけとなることで、新たな芸術的／社会的文脈を創出する活動といえる」（同：9）。

　そして、これは以下のような5つの特徴を持っているとされる。

1. 制作のプロセスを重視し、積極的に開示
2. プロジェクトが実施される場やその社会的状況に応じた活動を行う、社会的な文脈としてのサイト・スペシフィック

3. さまざまな波及効果を期待する、継続的な展開
4. さまざまな属性の人びとが関わるコラボレーションと、それを誘発するコミュニケーション
5. 芸術以外の社会分野への関心や働きかけ
   （（同 : 9）以上、原文表記に従ったが傍線など一部省略）。

　以上はアートプロジェクトの代表的な定義と言ってよいだろう。熊倉らは基本的にこの動きを1990年代以降のものだとして捉えた上で、その共通する性格をここに示している。「共創」と「サイト・スペシフィック」は、2010年前後の時点でアート界に一定程度浸透していた術語だが、この頃からより広く用いられるようになった。言うまでもなく、これらはアートプロジェクトの本質的なキーワード／コンセプトでもある。
　「共創」についてここでは特に明示されていないが、一種の集合的行為を指し、アーティストと観衆の関係性を重視しアートをめぐる参加や協働性を強調する考え方と理解できる★15。また、これに関連する語＝概念として「社会的包摂」（天野 2010；中川 2016 他）も挙げておくべきだろう（上記の4と特に関連する）。
　「サイト・スペシフィック」については、ここでは「芸術作品の性質を表し、その場所に帰属する作品や、置かれる場所の特性を生かした作品、あるいはその性質や方法を指す」（熊倉 2014:17）と説明されている。1990年代、アートプロジェクトの考え方が流通し始める時期に関係者の間で一般化した概念である（中川, フィルムアート社編集部 2011：112）。

アートプロジェクトと地域の結びつき ——「日本型」と「地域型」

　熊倉らはこの後も「アートプロジェクトとは何か」という問題を実践的理論的に追求している（熊倉他 2015）が、そこでは単に「アートプロジェクト」ではなく、「日本型アートプロジェクト」と「地域型アートプロジェクト」という呼称を用いるようになっており（強調筆者）、この概念に関して「日本的な」固有性および「地域」との関連性が強調されている（同:3-11）。ここでは「地域型」は「都市型」と対比される類型で、越後妻有と瀬戸内がその代表とされている。

それと同時に、アートツーリズムによる観光振興を目的とする広域的大規模なものから、規模は大きくないが大学・学生、企業が担い手となり地域の諸問題に取り組むものなどその形態の多様性に目を向けている。

　同論説では、改めて、日本のアートプロジェクトの特徴について「美術館やギャラリーの「外部」で開催されるアート活動」という点、その「担い手の多様性」を挙げ、また「日本型」の特徴としてこうした試みが町や村、さらに広域で行われていること（場所性）などを指摘している。基本的には、先ほど触れた「共創」と「サイト・スペシフィック」という要素につながることだが、ここには、2010年代半ば以後沸騰する「地域アート」をめぐる議論の基本的な要素が含まれている[16]。

　文化芸術と地域とが互いに何らかの影響を及ぼし合う。そのことを通じてそれぞれのあり方、そして両者の関係が大きく変化する——いわば「共進化」する。アートプロジェクトにはそうしたダイナミックな変化をもたらす力があるのではないか。そういう期待が高まってきたのが2000年代だった。この時期、「地域活性化」や「まちづくり」といった、従来、地域経済や行政、社会政策等の文脈で論じられてきた問題が一気にアートの方法と対象の範疇に入ってくる。こうしたコンセプトがアートプロジェクトの仕組みの中にごく自然な形で——そのことがどれだけ意識されていたかは別の問題だが——取り入れられるようになったことが改めて確認できる。

アートプロジェクト前史（1）—— 文化政策の形成と転換

　アートプロジェクトとは何か。この一般的な定義と対象範囲を厳密に示すことはやはり困難だろう。便宜的に、単年度事業を継続し日常的に運営されているものをアートプロジェクトとし、2年ないし3年ごとの期間限定で行われるものを芸術祭として両者を区別する考え方（吉澤 2019 他）はそれなりに有効だが、呼称はともかく区分しにくい境界的なものもある。一方で、「アートプロジェクト」という呼称と概念自体が欧米の類似のものとは異なるとした上で、この語には「プロジェクト型の芸術表現」と「教育やまちづくり、福祉といった公共政策的目的を内包した芸術表現」という2つの要素があり、両者はしばしば混在して使用されているという指摘もある（谷口 2019: 227-8）。

厳格な定義に拘泥するより、アートプロジェクトの可能性を探るためにも、これを広く捉えた上で、こうした実践活動の形成史──歴史的な経緯について見ておくことにしたい。これについては先に見た熊倉の包括的でコンパクトな「アートプロジェクト概説」（熊倉 2014：15-30）をはじめとして、近年一気に研究動向も活発化したこともあって（例えば、谷口 2019；吉田 2019；吉澤 2019）、その定義や分類をめぐって多様な視点と見解が示されている[*17]。屋上屋を架す感もあるが、ここでは筆者なりに記述してみたい。

　2000 年代の「大地の芸術祭」の成功とそれに駆動された諸々のアートプロジェクトが花開いた時期には、それに先立つ「助走」期間がある。なぜ 2000 年頃からこうした動きが起きてきたのか。これを、その連続性を認めつつも「前史」として考えてみたい。

　吉本光宏は、2008 年に「日本の文化政策は、現在、大きな転換点を迎えている」と述べ、1980 年代から 2000 年代にかけての日本の文化政策のみならず文化状況全体を振り返って、来るべき近未来の文化を展望している（吉本 2008）。

　改めて経緯を概観するために、ごく粗くではあるが日本の社会・文化状況の変化を戦後からたどってみよう。

　戦後の復興期から高度成長期を経て、日本社会は一定の経済的豊かさと共にかつては得られなかった文化的享受をある程度手にすることができるようになった。1950〜60 年代の教育水準の向上と文化会館、公民館などの文化的インフラ整備が共に進んだ時代を経て、経済危機を経ながらも 1970 年代は安定成長期に入る。内閣府の世論調査で「物質的豊かさ」より「心の豊かさ」を重視する人々の割合がはじめて上回るようになる 70 年代後半、人々の文化的関心は高まるものの、それを満足させる社会環境はなお不十分なままだった。1980 年代は、こうした豊かな時代を引き継ぎながらも、その社会的文化的矛盾が露わになった時代でもある。先行する時代の歪みとも言える東京一極集中に対する批判が高まり、「地方の時代」が叫ばれるようになった。一方で、それなりに成熟した経済社会の現実化を背景に「文化の時代」への期待も語られるようになる。多目的ホールへの批判（「多目的は無目的」）から、中新田バッハホール（1981）などの音楽専用ホール、演劇空間とコンサート

ホールを別々に設置した熊本県劇場（1982）等、ハード面での専門化が進んだのもこの頃である。また、宮城県美術館（1981）、世田谷美術館（1986）等、この時代は地方公共団体による本格的な美術館の開館が相次ぐ、「地方と文化の時代」が強く印象づけられる時代でもあった（地域創造 2014：43-53）★18。

1980年代末から90年代初頭にかけて一つの転機が訪れる。同年代の好調な経済状況の下、メセナやフィランソロピーなど文化芸術に対する民間支援の考え方が広がり企業や関連団体は潤沢な余剰資金を文化イベントへと活用するようになっていたが、80年代末のバブル経済とその余波は文化芸術にも大きな影響を与えることになった。バブル経済の崩壊は日本社会をその後の長期的な低迷へと導くが、この時期、文化芸術の世界では大きな出来事が続く。1990年に社団法人（現公益社団法人）企業メセナ協議会、関連法改正に伴い芸術文化振興基金が相次いで創設された。官民が文化芸術を支える体制の基盤がここに生まれたと言える。「文化行政から文化政策へ」とも言われる一つの転換点がこの時期に当たる（佐藤 2018a）。こうした文化芸術助成システムの構築はその後に大きく影響してくる。文化庁の「アーツプラン21」、企業メセナ協議会の「助成認定制度」などにより文化芸術支援の拡充が進むことになった。公私の助成金の拡充や企業による若手アーティストの支援などが挙げられる（吉本 2008）。日本の文化芸術にそれまであまり馴染みのなかった「経営」（マネジメント）の観点が広がり、「アーツ・マネジメント」に関心が持たれるようになるのも1990年以降のことである（伊藤 2004；林 2004）。

1990年代は財政的支援が整備されたことを背景に、公立文化施設が続々と建設整備された時代でもあった。とはいえ、こうした「ハコもの」建設ブームに見られるように、ハードにはお金は動くが、ソフト面には向けられる予算は低迷するという事態は、この時期の文化政策の矛盾を象徴している。吉本は、こうした問題点を指摘しながら、環境整備によって、大都市における創造型の公立劇場・ホールの誕生、地方都市における市民参加、ネットワーク、ボランティアなどコミュニティに密着した新しい公立文化施設のあり方の模索など新しい動きが生まれてきたことに言及している（吉本 2008）。この頃、自治省（当時）が設置した「地域文化の振興に関する調査研究会」の提言を踏

まえ、全国知事会、全国市町村会等関係団体の支援を得る形で、1994年に財団法人（現一般財団法人）地域創造が設立されるが、これによりハード面に偏していた文化政策にソフト面からの一定の活性化が図られることになる[19]。

　同様の民間の動きとしては、各地のアート活動を活性化する人材（アートマネージャーやプロデューサー）の養成を目的として1996年に始まる「トヨタ・アートマネジメント講座（TAM）」（佐藤2018a）[20]、2002年開始のアサヒ・アート・フェスティバル（AAF）の活動（2006まで）（藤、AAFネットワーク2012）[21]も見逃せない。こうしてアートにおける「仲介者」の役割が次第に鮮明になって来る（佐藤2018a）。

　こうした施設の充実に対して、一方ではその理念に対抗的な動きがあったことを見ておかなくてはならない。美術館、ギャラリー、劇場、音楽ホール等の空間の限定性に反発するかのように、野外、都市空間などそれまでアートの空間とは見なされなかった空間に場を求めた、1960年代の「対抗文化」に源泉を持つ新しいアートの動きが生まれてくる。現在「オフ・ミュージアム」「脱ホワイトキューブ」と言われるような、美術館でも商業画廊でもない自由な表現空間を求める傾向（しばしば「オルタナティヴ」と称される）[22]は、こうしたアートプロジェクトの生成と結びついている。また、後に見るようにこのことはアートが「場所」を強く意識することへとつながっている。

　熊倉らは文化施設とは違った場所に新たな可能性を見いだしたアーティストやオーガナイザーの登場に注目し、この例として田中泯、木幡和枝が立ち上げた現代美術と舞踏のフェスティバル「アートキャンプ白州」（1988〜）や民間企業出資による「ミュージアム・シティ・天神」（1990）、川俣正（1953〜）の国内外での大規模「プロジェクト」などを挙げている（熊倉2015：6）。川俣の実践は文字通り「アートプロジェクト」の先駆けとしても知られている。こうした事例は「点」として存在したが、それだけでなく、それらが別の点とつながって「線」や「面」へと発展したと考えることもできる。その関連性の深い浅いはあるにしてもそれらは後のアートプロジェクトの祖型とも言える。これらは、時代的なズレを考えれば、90年代の文化芸術支援の直接の所産とは言えないにしても、それ以前からあるさまざまな要素（例えば1960年代〜70年代の「対抗文化」や「前衛」的実践）の露出あるいはその発展形ではあるだろう。このこ

とは、後の「地域アート」批判（藤田 2014）に触れる問題でもあるが、この時代なりの一定の限界はあったとはいえ、90年代は自由で多様なアート実践の試行錯誤の時代だったとも言える。

アートプロジェクト前史(2)――「アートの社会化」の展望

　1990年代は、このように現在では見失われていたり忘れられたりしている多様な要素が出現し、方向性が明確ではないがさまざまな模索が続いていた時代として見ることができる。この時代は、1960年代～70年代の無定形な「前衛」性と生真面目なマネジメント的思考が交錯した、混沌としているがしかしそこから何かが生み出される可能性を秘めた時期ではなかったか。

　1990年代末に橋本敏子は、当時のアートのその後の展開を期待、予見するように、「芸術環境権」という考え方を紹介しながら、当時成熟してきた文化芸術の状況とそれを背景に全国各地で生まれていた「コミュニティ・アート」や「参加型アート」といった多様な試みに注目している。それらは後に生まれるいくつものアートプロジェクトにやがてつながるものだろう[23]。

　橋本は、「灰塚アースワークプロジェクト」（広島県総領町、美良坂町、吉舎町）を紹介する中で、吉松秀樹（建築家）、岡崎乾二郎（美術家・評論家）らが示す「芸術環境権」について触れ、これを「産業経済や自治体で使われる広域圏と同じように、芸術で包み込まれた圏域としてこの地域を捉える考え方」（橋本 1997：84）として評価している。コミュニティ再生などの今日的課題に対するその重要性を指摘したものと考えることができるだろう。橋本は他にも「地平線プロジェクト」（福島県いわき市）、「IZUMIWAKUプロジェクト」（東京都杉並区）、「鶴来現代美術祭」（石川県鶴来町（現白山市鶴来））、「アートワークみの」（岡山県岡山市）など1990年代当時自然発生的に生まれていた各地の試みを取り上げている。こうした過去の事例は今改めてその評価が求められていると言えるだろう[24]。また、これらの事例を当該地域の個別的性格（社会経済的文化的特性）あるいは地域的履歴の問題として捉え直すことも重要である。

　一度忘れられた作家や作品行為が再発見されたり別の視点で召喚されることがある。アートプロジェクトについてもそれは同様だろう。

橋本は1980年代末のバブル経済の狂騒から学んだ経験が「大規模・プロ主導型の文化事業や文化イベントとは一線を画したアートプロジェクトの登場を促した」（同：127）とし、「アートプロジェクトが社会の新たな可能性を発見する「インターフェースになるはたらき」をもたらしている」（同：136）という点を強調している。そこで橋本はバブル期の「ハコもの志向」からの脱却と共に文化芸術環境の成熟がもたらす社会と文化のあり方の質的変化に注目している。橋本は、「社会化するアートは身近な環境のソフト・インフラのありかたそのものを変えるきっかけをもたらしていこうとしている」（同：189）と述べ、アートは既存のあり方とは違ったコミュニケーションの回路をもたらし、人と人との関係を確認したり変えたりする力を持っていることを評価する。またそのことを通じて見えなかったものを見えるようにする「問題発見」や社会的現実の認識の有用なツールにもなりうるという。こうして橋本はアートがもたらす「インターフェースの発見」に注意を促している（同：147-156）。

　コミュニケーションの形やものの見方を変えるアートの力。橋本は、「アートの社会化」の進展を意識しながら、現代アートの社会的機能についてこのように捉えていた。20数年を経た今ではこうした認識はより広く共有されるようになっている。90年代末という時点でアートあるいはアートプロジェクトの未来の可能性を展望したものと言えるかもしれない。

点と点をつなぐ──過去と現在の対話
　歴史には前史があり、その前史にも前史がある。アートプロジェクトの生成史をたどり、一つの歴史として再構成する（いわば歴史化する）作業は、単に過去を振り返るという以上の意味がある。これは単に始まり＝起点を探すことではない。この作業はアートプロジェクトの〈現在性〉──今日的意味──を考える上でもきわめて重要である。例えば、1990年代に先立つ80年代に、川俣正のインスタレーションなど先駆的な仕事をはじめとして「現在」と接続しうるいくつもの「点」を見いだすことができる。〈現在〉の視点というだけでなくその都度異なった視点でその意義を浮かび上がらせることは可能だろう。これらの事例を単に個別の点として見るのではなく、点と点とのつながりを、いわばそれらが形成する線、あるいは面や立体として──展開する／展開し得

た可能性として──考えることができる。別の言い方をすれば、諸々の点の付置状況をどのように捉えるか、その視点の複数性に将来のアートプロジェクトの可能性を探ることもできるはずである。まだ、こうした（再）発見を待っている未知のあるいは忘却された点があるかもしれない。ここでは詳しくは触れなかったが、企業メセナ活動が果たしてきた役割についても創造経済の視点から再認すべきことがなおある★25。こうしたことを含め、点と点をつなぐ作業──過去と現在の対話はこれからも必要だろう★26。

　アートプロジェクトとパブリックアートとの関係もまた見逃せない。アートと「場所」をめぐる問題に目を向けてみよう。

2. 「場所」を意識するアート──アートと空間

アートプロジェクトの起源としてのパブリックアート

　1990年代はアートプロジェクトの誕生の時期と位置付けられるが、これについてはいくつかの見方がある。アートプロジェクトについて考えるとき、「パブリックアート」と呼ばれる作品や実践活動あるいは事業についても考える必要がある。

　藤井匡はアートと公共空間の関係性を問う中で日本におけるその問題の端緒を野外彫刻に求めている（藤井 2016）。藤井によれば、日本の野外彫刻事業の出発点は1961年の宇部市野外彫刻展である。展覧会を開催し審査を行って受賞作品を決定、それを恒久的に設置するというやり方は1960年代、70年代を通じて継承され、特に80年代に全国的な広がりを見せた。この頃「彫刻のあるまちづくり」を掲げる自治体が多くみられるようになった。特に、1978年の仙台の「彫刻のあるまちづくり」政策が確立した方式──、彫刻作品の選定に先立って設置場所を決定しその場所に調和する作品を基本的には新作で設置する方式はその後幅広く継承されていく（同：10-14）。

　1960年代は、こうした野外彫刻への関心が、一部のアーティストから広く共有される時代であったが、1963年の神奈川県真鶴町「世界近代彫刻シンポジウム」はその後の野外彫刻をめぐる状況に非常に大きな役割を演じた。この企画は、東京オリンピック関連事業だったが、このことは2020年前後の状況とも重なって見え興味深い。

1980年代の活況は90年代に入ると停滞に転じる。

　「野外彫刻展にしろ彫刻シンポジウムにしろ、日本の社会の中で公共性を獲得したとはいえない状況のまま、1990年代に事業の実施が急激に減少する。替わって用いられるようになるのはパブリックアートやアートプロジェクトという言葉である」（同：11）。

　「日本ではパブリックアートという呼称は1990年代前半に一般的に定着していく。契機となったのは1994年に竣工した『新宿アイランドアート計画』と『ファーレ立川アート計画』という、都市部における施設の全体計画に関わるかたちで実施されたふたつのプロジェクトである」（同：11）。前者では、施設の全体計画を優先した上で美術作品が配置され、後者では、都市の中で必要となる機能を美術作品に導入する形で進められた。「彫刻の自律的価値に立脚していた「彫刻のあるまちづくり」とは重点の置き方に大きな違いがある。ここでは社会の中に美術を位置づけるためにその機能について考慮するようになったのだ」（同：11）。

　この過程で彫刻の自律的価値は相対的に低下し、アートとデザインの区別は困難になっていく。こうした試みは都市部における再開発事業と一体化したものであり、こうして生まれたパブリックアートは、社会との関係を一定程度構築した点で評価できるとはいえ、「公共性の獲得」という点では限定的なものにすぎなかった（同：11-12）。

　藤井は、「野外彫刻、パブリックアート、アートプロジェクトという呼称の推移は、美術自体の展開だけでなく、社会に対する意識の推移にも大きく関与するものである。例えば、中央集権から地方分権へ、あるいは市民参加によるまちづくりの推進といった、21世紀になって経済化した動きを無視することはできない」とし、これを連続的に捉えることで「美術や社会を単体としてではなく、その関係性」を考察しようとしている（同：14）。「公共性」の視点からパブリックアートの生成とそのアートプロジェクトへの転換がどのような意味を持つのかを読み解く一つの視点として興味深い。

　数10年の時間的幅のなかで見れば、この野外彫刻（展）とパブリックアートをめぐって東京のような大都市圏だけでなく地方でもさまざまな動きがあった。ここではその詳細には触れないが、こうした歴史を丁寧にたどることでわ

れわれが見過ごしていたこともまた新たに見えてくるかもしれない★27。

「パブリックアート」から「サイト・スペシフィック」へ

　アートプロジェクトと「場所」の問題は切り離せない。特に「地域アートプロジェクト」における「場所性」の問題は重要である。また、このことは「サイト・スペシフィック」の問題系として考えることができる。

　先にも見たように、「サイト・スペシフィック」とは「特定の場所の固有性と結びついた作品、制作行為」を意味すると考えてよいだろう。端的に言えば「美術作品が特定の場所に帰属する性質を示す用語」（暮沢 2009：176）ということだが、場所と空間を強く意識した「サイト・スペシフィック・アート」と呼

ばれる多くの重要な作品群があり★28、さまざまなコンセプトを包含する現代アートにとっても重要な概念である。

　北川フラムは、2010年代半ば、その時点で過去5回10余年に渡る「大地の芸術祭」を総括して、「場所（サイト）」についての意識が変化したことの重要性について語っている。これは芸術祭のコンセプトの変化そのものでもあった。

　北川自身が認めるように、まだ手探り状態であった第1回（2000年）は地域の人々からの理解も十分得られず、アート関係者の評価も高いものではなかった。これに対する反省から、「パブリックアート」から「サイト・スペシフィック」へというコンセプトの転換が生じたという。前者に強く意識が向いていた北川にとって、それは土地になじむ、「親和」するアートを創造していく重要性への気づきであったと自身で振り返っている（北川 2014：231-245）。それまでの一般化された意味での「パブリックアート」つまり社会的に透明な公共空間（パブリックスペース）に提示されるアートではなく、自然景観、風土、歴史といったその土地の固有性と結びついたアート。このコンセプトを強く意識した作品プロデュースがその後の「大地の芸術祭」の方向性を決定していくことになる。現代日本のパブリックアートプロジェクトの代表例とも言える「ファーレ立川」を指揮した北川がこうした経験をしたことは興味深い（北川 2017）。この方向性は、同芸術祭だけではなく、北川が同じくプロデュースした「瀬戸内国際芸術祭」でも活かされているが、「大地の芸術祭」が多くのアーティストにこの理念を（濃淡はあれ）意識させたことは確かだろう。現代アートの伏流としてあったものを大きな流れにしたという点で、同芸術祭の成功は「サイト・スペシフィック」という理念の広がりと浸透にも一役買ったと言える★29。

　このコンセプトは、現在では各地のアートプロジェクトにおける主要理念として共有されている。さまざまなアートプロジェクトがその地で行われる（ある作品がその地に存在する）ことの必然性および正当性がこのコンセプトの核心である。

ゲニウス・ロキ（地霊）、ヴァナキュラー —— 土地へのまなざし

「サイト・スペシフィック」の視点はまた、「ゲニウス・ロキ（genius loci）」の

概念とも響き合う。ゲニウス・ロキとは本来ローマ神話における土地の守護精霊を意味し（ラテン語）、「地霊」とも訳されるが、土地の気風、そこにある人やものに力を与える一種神秘的な力を指している。近代的合理主義の思考からしばしば零れ落ちてしまうこうした要素については、風土、土俗性、土着性などその地の固有性を意味する「ヴァナキュラー」概念との関連で、建築論を介してアートの世界でも言及されることが多くなっている★30。

　このように、制作の当事者である作家・アーティストだけではなく特定の場所に居合わせた人々（関係者）にとってアートに関わる動機づけや事後の評価においてこうした場所と空間に対する意識は強くなっている。

　その作品が置かれるべき場所はどこか。そのイベントやパフォーマンスが行われるべき場所はどこか。そしてそれはどんな空間でなくてはならないか。それはどこでもよいのではなくそこでなくてはいけない。これは逆の関係にもなりうる。そこにある、そこで行われることによってその場所が特別な場所になる。場所には歴史があり人の営みがそこには刻印されている。その固有性つまり作品と場所の関係の必然性の認識が両者の存在意義をより強めるのである。それはプロジェクトに関与する人々の一体感や集合意識を強固なものにし、制作の行為と作品そのものの強力な存在理由となる。サイト・スペシフィックという要素は、多くのアートプロジェクトにとって不可欠と言えるほど重要なものになっている。とはいえ、この語の安易な使用もしばしば目に付く。重要視される一方で、この語が一種のパワーワードとして一人歩きする傾向についても注意しておく必要があるだろう★31。それを「場所」と呼ぶか「地域」と呼ぶかはさしあたり措くとして、これらを広義の「空間」の問題として考えれば、アートと空間、アートにおける空間の問題は、アートプロジェクトの可能性を考える上で避けて通れない問題なのである。

アートと空間の問題性

　アートと空間の問題は近代芸術（modern art）の理解と日本におけるその受容の問題と切り離せない。このことは現在進行しているアートと社会の関係の変化ともつながっている。

　これまで芸術の普遍的規範として考えられてきた西欧由来の近代芸術の

枠組み（特にこれを「純粋芸術[ファイン・アート]」や「高級芸術[ハイ・アート]」とのみ見る見方）からわれわれは（当の西欧の人々を含め）自由になりつつある。「神聖な芸術を神聖な空間（場所）で拝受する」といった感覚に表れているような「芸術崇拝」の傾向（松宮2003；松宮2008）★32 は、一部にはなお残っているにしても、以前よりは自由に文化芸術を楽しむ人々が増えていることは確かだろう★33。

　美術館や音楽ホールは芸術を享受する「神聖な空間」であるという観念からなかなか自由になれなかったわれわれも少しずつ享受の形態を変えつつある。本章でも見てきたように、「オフ・ミュージアム」や「脱ホワイトキューブ」あるいは路上（ストリート）の表現など、作品と場所の自由な関係性を模索する試みをわれわれは至る所で体験できるようになっている。この意味で、文化芸術を享受する場としての公共空間が拡大していることは間違いない。

　アートあるいはアーティストたちの作品と場所の関係についての考え方、それとの向き合い方は、現実には、当然ながら一様ではない。単に物理的・空間的な点としての「場所」と自然環境、また、人と暮らしの場であるコミュニティとしての「地域」とは当然区別されるべきだろう。場所、土地、地域等々、語と概念の関係はしばしば錯綜するが、こうした「アートと空間」の問題については第3章で改めて取り上げることにしたい。

　アートと空間の関係、アートの空間との向き合い方はこの間大きく変わってきた。こうした変化と重なる形で、アートプロジェクトの模索が各地で続いている★34。

註：

★1　現代美術／芸術の世界では芸術の概念自体を更新するさまざまな潮流が生まれ、メディウム（素材や手法）や主題においても多様化が進んでいる。現代美術におけるこうした多元主義的で「何でもあり」の状況（山本2019）は、今日の芸術全般の自由なあり方を形作っている。このことは結果的に、旧来の形態を脱した自由で融通無碍な「アート」の生成につながり、「アート」と「社会」との関係性を深める契機となっていると考えることができる。

★2　2010年は「あいちトリエンナーレ」「瀬戸内国際芸術祭」など現在継続する大規模な芸術祭が始まり、こうした地域芸術祭への注目が一段と高まった年となった。『日本経済新聞』は同年の年頭、「ここ10年」の傾向として「町ぐるみアートでにぎわい」「地方開催イベント続々」「自治体、経済効果に関心」とこうした動向として紹介し、「大地の芸術祭」の他、「中之条ビエンナーレ」（群馬県中之条町）、「所沢ビエンナーレ」（埼玉県所沢市）、「金沢アートプラットホーム」（金沢市）など、2000

年代に誕生した大小の地域芸術祭を事例として挙げている（『日本経済新聞』2010年1月1日）。「観光アート」（アートを目的とした旅、アートを活用した観光）という視点やコンセプトもこの頃から一般化する（山口 2010）。事後振り返っても、2010年という年が一つの画期になったという見方は妥当だろう。

★3　空白地であった北東北で見れば、先述したもの以外では「かみこあにプロジェクト」（秋田県上小阿仁村、2012～）、「三陸国際芸術祭」（宮城県・岩手県・青森県の三陸沿岸各地、2014～）等が挙げられる。

写真1-13　空気ひとし『風花～上小阿仁』
KAMIKOANIプロジェクト秋田2014
（写真提供：KAMIプロ・リスタ実行委員会）

写真1-14　山本太郎『羽衣バルーン』
KAMIKOANIプロジェクト秋田2014
（写真提供：KAMIプロ・リスタ実行委員会）

★4　内閣府NPOホームページ（https://www.npo-homepage.go.jp/npoportal/　2020年1月20日閲覧）によれば、2020年には、全国にNPOは約6万（59,417団体）ある（認定法人は1,103、特例認定法人は32）。カテゴリは20ある。団体数の上位から見ると、①保健・医療・福祉（3万2,164）、②社会教育（2万6,865）、③連絡・助言・援助（2万6,270）、④子どもの健全育成（2万5,801）、⑤まちづくり（2万4,286）、⑥学術・文化・芸術・スポーツ（1万9,871）となっているが、他の環境の保全、職業能力・雇用機会、国際協力等のカテゴリを含めた総計は約25万である。6万弱の実数との差は1万9,000ほどあり、相当程度重複していることがわかる。全般にカテゴリが重複する活動団体は多いが、上記⑥芸術関連の団体も同様である。例えば、「特定非営利活動法人KAWASAKIアーツ」（2006年認証）は、学術・文化・芸術・スポーツを含め、まちづくり、環境保全、国際協力、子どもの健全育成、連絡・助言・援助、社会教育、人権・平和と全部で8のカテゴリと重複している。文化芸術に活動が特化している団体数は必ずしも明らかではないが、この範囲で相当数の団体があり、このケースのように文化芸術の分野が他の活動領域と融通無碍に重なり合う傾向があると見ることもできる。なお、アートNPOの活動を支援している団体（NPO法人「アートNPOリンク」）の報告書によれば、「3年以上の活動実績をもつ全国のアートNPO法人」は調査の際対象にした団体は約4,000あるという（アートNPOリンク 2019：5）。現在、実体のあるアートNPOはこれと同程度存在すると考えてよいだろう。こうしたNPO活動の基盤整備に関する調査報告であるアートNPOリンク2017およびその展開と実態とについては吉澤 2018参照。なお、こうした動向の背後に災害（阪神・淡路大震災（1997）、東日本大震災（2011）等）とそれをめぐる文化芸術関係者の試行錯誤があったことも忘れるわけにはいかない。大澤 2018；コマンドN 2012他参照。

★5　さしあたり、討論「大型フェスティバルが生まれた背景」（熊倉 2014：304-312）、以下を参照。橋本 1997；藤，AAFネットワーク 2012；熊倉 2014。

★6　北川はその後も「瀬戸内国際芸術祭」（2010～）はじめ、「水と土の芸術祭」など各地の数多くのアートプロジェクトの立ち上げに関わり、活躍を続けているが、これに先立つ1990年代に後のさまざまな試みの先行形態とも言える「ファーレ立川」のディレクションに携わった人物であることは忘れて

はならないだろう。農村であれ都市であれ地域あるいは空間とアートの関係性についての実践的な感覚は北川の固有の資質と言えるかもしれない。「ファーレ立川」については北川 2017 参照。巨大プロジェクトという点では「大地の芸術祭」と共通するが、都市と農山村、空間と作品の関係など両者の連続性と不連続性については興味深い論点が少なくない。

★7　アートプロジェクトを進める上でのこうした困難は現在も同様である。地域の人々の反発や無関心等のネガティヴな要素は無視できない。一方で、プロジェクト展開に際して、仲間作り（支援者の組織化）の重要性は広く認識されるようになっている。同芸術祭では「こへび隊」と呼ばれる、世代、ジャンル、地域を越えたサポーター組織が大きな役割を果たしたことが知られる。北川はこれをいわゆる「ボランティア」と異なる存在とし、「「共犯性」と「協働」を実現する上で、決定的な役割を果たした」と評価している（北川 2014：227）。これも今ではアートプロジェクトにおける一般的なノウハウの一つになっている。

★8　2000年と2003年、これらの市町村は共同で「大地の芸術祭」を実施、ステージ整備事業を経て、2005年に津南町を除く5市町村が合併、現在の十日町市と津南町から成る越後妻有地域となった。「ニューにいがた里創プラン」は2006年第3回の芸術祭で財政支援（総事業費の6割が県の補助）は終了した（北川 2014）。この後は、福武總一郎（ベネッセコーポレーション会長）らの支援等省庁の補助金や財団の助成金、寄付等の比重が高まることになる。

★9　例えば、廃校になった小学校跡を利用し、『場の記憶』を建物の中に濃縮した作品、「人間の不在」を表現する作品『最後の教室』（C.ボルタンスキ＋J.カルマン：写真1-15）がある。松之山におけるマリーナ・アブラモヴィッチの空き家プロジェクトはこの種の試みの嚆矢だが（北川 2015：45-49）、廃屋の空間を利用した作品として、地元の人々との共同作業で『黒い毛糸を空家の1階から天井裏まで縦横無尽に張り巡らせた』『家の記憶』（塩田千春：写真1-16）もよく知られる作品となった。今では各地のアートプロジェクトで見られる形となっているが、こうした空間の用い方などの発想、コンセプトは他の作家にも刺激や影響を与え、後の同工異曲の諸作品の手本となったと言えるだろう。

写真1-15 クリスチャン・ボルタンスキー＋ジャン・カルマン『最後の教室』（2006）（大地の芸術祭）
Photo by T.Kuratani

写真1-16 塩田千春『家の記憶』（2009）（大地の芸術祭）
Photo by Miyamoto Takenori＋Seno Hiromi

★10　「KAMIKOANIプロジェクト」（秋田県上小阿仁村）は「大地の芸術祭」の飛び地開催（2012）という、「飛び火」的試みから始まった（北川 2015）。

★11　近年、特に、大地の芸術祭、瀬戸内国際芸術祭、あいちトリエンナーレなどの規模の大きな地域芸術祭については、出版や研究の蓄積も進んできている。例えば、福武，北川 2016；宮本 2018；吉田 2015；吉田 2019 等参照。

★12　「現代美術用語辞典 ver.2.0 - Artscape」（https://artscape.jp/artword/index.php）等参照。これを「アート・アクティヴィズム」と総称する見方もある（美術手帖 2019：20）。

★13　アートプロジェクトについては、先述の熊倉 2014 の他以下参照。加治屋 2016；宮本 2018；橋本

1997；藤，AAFネットワーク 2012；星野，奥本 2017；山本 2019 等。

★14　同書（熊倉 2014）は、2000 年代のアートの動向を受け一気に展開した 2010 年から 2012 年までの全国各地のアートプロジェクトの実践活動をリサーチし、現場の関係者の議論を丁寧に拾い上げてまとめた報告書（熊倉 2013）の加筆修正版で、発言や記録内容は 2010 年時点のものが主となっている。消えていくアートプロジェクトも少なくないが、この時代の状況を包括的に見る上で重要な記録である。

★15　「共創」はマーケティング用語に由来するもので、その後拡張されて用いられていることに注意したい。生産者と消費者等異なるもの同士の共同的生産過程を指すが、ここでは相互的に、アーティスト（制作者）だけでなく、地元の人々、さまざまな（利害）関係者が「共に創造」（価値創造）するという過程あるいはそのことに価値を置く規範的理念として理解しておく。小野 2012 参照。最近は、教育・研究の世界でも広く用いられ、異なる関係者・ステイクホルダー間の協働性を強調するポジティヴな用語として一種のマジックワードとなっている感もある。

★16　熊倉純子は、「アートプロジェクトの美的・社会的価値についての考察」（熊倉他 2015：27-36）で日本のアートプロジェクトの特徴について以下のように論じている。熊倉は「日本のアートプロジェクトは、ソーシャリー・エンゲイジド・アートやリレーショナル・アートという概念とも微妙に異なる位置にあるように思われる」（同：30）とし、政治色が色濃く、社会課題を直接議論するようなソーシャリー・エンゲイジド・アートとの違いを強調している。「手作業を呼びかけるという穏やかな手法で、人々の間に新しいコミュニケーションの回路を生み出し、継続させてゆくという点」に特徴があり、「日本のアートプロジェクトでは、既存のコミュニティにこびりついたしがらみを無化し、それまでになかった新しいつながりをつくることでその地域に新たな魅力をもたらしたり、人々が生き甲斐を見つけたりすることが期待されている」という（同：31）。熊倉はこれに関連して、アートに関心を持つ学問領域の広がりに触れ、社会関係資本（ソーシャル・キャピタル）の重要性、文化人類学的（民俗学的）な視点（限界芸術論、「祭」等）の意義にも言及している。「アーティストの視線も民俗性に回帰している」として民俗学的歴史的な視点でリサーチする傾向がアーティストの間で強まっている事を指摘する者もある（美術手帖 2019：37）。実際、最近のアートプロジェクトはこうした要素を取り込みながら発展している。

★17　熊倉は、アートプロジェクトについて、1950 年代～1980 年代を「前史」、1990 年代を「萌芽」、2000 年代以降を「社会システム」への展開という見取り図を示している（「歴史的位置付けとその変遷――空間から場、そしてシステム」（熊倉 2014：17-21））。また、大阪の事例を中心に広く日本の文化行政の変遷を記述した吉澤による「日本の文化政策」（吉澤 2011：30-41）、最近では、これも包括的にその形成と展開を記述した宮本の記述（宮本 2018）等参照。加治屋は、「社会やその状況に関わる美術家の活動」について「リレーショナルアート」等の呼称・概念の出自を整理した上で、日本における「地域に展開するアートプロジェクト」を「社会関与の美術」の枠組みで考察している。加治屋はその「源流」として端的に「野外美術展」、「パブリックアート」、「ヤン・フートの活動」［特にフートが企画した「シャンブル・ダミ」（友達の部屋）展（1986）］の 3 つを挙げている（加治屋 2016）。この他、五十嵐太郎の「芸術祭」についての以下の論説も参考になる。「芸術祭はどのように始まったのか」（https://www.nettam.jp/course/art-festival/1/）、「芸術祭はどのように成立しているか」（https://www.nettam.jp/course/art-festival/2/）、「芸術祭をどのように評価するか」（https://www.nettam.jp/course/art-festival/3/）。谷口による以下の整理（1988 年～2011 年）も興味深い。「アートプロジェクトの歴史」（谷口 2019：13-49）。ここで谷口は、アートプロジェクトを「現代芸術の実験」「文化政策の発展」「市民社会の形成」の 3 つの視点から分析し、これを黎明期（1990-93）、実験期（1994-99）、発展期（2000-01）と 3 期に区分した上でその歴史を「社会が現代芸術の可能性に気付き、その活用を模索してきた過程」（同：44）としている。これらの視点論点に加え、地域ベースの文化芸術活動に注目して、必ずしも美術寄りではない視点で演劇や映画など対象の幅を広げれば、「牛窓国際芸術祭」（1984～1992）と同時期に立ち上がった「利賀フェスティバル」（1982～）や「山形国際ドキュメンタリー映画祭」（1989～）等を「地域発国際芸術祭の始動」として視野に入れ

ることも可能だろう。以下参照「コミュニティとアートを巡る変遷」（藤，AAFネットワーク 2012）。

★18　敗戦直後の文化的貧困状態（公立美術館などのインフラ不足や知識水準等）から経済成長を経て豊
　　　かな文化消費の時代へと至る1990年頃までの状況を振り返ると、そこには日本的特殊性と言うべ
　　　きものが見いだせる。淺野敞一郎は、1945年から1990年までの5,200余の「企画展」を分析する
　　　ことを通して、その多くが大手新聞社主催であったこと、デパートにおける恒常的開催、また「前衛」
　　　や「革新」の名の下でのいけばなや書の展覧会の比重の大きさなどを指摘している（淺野 1997）。
　　　それを日本の「文化的後進性」とまで言うかどうかは別にして、この経緯が戦後日本の文化芸術の
　　　社会イメージの形成や文化芸術支援のあり方に大きな影響を与えてきたことは間違いない。

★19　ちなみに文化経済学会（1992）、日本アートマネジメント学会（1998）と90年代には文化芸術に関
　　　わる主要学会が設立された。日本文化政策学会は2006年設立。

★20　佐藤李青は、このTAMについて「非営利の芸術活動を通して地域社会を活性化するアートマネー
　　　ジャーを各地に増やし、地元に密着したアート・プロデュースが行政・文化機関・市民などさまざま
　　　なレベルで盛んになることを目的」としたと述べ、開始から終了時2004年まで53回（32地域）開催
　　　しのべ1万人参加したこと、その後開設された情報サイト「ネットTAM」の意義についても評価し
　　　ている（佐藤 2018a）。その活動の全容については、TAM運営委員会 2004参照。

★21　AAFのネットワーク活動は、各地の公募プログラム、交流支援、報告会、事業の検証等その活動
　　　は多岐に渡り、全国各地のアートプロジェクトの支援に大きな役割を果たした。

★22　こうした「オルタナティブ・スペース」の形成については、小池一子（1936～）の存在を見逃すこと
　　　はできない。小池らの自主運営のアートスペース「佐賀町エキビットスペース」（1983～2000）の
　　　試みが当時の若いアーティストの表現活動の場づくりに与えた影響は大きい。以下参照。「Cross
　　　Talk03　美術館ではない場所で」（十和田市現代美術館 2020：96-112）。小池一子は、クリエイティ
　　　ブ・ディレクター・十和田市現代美術館館長（2016～20）。小池は、また、東京ビエンナーレ
　　　2020/2021のディレクター（同市民委員会共同代表）を中村政人と共に務めている。

★23　こうした展開については、前掲加治屋のそれと重なるものの、山崎亮の見解が興味深い。山崎は、
　　　参加型アートやリレーショナル・アートの出自をめぐって、「一九六〇年代後半に始まるサイトスペ
　　　シフィックアートの流れは、日本では80年代以降にご当地美術展として各地で開催された」という認
　　　識を示して、浜松野外美術展（1980）、大谷地下美術展（1984）、牛窓国際芸術祭（1984）、岡山
　　　の自由工房（1993）等を挙げ、「その流れが90年前後に活気づいたパブリックアートの影響を受け
　　　る。さらにリレーショナル・アート隆盛の時代になって、市民参加という制作・表現の形態を手に入
　　　れる。99年には「地方分権一括法」が公布され、地方に自立が促された。その政治・行政的背景
　　　とも折り重なりながら、サイトスペシフィックは「地域アート」へと進化したように思う」（山崎 2016：
　　　285-6）と述べている。第4章参照。

★24　これについては、「大地の芸術祭」「瀬戸内国際芸術祭」の初期のみならず、ここに挙げたそれ以
　　　前の草創期のアートプロジェクトに関わった川俣正、藤浩志の回顧が――両者の視点の違いも含め
　　　て興味深い。以下参照。第8章「アーティスト×アートプロジェクト」（熊倉 2014：293-322）

★25　本章では特に主題化しないが創造経済については、佐々木、水内 2009参照。また、時代により存
　　　在感と影響力に濃淡はあるが、この意味で、企業メセナ活動が文化芸術に果たしてきた役割につい
　　　ての議論は不可欠である。加藤 2018も参照。

★26　「起点としての80年代」（2018～19、金沢21世紀美術館他）展、『美術手帖』（2019年6月号）の「特
　　　集　80年代★日本のアート」など1980年代を振り返り再評価する動きが近年ある。バブルを生ん
　　　だ80年代だが、消費社会化の急速な進展とアマチュアリズムの拡大（アーティストと非アーティスト
　　　の境界の溶解）、ジャンル間のヒエラルキーの解体などが進んだ時代という理解を踏まえれば、ここ
　　　に現在のアートプロジェクト隆盛との連続性を見いだすことは可能だろう。

★27　松尾豊は、パブリックアートとは何か、アートプロジェクトとは何かについて諸論を検討して問い、その
　　　定義と関連性について考察するとともに、各地の実践例を丁寧に拾い上げている（松尾 2015）。
　　　特にその野外彫刻展と彫刻シンポジウムの歴史と到達点についての総括は、必ずしも中央のアート

シーンでは顧みられてこなかった全国各地の重要な実践活動に目を向けさせ、これらの動きが「市民参加と協働」理念の形成と発展に結びついたことを論証する貴重な記述となっている。まさに点と点をつなげ結ぶ作業と言えるだろう。パブリックアートについては、他に竹田 2001 も参照。

★28　これをパブリックアートと重ねる見方や、作品によってインスタレーション、ランド・アート、アースワーク等別呼称で捉える見方などがある。代表的な作家としてクリスト、ジェームズ・タレル、川俣正、リチャード・セラらが挙げられるが、作家たちはその名称で呼ばれることを必ずしも好まない（八田 2004 他）。

★29　八田典子は、アートプロジェクトにおける「サイト・スペシフィック・アート」の事例として「大地の芸術祭」の参加作品を紹介している。八田は、クリスチャン・ボルタンスキー『リネン』（2000 年、中里村）、磯辺行久『川はどこへいった』（2000 年、2018 年、中里村）、古郡弘『盆景―Ⅱ』（2003 年、十日町市）などを挙げ、「場」に関与した作品として芸術祭の初期からこれらを評価している（八田 2004：162-165）。

写真1-17
磯辺行久『川はどこへいった』（2000、2018、中里村）
（大地の芸術祭）
Photo by Nakamura Osamu

★30　これらの概念は、いわゆる近代（主義）批判の文脈で語られることも多いが、土地や場所についての強い関心を改めて喚起したという点で重要な意味を持っている（美術手帖 2019：36）。

★31　こうした強い意味で「サイトスペシフィック」という語を用いることができるが、現実にはそれが指示する内容については幅があると考えた方がよい。またこの語・概念はいささか陳腐化しルーズに使用される傾向もある。最近では、美術館の外、劇場の外なら何でも「サイトスペシフィック」と呼ばれる傾向さえあると指摘する声もある（岩崎 2018）。岩崎京子は、近年の演劇の状況について言及し演劇学者ゲイ・マッコレーの同様の指摘を紹介している。マッコレーは「サイトベース」と「サイトスペシフィック」を区別し、前者は「なんらかの形式的・審美的目的のために、既存の演劇空間を利用しない公演」、後者を「特定の（スペシフィック）ロケーションの歴史的・政治的文脈に深く関与するため、その立地から切り離すと成立しない公演」とすべきしているという。この区別の 一般化は演劇に限らず有効であるように思われる。

★32　端的に言えば、「ミュージアム」＝博物館／美術館を「制度」として捉えその限界と可能性を明らかにする見方。松宮 2003；松宮 2008 参照。

★33　この一方で、公共空間の広がり故に生じている価値をめぐる葛藤という新たな問題もあるが、これについては後述することにしたい（第8章参照）。

★34　例えば、野村幸弘は、「地霊」「聖なる空間」としての神社の可能性を喚起しながら、美術館という「制度」を離れて美術作品と「特定の空間、場所」との関係性を捉え直す必要について論じている（野村 1994）（第3章参照）。アートと空間の関係性を捉え直すことを通して、自然環境、都市空間、日常的文化、歴史や宗教等のさまざまな要素をインスタレーションや映像等さまざまな手法で再構築し新しい視点で地域性を深掘りしていくアートプロジェクトが各地で生まれている。また、佐藤李青はアートプロジェクトの次の段階を見据え、地域とアートの相互作用的な関係性の中に「制度化」（「プロジェクト」から「インスティテューション」への移行過程）の契機・動機を見ている（佐藤 2018b）。

第 2 章

「地域」と
アートプロジェクトの模索

はじめに

　2010年前後、アートプロジェクトは沸騰状態と呼べるほどの活況を見せるようになった。全国各地に数多くの試みが生まれたが、その多くは「地域」を焦点化するもので、「地域とアート」に対する社会的関心は以前に増して強いものになっていった。当然ながら、それらのすべてが順調だったわけではない。作品にも運営にも注目が集まり評価も高い、地域活性化の代表的成功事例と目される「大地の芸術祭」をはじめ[*1]、中には「瀬戸芸」のように100万を超える来場者数を集め、現在も継続するものもあるが、その一方で、財政的な問題、関係者の理解や支援の問題など、地域の事情によりその後回を重ねることなく消えたプロジェクトは少なくない。集客力や収益性（特にマクロ地域経済的な効果[*2]といった外形的な問題（定量的評価）に注目が集まる傾向はやむをえないにしても、作品や企画の質や水準に冷ややかな眼が向けられることもあった[*3]。また、莫大な公費が投入されることもあって、経済効果への過度の期待から試みそのものに対する疑念や不信が議会やメディアから示されることも珍しくなかった。文化経済学的な視点が徐々に受け入れられるようになってきた2000年代に入っても、文化と経済の相即的な関係性に可能性を認める「創造経済」や「創造都市」[*4]の考え方については、専門家の間を除き、全国的に見ればまだ理解が進んでいるとは言いにくい状況でもあった。そうした社会環境の中、当事者／関係者の熱量とは対照的に、目立った分だけ、各地に叢生するこれらの試みに対して次第に厳しい眼が向けられるようになってきたことも確かである。

　やがてそうした厳しい視線は「地域アート」批判という形で可視化される（藤田 2014；藤田 2016）[*5]。「地域アート」が何を指しこの批判がどういうものであったかについては、ここではひとまず措くが、この問いかけの持つ意義は重く、これが当時のアートプロジェクトの当事者／関係者に与えた影響は小さくなかった。

　また、やはりこの頃から、企業や行政による財政支援が拡大するのに伴い、結果（アウトプット）を求め、事の成否を問う声もより大きくなってくる。量的

質的な視点から「成果」を示すことが求められ、アートプロジェクトに対する「評価」の問題が大きくクローズアップされる★6。「事業」としてこれを捉える視点は一般化し、アートはその「効用」やさらには「費用対効果」をも問われるようになってきたのである。以前から言われていた「マネジメント」の視点は、より実質化してきたと言ってもよい。

　各地で生まれたアートプロジェクトは、こうした趨勢の中でさまざまな困難や障害に向き合いながら模索を続けている。見てきたように、その内容は多様だが、都市であれ農山村であれ、その多くは場所あるいは空間としての「地域」を強く意識していることに違いはない。アートが「地域」とどう向き合い、「地域」はアートに何を期待するのか。「地域」も「アート」も「プロジェクト」も、語・概念の間の関係は、実はそれほど折り合いのよいものではない。実際、これら3者の関係は一筋縄ではいかないが、それぞれの要素が葛藤や創発的な関係性を孕みながら、これらが構成する（ここでは「地域アート」という呼称ではなく）「地域アートプロジェクト」★7としてどのように成立しうるのか。

　「地域アートプロジェクト」といっても、そこでは、とりわけ「地域」という語が何を指すか、そこにはいかなることが前提されているかについて、当事者／関係者の間ばかりでなく、これを論じる側においてもどういう認識があるのかが本来問われないわけにはいかないだろう。

　「中央」に対する「地方」、「都市」に対する「非都市」（農山漁村等）といった対照軸、「地域」といってもそれは決してニュートラルなものではありえない。何らかの条件を与えられた「空間」であり、「場所」であり、「コミュニティ」であり、何より一つの「社会」にほかならない。

　これらの問題を含め、本章では、筆者が比較的近いところで見てきた事例に注目しながら、「地域アートプロジェクト」と総称されるものの意義と課題について考えることにしたい。まず、地域アートプロジェクトの一事例として「ゼロダテ」を取り上げ、アートと地域の関係のダイナミックな変化に注目してその展開をたどる。次に、同プロジェクトの主導者であった中村政人のプロジェクトに関する理念と実践について検討し、中村が「アートと社会」の問題性にどう向き合っているのか見ていくことにしたい。

第1節 「ゼロダテ」の挑戦
—— 地域社会とコミュニティ・アートプロジェクトの展開

2000年代後半から2010年にかけて、全国各地で「地域」を強く意識したアートプロジェクトが増加してくる。

そうした一つの「地域アートプロジェクト」に注目してみよう。人口約7万（2020年1月時点）の地方都市・秋田県大館市[8]で2006年に活動が始まった「ゼロダテ」を取り上げたい。同プロジェクトが立ち上がった当時東北圏内では同様の試みはほとんどなく、その後も含め、一定期間とはいえ毎年開催されるという事例は極めて珍しい[9]。

この事例には、地域の特性と結びついた個性が見いだせると同時に、地域の再生や活性化を狙いとした地域アートプロジェクトの典型性と一般性がよく表れている。ゼロダテには、自身アーティストとして活動しながら長くこの領域で幅広く活躍してきた中村政人（1963〜）（大館市出身）が深く関わっており、彼の存在抜きにこの活動については語れない。こうした地域ベースのプロジェクトに対する彼の考え方と行動の枠組み——いわば「設計と実装」についても後に見ることにしたい。そのことは、多様な展開を見せる諸々のアートプロジェクトの「現在」を問い直すことにもつながるはずである。

また、こうした試みには中央（東京）と地方の関係性あるいは中央に対する地方の関係性、さらにある地域と別の地域の関係性という問題軸も見いだせる。筆者自身比較的近い所から長く同プロジェクトを見てきたこともあり、この「地域」内的な視点を含め、地域内／外の関係性についても取り上げてみることにしたい[10]。

1. 「ゼロダテ」の生成と発展

「ゼロダテ」の誕生 ——「絶望をエネルギーに変え、街を再生する」

まず「ゼロダテ」が生まれた経緯をたどってみよう。

「ゼロダテ」は地域の衰退に対する危機感から始まっている。このプロジェクトリーダーを長年務めた石山拓真によれば、このプロジェクトの端緒は極めてシンプルである。同郷者とクリエーターという共通点が接点となって出会っ

た、世代も活動ジャンルも異なる3人、中村政人（アーティスト）、石山拓真（デザイナー）、普津澤画乃新（漫画家）（当時の年齢はそれぞれ40代、30代、20代）が、「『寂れていく大館をどうにかしたい』という思いを抱いていたのが最初の動機」という（石山拓真「アーティストによるアートプロジェクト」（熊倉 2014：182-185）。

　大館市は、かつて国内屈指の鉱山で栄え、県下で秋田市に次ぐ人口を誇った時期もある。資源枯渇による鉱山の閉山、人口流出、鉄道の廃止、商業衰退という連鎖反応が続きその活力の低下は明らかになっていたが、折しも当時、少子高齢化、人口減少、若年層の流出など全国各地でも同様に厳しい状況が認識されつつあった。地方都市では「シャッター商店街」が問題化し、地域社会衰退への危機感が急速に高まると共に地域の再生、活性化への取り組みが模索され始めた時期でもある。また、秋田県特に北部は全国的にも自殺率の高い地域であり、そのことも地域に暗い影を落としていた。大館市では、2000年代の始め地域商業の象徴的存在である老舗百貨店が倒産し、危機感が一層高まっていた。地元を離れていた3人はこのことに心を痛めていたという。

　こうして愛郷心と危機感とを共有した3人の間に「創造的なシナジー」（中村 2013：14）が生まれ、彼らが中心となって地元の人々や地域内外の人々を巻き込んでいく。その最初の取り組みとして彼らが考えたのは、老舗百貨店「正札竹村」の再生である。「百貨店はこの後どうなるのか」このことは当時の多くの大館市民にとっても強い関心事だった。

　自身、この百貨店に強い「思い」のあったという中村の視点で以下見てみよう（中村 2013：34-48）。

　「正札竹村」は、幕末嘉永年間に創業した呉服屋を母胎とする老舗である。大正時代の大火で商店街が消失した翌年に店は近代建築の百貨店としてよみがえり、当時の人々に大きな力を与えたという。戦中戦後を経て、1960年代末の株式会社化と新店舗オープン後は、多数の集客を誇る大館市の繁栄のシンボルとして秋田県北部の商業界を代表する存在となっていた。

　かつての百貨店は地域にとって文化施設としての機能も持っていた。店内にはギャラリーもあり、地方ではなかなか触れることのできない「文化」と「芸

術」を市民が体験できる場でもあったという。しかし、街の象徴的存在だった正札竹村も、地域産業の空洞化と過疎化の流れの中、全国的な時代の潮流だった大型ショッピングセンターの相次ぐ出店によって次第に精彩を欠くようになり、ある取り付け騒ぎをきっかけに2001年にはとうとう自己破産に追い込まれる。このことは「市民の心に深い傷跡を残した」（中村）という。市も支援に入ったがその後の跡地利用も進まず、残存する建物は「廃墟」と化した。かつての繁栄の象徴であり人々の心の拠り所でもあったその場所の状況は、市民に街の衰退を強く印象づけることにもなったのである。この百貨店の(再)利用という形での「再生」は、だからこそ街の再生への希望を仮託することでもあった。

　「再生」を望みながらも、プロジェクトとしてはまだ準備段階であった2006年の年末に「廃墟化」していた建物に足を踏み入れた関係者は、皆一様にその変わり果てた姿に衝撃を受けたという。「絶望感が、ゼロダテのエネルギーになっ」たと中村はこのときのことを振り返っている（同：17）。この老舗百貨店の存在は、その後も大館の「軸」であり、「地形的にも歴史的にも、正札竹村は大館の中心だったという事実はそう簡単には崩れない」（同：37）。この老舗百貨店は、文字通りこのアートプロジェクトの起点となったのである。その後も、清掃ワークショップ、リノベーション構想などこの象徴的存在はゼロダテの活動にとって大きな意味を持ち続けることになる。

　この段階で、プロジェクト名も決定した。「ゼロダテ」というプロジェクト名は「ODATE（大館）」という地名の「O（オー）」を「0（ゼロ）」と読み替え、また「DATE（日付）をゼロにリセットし、新しい大館を創造する」という意味を込めて付けたという（熊倉 2014：182）。まさに地域が重く抱えてきた閉塞感を打ち破りたいというスタッフの意図が読み取れる。中村は後にこのプロジェクトのいわば基本コンセプトを「絶望をエネルギーに変え、街を再生する」と表現している（中村 2013）[11]。

「コミュニティ・アートプロジェクト」の展開

　ゼロダテはこうして動き出した。2007年の年明けまず「ゼロダテ／東京展」が当時中村の活動拠点でもあったKANDADA（神田）でオープンする。正札

竹村の屋上看板をはじめ、「廃墟化」した店の内部に散乱した照明器具、商品券、タイムカードなどがインスタレーションとして作品化され、キャラクター化された市民のパネル、内部を撮影した映像作品、などが展示アイテムとなった。交流会、トークも行われ、東京在住者だけでなく大館や秋田県内からも大勢が来場したという。正札竹村に対するこの「思い」は改めて大館で再生プロジェクトとして継続して展開することになる★12。

さて、実際に一歩踏み出したゼロダテの活動は、この企画の成功の手応えもありこれが同年夏開催される大館展への起爆剤となる。同年夏の開催への気運は一気に高まり、わずか半年の準備期間で市内商店街を中心に市民とアーティストによる「ゼロダテ／大館展2007」が開催された。商店街の活性化を主題に、かつての賑わいの中心であった老舗百貨店の再利用(プロデュース)、空白化する商店街のギャラリー化(「空き店舗アート展」)を中心にワークショップやライブ、トークなどが繰り広げられた。

第1回は、こうした立ち上がりの熱狂もあり、会期9日間(8月10日〜18日)で約9,000人を集めている。こうして「コミュニティ・アートプロジェクト」は始まった(中村 2013)。

以後、2008年の第2回では廃校となった旧山田小学校のレジデンス活用(アーティスト・イン・レジデンス)、2009年は会場を市街地の中で広げ、郊外で「アートキャンプ」を実施するなど方向性を広げた。また、2010年には休業した映画館を再生するプロジェクトを中心に据えるなど、まさに「街(市街地のみならず「地域」)の再生」を強く意識したさまざまなプロジェクトが進められた★13。

ゼロダテは、先にも見たように当初東京展といわばペアの形で開催された。「ゼロダテ／東京展」は2007年から2009年まで3年の間同会場(「KANDADA」)で行われた。環境、文化等それぞれ条件の異なる大都市・東京と地方小都市・大館が特性を生かしながら、その関係性が、一方が他方に刺激を与えるという形で生かされたと言える。この形式は対象地域も広がり、2008年の東京展「北東北アートネットワーク」では、北東北(青森・秋田・岩手)三県のアーティスト約30名が参加交流を行っている。

こうした模索の期間を経た2010年は、ゼロダテにとっても一つの転機とな

る。この年、中村政人が統括ディレクターを務め彼自身の活動拠点ともなるアートセンター「アーツ千代田3331（3331 Arts Chiyoda）」が東京神田に開館する★14。ここにハブ拠点として「ゼロダテアートセンター東京（ZAC TOKYO）」が設けられ、しばらくの間、両者の連携・協働の下で多くの企画が立案・実施されることになる。秋田県出身作家の個展、ゼロダテ大館展出品者の東京展、開催イベントの報告会やライブなどがここで年1回のペースで行われた（2013年2月休廊）★15。

　こうした東京と秋田の連携関係が一つの基軸となってプロジェクトはその後も展開する。この経験はスタッフの能力養成にもつながった。それまで、前職から転じて中村研究室の助手を務めることになった石山と学生ら研究室の人材が大きな力になっていたとはいえ、ゼロダテの初期は、すべてのスタッフがボランティアだったため年間通しての活動は難しかった。しかし、2011年4月から石山ら東京在住スタッフが秋田に戻り、補助金を活用したデザイン事業等が展開されるようになる。これにより安定的・継続的な活動が可能となった。この頃、短期の雇用・就業機会を提供する緊急雇用創出事業を利用した、市や県の委託事業（拠点施設の運営や美術展業務、観光・文化に関連するリサーチなど）が彼らの組織基盤を安定化させることにもなった（中村 2013）。

「ゼロダテ」の発展期──組織基盤の充実と活動の発展

　イベントとしては、第1回のゼロダテ／大館展2007「この街と歩く」から、以後、ゼロダテ／大館展2008「じぶんで　みんなで　この街で」、ゼロダテ／大館展2009「つないで　ひろがる　このまち」、ゼロダテ／大館展2010「街へ、その先へ」、ゼロダテ／大館展2011「もうひとつの大館」、ゼロダテ駅前美術展2012「つれづれつづれ」と続く。この間観客も4,000人程度から最大約9,000人、中核的スタッフを支援するサポートスタッフも50人程度から最大100名を超える回もあった（中村 2013）。

　2012年には新たなステップを踏み出し、いわば発展期に入る。この年4月、プロジェクトスタッフが中心となり、アート／アーティスト支援と地域活性化を目的に「特定非営利活動法人アートNPOゼロダテ」を設立。財政の充実を背景に活動基盤の強化を図る（雇用創出事業で有給スタッフ4名（2011年）だっ

写真2-1 中村政人（2013）『コミュニティ・アートプロジェクト　ゼロダテ／絶望をエネルギーに変え、街を再生する』（アートNPOゼロダテ）同書は、ゼロダテの重要なドキュメンテーションの一つである。

写真2-3　正札竹村跡　ゼロダテのシンボル的存在
（出典：Wikimedia Commons）

写真2-2　ゼロダテ美術展2013 ポスター／チラシ

たものが11名（2012年）へと増強）と共に、夏のゼロダテ展だけでなく、通年でアート領域に限定されない多岐にわたる活動が可能になった。これにより大館市街地のみならず周辺も巻き込む活動を展開、旧鷹巣町を含む北秋田市など近隣地域との連携も進め企画の規模や開催範囲の拡大も図った★16。同じ年の6月、鷹巣駅前に「コミュニティステーション KITAKITA」がプレオープン。本格稼働はこの後になったが、新たな拠点としてその後のゼロダテの活動の一端を担うことになった。

　2012年のゼロダテ／大館展は、それまで毎年夏開催だったものを初めて開催時期を夏と秋に分け、夏は大館市街を離れた山中の温泉地2か所（日景温泉、矢立温泉）で「紅白温泉フェス」と称して8月のお盆直前2日間のプログラムを組み、秋は10月に大館市内、市街地と郊外大規模施設で美術展を行っている。「温泉フェス」は、東北の魅力の一つである温泉を舞台に前年の2011年から行われていたが（「赤湯フェ

ス」)、この回は、2つの温泉それぞれの泉質の違いを対比させ（白と赤）、地元の食、酒や芸能を主題化したりと、地域の魅力（資源）を強く意識した企画となっている。これ以外にも、自然を愉しむトレッキング、高校生を巻き込んだコンサートやトーク、ワークショップ等を内容とする文字通り「お祭り」的な要素も盛り込まれている。

　ゼロダテ美術展2013「Open Mind Go Wild／心を開け　夢中になれ」は、「文化庁地域発・文化芸術創造発信イニシアチブ」の助成により大館市・北秋田市からの委託を受けての開催である。次の年の「国民文化祭」を視野に入れた企画でもあり、企画の規模も開催エリアも大きくなっている。この年1月には秋田県内鷹巣―角館間を縦貫する秋田内陸線（旧内陸縦貫鉄道。94.2km 29駅）と地域との関わりを考えるフォーラムにスタッフが参加、こうした問題も視野に入れながら、ゼロダテの広域的な展開の準備が進んだ。

　2013年は、オープン参加によるゼロダテ展、地元出身映画監督の作品上映（「映画フェス」）★17、内陸線沿線山中のトンネルでのパフォーマンスイベント（「根子フェス」）、温泉で野外コンサートやもの作りワークショップを愉しむ企画（「赤湯フェス」）など内容も豊富で、それまでの期間6～9日間から大幅に拡大して21日間（10月4日～27日）になったこともあって、来場者数は約1万5,000人に達した（中村 2015）。

　注目される企画として「根子フェス」について少し触れたい。会場となった阿仁根子（旧阿仁町・現北秋田市）は、周囲から隔絶された山深い集落で、かつてのマタギの中心地として知られ、昨今、ここに代々伝わる神楽舞の一種「根子番楽」でも注目されるようになっている。この隠里とも言われた地と外界をつなぐ根子トンネル（全長576m）がフェスの舞台となり、池宮中夫の舞踏などのパフォーミングアーツが繰り広げられた。当地は車でも鉄道でもアクセスの容易な地域ではない。トンネルという長く狭い暗闇の空間。従来ならば、アートとは無縁の空間と見られていた場所に光を当てるこういう手法は、アートプロジェクトならではの切り口だろう。この企画は、翌年もさらに発展的な形で展開されることになる。

　立ち上げからこの間、地元出身アーティストだけでなく、こうした試みに理解と実績のある日比野克彦（1958～）、藤浩志（1960～）ら著名アーティスト

写真2-4
藤浩志「おもちゃシアター」
(ゼロダテ 2014)

写真2-5
パトリシア・ピッチニーニの
「気球プロジェクト」『スカイ
ホエール』(ゼロダテ 2014)

の参加も得て★¹⁸、ゼロダテは回を重ねるごとに社会的な認知も進んだ。そう
したアーティストたちとの関係も恒常的なものになってくる。正札デパートの
シンボルマークに置き換わるように据えられた日比野による作品「よみかえる
時計」(2013) もこうした中で生まれたものである。

　この 2012〜14 年は組織の NPO 化を経てゼロダテの活動が一気に力量を
増した時期と言える。

　2014 年は、「大館・北秋田芸術祭 2014『里に犬、山に熊。』」が開催される。
この年秋田県で開催された「第 29 回国民文化祭・あきた 2014」とも連動し、
時期も夏から秋へ、期間も 10 月 4 日〜11 月 3 日の 1 か月間に拡大し、従来と
はだいぶ異なる大規模な仕様となった。主催は大館市と北秋田市。前年回は
主催だった「ゼロダテ」の名称は入っていないが、統括ディレクター中村政人、

企画制作がNPOゼロダテである。前出の文化庁助成と福武財団による支援
もあり、ゼロダテの活動開始から8年目、代表の中村、プロジェクトリーダー
の石山が「勝負の年」として照準を合わせた芸術祭である（中村 2015：7）。
実際、プロジェクトの始まった頃は、先進事例の一つであったゼロダテも、全
国で数多くの多様な芸術祭が生まれている中、存在感を示すことを求められ
る時期に来ていた。

　参加アーティストも海外からを含め個人・団体40を超えた。中村、日比野、
藤ら常連だけでなく、パトリシア・ピッチニーニ、鴻池朋子、折元立身、池田
晶紀、石川直樹、宇川直宏、そして藤浩志と共にこの年開学した秋田公立美
術大学の教員でもある岩井成昭らもこれに加わっている。

　前回同様、2つの市を会場とする広域的な芸術祭となった。「生の芸術・展、
ポコラート宣言2014全国公募展」、パトリシア・ピッチニーニの「気球プロジェ
クト」、国民文化祭との連動企画「秋田ゆかりの映画祭」等々のコミュニティ・
アートプロジェクト、イベント、コンサート、演劇企画など企画数だけでも30
を超える、多彩な要素からなる芸術祭となった。来場者は、大館計1万3,357、
北秋田計2万9,123、合計4万2,480人と4万人を超えた（同書）。

　注目された企画を少し紹介しよう。

　「生の芸術・展、ポコラート宣言2014全国公募展」は、過去4回の全国公
募展奥部作品から選抜された作品の巡回展である。大館会場（大館市樹海体
育館）では120点が展示された。

　「根子フェス2014＋DOMMUNE」は、前回と同じ根子トンネルを会場に
したライブ・パフォーマンス企画である。映像、音響のプロジェクトなど多彩
な活躍で知られる宇川直宏（DOMMUNE）★19 のキュレーションによる、トン
ネル空間を生かした光と音響と音楽とダンス等々、前回以上に多様なパフォー
マンスが繰り広げられた。宇川を始め七尾旅人、真鍋大度ら注目を浴びるパ
フォーマーたちへの期待もあってか、現地にも約120名が集まり、ネット上の
ライブ配信の同時視聴者数は7,000を超えた。

　また、ゼロダテには大館と縁のある劇作家・演出家の平田オリザとの関係も
見逃せない。2014年の芸術祭には平田と彼の劇団青年団が2作品で参加し
ている。

『デッカい秋田犬』
〜まちと共に成長する作品〜

写真2-6（上）「のの」の子犬時代がモデルの作品『デッカい秋田犬』の前で（2014.11）

写真2-7（中段左）栗原良彰「デッカい秋田犬」公開工事中（2014.10）（ゼロダテ 2014）

写真2-8（中段右）比内支援学校の生徒たちと一緒にワークショップ（2016.12）

写真2-9（下）第二期の完成後（2018.10）

現在も制作は継続中（2022.3現在）

2-6、2-8、2-9 写真提供：アートNPOゼロダテ

平田オリザ演劇列車「秋田内陸阿房列車」は、内陸線の車中で行われる演劇を観客が乗客となって愉しむというもの。役者と乗客は列車という一つの空間の中で過ぎ去る車窓の風景とこの演劇空間を享受する。

　アンドロイド演劇「さようなら」は、平田と石黒浩（大阪大学教授・ロボット工学）との共同研究プロジェクトによるもの。作・演出平田でアンドロイド（人間型ロボット）と人間の演者によるたった2人（一人と一体？）のアンサンブル作品である（2日間の公演）。生と死を主題としたこの作品は、先端技術とのコラボレーションという演劇史上画期的な設定と質の高い舞台で当時演劇関係者のみならず全国的にも話題になった★20。演劇はゼロダテのプロジェクトで再生した御成座が会場となった。最終日の舞台後、平田と中村政人によるトークもあり、会期を締めくくる充実した企画となった。

　地域に密着した企画として空き家再生リノベーションコンペティションについても触れておきたい。高齢化・過疎化で増え続ける空き家の問題は、全国的な関心を呼んでいる。大館市と北秋田市でそうした物件4件を対象にリノベーションプランを募集した結果、95人が応募登録し、一次選考を通過した作品が展示された。作品は、必ずしも、豪雪、少子高齢化といった地域の特性・課題に即時的に応えるものではなかったが、空き家再生への課題や展望を見いだすことにつながる企画だったと言えるだろう★21。

　この2014年は、また、ゼロダテの「顔」となる存在も生まれた。渋谷の「忠犬ハチ公」で知られる秋田犬は、国の天然記念物にも指定されている、文字通り秋田原産、大館地方で飼育されていた種である。近年、世界的にも知られるようになり、人気が高まっているが、この年の4月ゼロダテアートセンター

写真2-10、2-11 「根子フェス2014＋DOMMUNE」根子トンネル（ゼロダテ 2014）

では一頭の幼犬を飼い始め、名前を全国公募して「のの」と名付けた。「会いに行ける秋田犬」として話題となり、国内のみならず海外からも人々を引きつける存在となった。ののは、その後、秋田・大館の、そしてゼロダテの「アイコン」としてイベントや観光PRなどさまざま

写真2-12　芸術祭のテーマである正札竹村をバックにした秋田犬「のの」（写真提供：アートNPOゼロダテ）

な場で活躍している★²²こうした動きもゼロダテの活動が地元に定着し、同時にその存在を全国にアピールすることにつながった。

2. 「ゼロダテ」が地域にもたらしたもの──地域とアートの共進化

「ゼロダテ」の10年──アートと地域社会の相互作用

　ゼロダテは、NPOを立ち上げた2012年以降も、市の中心部市街地にあるゼロダテアートセンター（ZAC）を拠点に、市民とのコミュニティづくりや、学校での教育支援活動、地域資源の発掘・発信を行うなど地域で安定した活動が続いた。

　2015年は、2008年よりコミュニティスペースとして運営していたゼロダテアートセンターの内装を一新し、4月から多目的ギャラリーとしてリニューアル、活動の幅を広げることになった。この年、正札解体の動きに対して「コミュニティ・アートセンター」構想を改めて市民に問いかけ、市街地活性化に向き合う活動を継続する一方★²³、これ以降も、以前から取り組んでいた障害者の芸術活動支援、レジデンス事業など公的支援などを利用しながら継続的に取り組んでいる。

　例えば、アーツ千代田3331と連携して取り組んでいる「ポコラート」は、広く秋田県内の学校や団体、地域とのネットワークを広げながら成果を上げている事業である★²⁴。NPOゼロダテが厚生労働省から補助を受け、障害者の芸術活動支援モデル事業を担っている。拠点施設として「ポコラートアキタ」をゼロダテアートセンター内に設置、秋田県全県の芸術活動について調査を

写真2-13 ゼロダテアートセンター（ZAC）
（大館・北秋田芸術祭2014）

行い、福祉施設や特別支援学校と連携して、ワークショップや研修会、展覧会を実施している。

2015年は特に大きいイベントは催されなかったものの、アートプロジェクトとしてのゼロダテ立ち上げから10年を経た2016年には、「ゼロダテ美術展2016　10周年記念展「この街と歩いて、10年」」が開催された。当初の頃のように8月半ばの開催（8月11〜16日）である。会場も市内大町商店街（おおまちハチ公通り）を中心に空き店舗、空き家、空き地を活用した展示が主となった。音楽イベント、ワークショップ等も含め、26会場98人・団体が参加、来場者は約8,000人を数えた（法人事業報告書による）。

このいわば原点回帰の10周年記念展は、それまでの活動を振り返る一地点ともなった。会期最終日前日の15日は、中村をはじめ、ゼロダテと大館に縁のある麓幸子（日経BP社執行役員、大館市観光大使（同市出身））、北原啓司（弘前大学教授）［（　）内はいずれも当時］によるトークセッション「この街と歩いて、10年」が開かれ、この間のプロジェクトの成果とこれからの展望が語られた。

北原は大館をはじめ各地で住民参加型の「まち育て」を実践してきた立場から「単なる『空間』を生き生きとした『場所』に変えるためにいろいろな方法があるが、その一つがゼロダテ」と評価しその後の展開に期待を寄せている。また、大館市出身の麓は7年前初めて参加し「寂れる一方だった街が、芸術を掛け合わせることで全く違って見え、脳天を割られるほどの衝撃を受けた」「市民も参加できることが素晴らしい取り組み。当事者意識を芽生えさせてくれた」と述べている。中村は「大館という街の知覚体験を可視化することが一つの役割だと思う。経済的な屋台骨を持ちつつ事業体として挑戦し、他の人たちと連携できたらいい」という展望を述べている（『北鹿新聞』2016年8

写真2-14
『ゼロダテ美術展
2016［十周年記
念展］』チラシ

月16日）。

　こうした規模の大きいイベント的要素はこの2016年が最後となる。

　ゼロダテの法人としての活動は、アートによる地域再生と地域に根付いた市民文化芸術活動を目的として、定款に定める、「展覧会、各種イベント、セミナー、シンポジウム等の催事の企画、運営および実施」「アーティストインレジデンス事業」「文化芸術活動拠点形成事業および運営管理事業」「商店街活性化支援など地域活性化事業」を主に実施している。具体的には、文化庁補助の「アーティスト・イン・レジデンス活動支援を通じた国際文化交流促進事業」や「ゼロダテ少年芸術学校」企画運営などが最近の活動内容の柱になっている（同法人事業報告書各年次より［表記ママ］）。

　NPOゼロダテは、このように障害者の芸術活動支援、レジデンス事業を運営する一方で、この16年から近隣自治体の活性化事業にも取り組んでいる。芸術活動団体コマンドN（後述）から委託を受け、隣町・藤里町の映像プロジェクト「FujisatoREC」の運営に関わり、映像コンペティションの企画制作、野外上映会、巡回型フェスの企画制作を行っている。

　このように、ゼロダテの活動は、全般的に期間集中的で一時的なものから通年的かつ継続的なものに移行していった。一般的にアートプロジェクトの担い手は、実行委員会形式とアートNPOという形に代表されるが（熊倉

2014：22）、ゼロダテの場合、前者から後者への緩やかな移行として見ることができる。この間、市民はアートと恒常的に付き合い、それは日常の中に自然に存在するようになった。この10年は、アートが地域に浸透し、地域の人々もアートの意義を認めてそのことがその思考や行動様式に変容を促した過程と言えるだろう。ここにいわば「アートと地域社会の相互作用」とでも言うべき過程を見て取ることができる。

「ゼロダテ」がもたらしたもの（1）── 相互作用と創発効果

こうして振り返ると、ゼロダテの活動は2014年の「大館・北秋田芸術祭」を一つのピークとして以後収縮していったようにも見える。

このプロジェクトの起点をなし、人心の集約点でもあった正札竹村は、一時市が解体方針を一転させ、建物を活用する方針に切り替えたこともあったが、多額の修復費用が見込まれることから断念、最終的には解体が決まり、2019年には解体工事が行われた[25]。この顛末は、一つの挫折のようにも見えなくもない。しかし、こうした一連の過程を単にプロジェクトの盛衰として見るのは表面的にすぎるだろう。規模や継続性という視点だけでなく、プロジェクトが「地域」に何をもたらし、それを担う人々がそこから何を得たのか、という両者の関係性とその変化に目を向けてみたい。アートがもたらす美的体験だけでなくより広汎な社会的経済的な影響という面でその成果と遺産を考えることができるだろう。ゼロダテは、直接間接の副産物も生んでいる。意図を超えて生じる派生的な効果あるいはスピンオフとでもいうべき事例がある。

ゼロダテの初期に遡るが、2008年（第2回）、大館市郊外の旧山田小学校を会場にアーティスト・イン・レジデンスが行われた。

地域にとって学校はコミュニティの核としての象徴的な意味を持つ。2008年当時、東京で廃校を文化拠点として再生するプロジェクト（後に「アーツ千代田3331」として実現）にとりかかっていた中村は、これをゼロダテでもできないかと考えたという。アーティスト・イン・レジデンスの会場としてスタッフの石山の地元にある山田小が最適だとしてプロジェクトが始まった（中村 2013：68）。関係者の地元ということもあって比較的理解も進み秋田出身の若手作家やポーランド人留学生を含む21名のアーティストが入り1か月の共同生活

写真2-15
生ハム製造工場として生まれ変わった
旧山田小学校
（写真提供：大館市）

　を送りながら、地域のリサーチや制作に取り組んだ。「生きた文化交流」が地域に与えた影響は大きく、同じ地域とはいえそれまでは希薄だった市街地と農村部の間に一体感が生まれ、さらにいくつかの副産物が生まれることになった。その一つは、伝統芸能の復活である。山田の獅子踊りは大館市指定の無形文化財だが、プロジェクトの直前2007年に後継者不足で休止になっていた。それがこのレジデンスをきっかけにこの地に滞在していた都会の若者が興味を持って参加したことによって、地元の若者もこれに刺激を受け参加者が増えていったという。

　また、レジデンスをきっかけに、山田地区は県の支援事業対象地に選ばれ、これが舞茸生産やグリーンツーリズムの受け入れなどの精力的な村おこし活動を喚起することになった。山田獅子踊りは東京でも公演が行われ、地域を越えてその存在が知られるようになる。地区の知名度が上がったことがさらに次につながった。地元出身の実業家が故郷の活性化を図って生ハム工場設置を考えていたところ、山田地区のことを知り、この地の風土が生ハム製造にも適していることがわかって工場建設が実現する。こうして関係者が思わざる形で企業誘致が成功した。2019年会社が設立され、旧山田小学校は生ハム製造工場として生まれ変わった。当地は現在良質の手作り無添加生ハムの生産で知られ、製品も人気ブランドに成長している。いくつかの偶然が重なったとはいえ、結果的にアートがこうした道筋を切り開いたと言えるだろう（同：66-81）。いわゆる廃校活用の事例としても興味深いものがある★26。これはまた、事業評価の文脈では「アウトカム」として理解できる事例でもある。

　また、先にも見た映画館御成座の再生についてもこれと同様の構造が見て取れる。

写真2-16 御成座（2014）

1950年代初めに洋画専門館として開館した御成座は、一時は市内で3館あった映画館の一つとして長年市民に親しまれたが、市内最後の映画館となり、映画館のシネマコンプレックス化、スクリーンの大型化といった流れに抗えず2005年に経営難で閉館。その5年後ゼロダテの企画で利用され一時復活した。その後解体されないまま放置状態だった同館は、2014年に持ち主と新しく賃貸契約を結んだ経営者によって再生することになる。現在、御成座は、その数奇な運命と共に「レトロな」雰囲気を残した希少なフィルム上映館として全国的に知られる存在となっている。危機的な状況に陥ってもクラウドファンディングで資金調達を図り、魅力的な企画で集客を維持するといった経営者の手腕があることはもちろんだが、ゼロダテの企画がなければ、市民の関心と支援を集める流れは生まれなかったかもしれない。同館は、現在、地域劇団の演劇公演や地元アイドルのコンサートなど多彩な文化活動の拠点にもなっている。ミニシアター、地方の小映画館の厳しい状況は今も変わらないが、ゼロダテの一連の活動が地方の映画文化そして地域の文化活動を守り維持することに貢献したことは確かだろう★27。これもまた一つのアウトカムにほかならない。

　集合的な行為には意図を超えて生まれてくるものがある。ゼロダテという集合的行為に関係する者の間における相互作用、そしてその過程の中で生まれてくる創発性を認めることができるだろう。

「ゼロダテ」がもたらしたもの（2）――アート／デザイン的思考の展開

　ゼロダテは地域コミュニティと住民意識の変化をもたらした。中村と共にキーパーソンの一人で長らくプロジェクトリーダーを務めた石山拓真の視点

で時間軸を辿り直してみよう。石山は東京でデザイナーとして仕事をする中で中村と出会い、中村の研究室の助手としてアートプロジェクトに関わるようになった活動の草創期からの6年余を回顧し、この試みの意義について語っている。

　石山は、プロジェクトを進める上で地元の人たちとの関係づくりや、人手不足の中オーバーワークが避けられなかった経験などハードな状況を乗り越えるモチベーションについて問われ、次のように答えている。

　「よく思うんですけど、街を元気にするとか街づくりというと漠然としていて、誰にとって何が元気なのか。そこで主役は誰かと考えたとき、まずは自分なんだろうなと。僕自身の望みはというと、大館で街のためにプロジェクトをやりながら生活していくことなんです。僕は高校時代に街で過ごした楽しい思い出があって、ゼロダテをやっている。今度は僕らの次の世代がゼロダテを見ながらこの街で過ごし、一度外に出るにせよ、ずっと地元に残るにせよ、この大館で街や自分のために仕事に就く選択肢があること。そういう下地づくりをしていきたい」（中村 2013：134）。

　彼はさらに「この街はつまらない」という人の意識を変えていきたいと自身のその後の活動の展望を示している。そして実際、石山は「ゼロダテで救われた、居場所を見つけたという人もたくさんいる」と、自身の活動の成果を実感してもいる。アートプロジェクトが、若者に自己実現の契機を与え、地方にいながら安定した雇用を作るという機能を石山自身が自覚し、その実現を将来的にも見据えていることがわかる（中村 2013：163-165）。

　実際、アートに興味がなかったもののこうした活動を知ったことをきっかけに関わりを持つようになり帰郷を決意したとか、それまであまり意識していなかった地元を意識するようになった、こういう動きがあること自体がおもしろい、といったゼロダテの意義を積極的に評価する声がここでは紹介されている（「ゼロダテがあるなら帰郷してもいいと思った」（同：150））。もちろん、資金集めの苦労、戸惑いや反発、クレームといった抵抗や障害はあったものの、その注目度や「熱気」については、これに関わった者の多くが一致して認めている（「「ゼロダテ・大館展」実行委員会言いたい放題座談会」（同：167-173））★28。サポートスタッフとして直接的にプロジェクトに関与した人々ばかりでなく、イ

ベントに参加した、（漠然とでも）街の活性化を実感したという体験もまた地域の人々にとっては熱として感じられたのではないか。ゼロダテが何年にもわたって相当量の熱を地域に与え続けたことは確かだろう。その熱量が住民の地域に対する自信や誇り（シビック・プライド）を醸成したとも言える。

　一方で、ゼロダテが地域の人々にとって一つの「祝祭」であったという言い方は可能だろう。そうだとすれば、それは非日常的な限定された時間の熱狂であり、それがそのまま日常化することはない。一定規模のイベント的なプロジェクトを長く続けることにはどうしても限界がある。アートは人と人、人と何物かをつなぐ一種の「媒体」でもある。アートは、人の動きや流れを作り、美的な価値や経済的な価値を生み出し、そして仕事を作るということを人々に認識させた。特にこうしたプロジェクトに関わってきた人々は、アートが単に抽象的なものではなく、現実にこうした仕事を生み経済的価値を生むという意味で生産的であり創造的（クリエイティヴ）であることについて実感し、認識を深めたことは確かだろう。

　ゼロダテを現場で中心的に担ってきた石山は、「活動を支えるスタッフの固定化や高齢化の問題」「補助金に頼らない自立運営」などの課題に向き合いその打開の途を模索していく。2015年に自分のデザイン事務所を設立して（その後法人化）足下を固め、ゼロダテの活動を継続する一方、その後もさまざまな形でこのプロジェクトのノウハウやネットワークという蓄積を地域での活動に生かしている。その一つが若者や女性の起業支援である★29。「この大館で街や自分のために仕事に就く選択肢があること。そういう下地づくりをしていきたい」という石山の願いは、シェアオフィス事業という形に具現化している。

　石山は2018年夏JR大館駅前に個人事業者や在宅勤務の働き手が地域内外の人的交流を図る場としてコワーキングスペース「MARUWWA」をオープンさせた。この地域初の試みは評判を呼び、次の動きにつながる。ゼロダテの拠点であった「アートセンター」はキッズスペースを併設し多世代の利活用を狙ったシェアオフィス「MARUWWAニコメ」として生まれ変わることになった（2019年10月）。以後NPOゼロダテは場所的な拠点を持たずに活動する形になっている（これに伴い「センター」は同年3月閉鎖）★30。

　このように、かつて賑わいの中心だった正札竹村解体の後もさまざまに形

を変えて街の熱を取り戻す試みが続けられている。

　ギャラリー・スペースの運営は維持されており、アートは街から失われてはいない。とはいえ、こうしてみると、アートプロジェクトとしてのゼロダテの存在感が小さくなったことは否めない。しかし、こうした一連の動きに注目すると、ゼロダテが目指した「地域の再生」は、それにつながる起業や雇用創出を通して具体化していることがわかる。実際、この試みを通して石山らが培ってきた柔軟な発想と事業展開の確かなスキルは、このシェアオフィス事業だけでなく、さまざまな事業展開に結びついている。固定した居住地を持たない「アドレスホッパー」というライフスタイルを持つ人々に注目したビジネス、空き家を利用した移住促進事業、フリーランス地域おこし協力隊の組織化など、全国紙でも取り上げられるような斬新な視点の事業展開に生かされている★31。

　大都市圏への人口集中、社会経済資源の地域的偏在の問題等、中央と地方、都市と農村の関係が問いなおされている中、「地方回帰」「田園回帰」の動向が注目されている（小田切, 筒井 2016；小田切他 2016）★32。これと並行して、「働き方改革」の流れ、脱大都市圏の動き、またこれらと連動したテレワーク、ワーケーションへの関心の高まり、多拠点居住志向といった最近の潮流は、「ローカルでソーシャルな働き方」志向という点で石山たちの活動と接続する要素を多く持っている★33。ここには「創造農村」（後述）の考え方と通底する部分もあり、今後の展開が期待される（佐々木他 2014）。

　「創造性」の実践とも言える新しいライフスタイルの提示とこれにフィットしたビジネススタイルの模索。既存の要素や多様性の中から新しい価値を生み出すこと。アート的発想を多分に含んだリノベーションなどに見られるように、こうした手法＝技術は一種の暗黙知とも言えるアート／デザイン的思考の所産でもある。こうしたところにも「アートの社会化」と共に社会がアートの力を内に取り込む「社会のアート化」の一つの形を見ることができるだろう。

　石山ら、中村に鍛え育てられ現場で学んだ世代も10年を経て当時の中村に近い年齢となり今度は次の世代にその経験を伝える年代となっている。その意味ではゼロダテの軌跡はなお続き、それは次のステージに入っているとも言える。

「新しい広場」を求めて――文化の自己決定能力と包摂的社会の展望

2011年8月、ゼロダテのスタッフに招かれて、劇作家・演出家の平田オリザ（当時東京藝術大学特任教授）は「新しい広場を作る」と題する講演を大館市で行っている[34]。

平田は、早い時期から文化芸術による社会的包摂の可能性について論じるなど、文化政策の重要性や文化芸術と社会のインタフェースの問題について広く提言を行ってきた。平田はそこで「文化の自己決定能力」について語っている。この講演は、ゼロダテの関係者のみならず地域社会と文化芸術に関心を持つ人々に強い刺激を与えたことが記録からもうかがえる（中村 2015）。今では広く認識されるようになっているが、地域における豊かな文化的環境が「文化資本」として地域の人々に大きな恩恵を与えるという考え方の意義を人々に強く認識させるものとなったようだ。「文化の力」を社会に生かすということは、平田の年来の主張ではあるが、当時ゼロダテというプロジェクトの意義を理論化する論拠を求めていた関係者には特に強く響き、大きな力となったことは確かだろう。ゼロダテの全体像と「その後」もこういう視点から改めて捉え直すことができる。

中村政人は「ゼロダテ」というアートプロジェクトの目的について、次のように述べていた。「その［ゼロダテの］使命はいわゆる包摂的社会、すなわちさまざまな困難を抱える人を排除せずに包み込む社会のあり方を問い、地域の生態系と相補う関係や、サステナビリティを保つための文化意識を高めることだ。つまり、ここで生活し、働くことが、街や地域環境を豊かにすることにつながると実感すること。それによって、この街で生きていく力が何かをつくり出していく力となる。それは、自分に自信が生まれ、少しずつ確かなものに成長すること、街の新陳代謝が街の成長を促すことにほかならない。個人の創造性と街の創造性がシンクロし続けるのである」（中村 2013：4）。

中村が「包摂的社会」という語に込めた意味はここで必ずしも明らかではない[35]。しかし地域社会の衰退を目の前にして、それに抗い、バラバラになった人心を再統合して再びコミュニティの活力を取り戻したいという願いとそれを実現するものとしてアートの力に賭けるという思いがここには読み取れる。

この目的の追求は、形を変えてなお続いていると見るべきだろう。しかし、

少なくとも地域と内外の関係者の間にこのプロジェクトの成果がその後に何かを生む「資本」として残ったことは間違いない。

3. アート空間の広がり──地域を超え、地域をつなぐアート

地域資源の発見と地域の自己認識

ゼロダテのほぼ10年にわたる活動が、大館市を中心に近隣の北秋田市を含め周辺地域にまでアートの熱を伝え、そこに生きる人々に地域に対する誇りや自信、そして経済的利益をも生み出した。20〜30代の若い世代が中心ではあるが、世代を超えて地域社会に与えた影響は決して小さくはない。

こうした動きは、近隣のみならず県内外の広域的な点と点のつながりあるいは広がり、いわば地域的なアート空間の広がりとして見ることができる。

2005年、県都秋田市の中心市街地にアートスペース「ココラボラトリー」が当時30歳前後であった若い世代（笹尾千草、後藤仁）によって立ち上げられた★36。同所は、翌年06年には第1回の企画が持たれた以後も現在に至るまで、地域のアーティストに発表の場を提供すると共に、自主企画によるワークショップ、演劇公演、音楽ライブなどの多彩なイベントが行われる空間となっている。それまで現代アートを扱う場に乏しかった秋田の文化芸術界に熱を与え、領域・業種を超えて特に若い世代が交流する拠点としても機能している。中心市街地とはいえ衰退が進んだエリアにある旧弊なビルをリノベーションして起動したこの場所は、地域の再生、まちづくりの事例としても注目を浴び、近隣のみならず、地域を超えてその存在が知られるようになった。

写真2-17、2-18　ココラボラトリー（秋田市川反）（写真提供：ココラボラトリー）

地元でも「ココラボ」と呼ばれ親しまれている。

　笹尾は、こうした活動が可能になっている背景を「この土地に存在する「奇跡のバランス」」と表現し、自身が開業を構想している時期、「その実現を確信できる出会い」があったとして3つ挙げている。それは地域在住のアートコレクター、秋田で活躍する現代美術作家、同世代の経営者たちとの出会いだという★37。

　秋田市在住の医師穂積恒は、草間彌生の数百点に及ぶその世界的なコレクションで知られる。穂積はこの他リチャード・ロング★38が滞在制作した壁画のコミッションワークなども自身が経営する医療施設に展示し、一時期秋田で唯一の現代美術館であった「フォーエバー現代美術館」も運営★39、これらの作品を随時公開していた。

　また、秋田在住の現代美術作家村山留里子の存在も大きいものがあった。自ら染色した布、ビーズなどの小物を組み合わせた立体作品で知られ、東京のコマーシャルギャラリーに所属して精力的に作家活動を続ける彼女は、この地に多くの作家やアート関係者とのつながりをもたらした。

　さらに、笹尾らと同世代で移住やUターンを機に秋田で活動していた経営者たちがこうした動向に関心を持ちこれに共感して、開業をさまざまな形で支援してくれたという。

　笹尾とその仲間たちにとっての「出会い」とは、これらのキーパーソンを含む社会関係資本（ソーシャルキャピタル）という地域資源の発見——いわば「地域の自己認識」でもあった。またそれだけでなくその資源活用の可能性を認識できたことが、ココラボラトリーの誕生につながったとも言える。それは単に偶然と意志の所産というより、地域資源のネットワークの一つの結節点と見ることができる。実際、ココラボラトリーは、地域の新たな「資源」として機能することになったからである。

　地方都市特有とも言える閉鎖性や消極性は熱のある人々の交流・交歓を通じて次第に解きほぐされ、一種の人的対流が起こってくる。この過程で「東京」に代表される都会の経済や文化に対する憧れとその裏返しである地元へのコンプレックスから解放される人々も現れてくる。「この土地でもおもしろいことがあるかもしれない」という確信や自信を持つようになった者も少なくない。

「おもしろい」ことを見つけそれをおもしろがる感性はこうした場を通して共有されるようになっていった★40。

　こうして、秋田では、当時20代〜30代だったアーティスト、デザイナー、写真家などのクリエイターたちが、自然発生的につながっていく状況が生まれていた。ゼロダテとココラボラトリーの活動はその軸となるものでもあった★41。アーティストや美術ファン、またそこにビジネスチャンスを見いだす人々などそれまで可視化されにくかった存在が互いを意識し一つの同心円的なコミュニティあるいは必ずしも同質的でない人々が形成する輻輳的なネットワークがここに生まれていたとも言える。

関与するアクターの量的質的拡大──地域的な「芸術界」（アート・ワールド）の形成

　地域（ここでは秋田県という広域的空間）における関与アクター（関係主体）の拡大についても見ておく必要がある。東北地方の公立大学では唯一の美術系大学として2013年秋田市に開学した秋田公立美術大学の果たした役割の大きさについても触れておかなければならない★42。同大学は、藤浩志、岩井成昭らアートプロジェクトの経験豊富なアーティストを教員に擁し、ゼロダテとの関わりを持ってきたほか、さまざまな形で多くの地域プロジェクトに関与してきた。2006年の教育基本法改正により大学の「地域貢献」の使命が強く求められるようになったという背景もあり、大学が関与するNPO法人の設立という契機も経て、その地域資源としての重要性は現在さらに高まっている★43。

　近年、「創造都市」論を背景に、大学を「地域イノベーションの拠点」として捉え、特に芸術系大学との地域連携に対する注目が高まっている（本田2016）。そういう事例の一つとも言えるだろう。

　ゼロダテの活動の展開は、こうした社会的資源の点と点が有機的につながっていく過程と重なっている。2010年代、全国のアートの活性化状況と並行するように、「アキタアートプロジェクト」（秋田市、2011〜）、「KAMIKOANIプロジェクト秋田」（上小阿仁村、2012〜）、「ネオ・クラシック！ カクノダテ」（仙北市、2011〜14）、「文化芸術創造都市モデル事業」（文化庁）（仙北市、2011〜13年度）、「国民文化祭」（第29回国民文化祭・あきた2014）など、県内各地でさま

ざまなイベントや事業が互いに競い合うように進行した。この時期、表現者としてアートに直接関わったり、それを運営や実務で支えたりと、形と深度はさまざまだが、これらの企画に重複して参加するなどして関係性を広げた地域の人々も少なくない。秋田圏域におけるアートの活性化状況は、実施年度のめぐり合わせの要素もあるが、地域内外の人的交流を活発化させ一般県民のアートへの関心を高めるなどしてこの地の文化状況を大きく変えることになった。

こうした状況との関連で仙北市と同地を拠点に活動する劇団わらび座の関係についても見ておきたい。

武家屋敷など古い町並みを残し桜の名勝地として知られる人口約3万の仙北市は、こうした観光資源に加え、民謡・舞踊といった豊かな伝統民俗芸能を育んできた地でもある★44。長い歴史を持つ劇団わらび座は、地域に根差しながら伝統芸能と多彩な主題・内容のミュージカルを中心に広域的に活動しているが★45、地域と劇団のこの関係性の中から文化芸術による/を通した「創造的な」まちづくりの発想が生まれ、それが関係者と行政の連携を通して先述のモデル事業に結実したと言うことができる（是永 2014）。都市だけが「創造的」でありうるのではない。「創造農村」のコンセプトの生きた事例がここに見られる★46。

このように、事業は、行政、大学、企業、報道機関等が連携する形で進んだが、これは同時に県内のアート関係者（公立美大の教員等）をつなげその担い手の層を厚くすることにもなった。

2011年の東日本大震災は、われわれにとって暮らしの場としての「地域」を見つめ直す契機にもなったが、仙北市の事業は、このタイミングもあって、地域と文化の関係性について人々に深く考えさせる機会を与えたとも言える。同事業は、わらび座が追求してきた伝統芸能や人々の暮らしの中にあるさまざまな文物（武家屋敷、蔵、町並み、民具等）の地域社会にとっての意義を改めて見つめる場を提供した。それはまた、別の形で県内のアートプロジェクト関係者や公立美大の教員らにとって互いの接点ともなった。この過程は、広い意味でアートを創造し見いだす、地域における文化芸術関係者（アクター）の質的量的拡大として見ることができる。

この過程は当然アクター間の関係構築と相即している。そしてこのことは、先にも見たように、文化芸術をめぐるアクター間の同心円的なコミュニティの形成、輻輳的なネットワークの形成と構造化、つまり地域における「芸術界」<ruby>芸術界<rt>アートワールド</rt></ruby>の形成でもあったのである[47]。

地域とアートの共進化

県という単位で見れば大事業である国民文化祭との絡みもあったとはいえ、個々のイベントやプロジェクトを支援した県や市の関係者らの力を含め、互いが互いに熱を与え合う関係がここにあったことは確かだろう。その中でエネルギーを供給する源泉としてゼロダテの果たした役割の大きさを改めて確認しておきたい。

ゼロダテを通じて大館という地域／コミュニティに生まれた熱は、さまざまな形で波及効果を生みアートを通じて地域を超えた関係性・ネットワークを形成することになった。それはさまざまな関与者＝アクターを生み出す契機にもなった。

プロジェクトあるいは事業の終了によってすべてが終わるのではない。単にイベントやお祭りとしての即時的効果ではなく時間をかけて現れるものがある。こうしたことは時を振り返り、点と点をつなぐことで見えてくる。アートを中心としたさまざまな事業の経験はモノの見方や感じ方を変えるなど地域の人々の意識を何かしら変えた。この経験によって地域はそれまでとは違った地域になり、地域に関わったアート／アーティストもまた成長した。ここに地域とアートの共進化と言うべき関係性を認めることができる。

第2節 地域アートプロジェクトの設計と実装
——中村政人の実践

地域アートプロジェクトの一事例として「ゼロダテ」を見てきた。これを主導した中村政人は、「地域再生型のサスティナブルアートプロジェクト」を展開してきた「社会派アーティスト」と呼ばれ[48]、またあるいは「ソーシャリー・エンゲイジド・アート」の中心的な役割を果たす存在と目されてもいる[49]。現在

も数多くのプロジェクトに関わり活躍の場を広げているが、1990年代初頭の前史的な集合的表現を含め彼のこれまでの活動はそのまま、日本のアートプロジェクト（特に2000年代以降の）の歴史と重なると言ってもよい★50。

中村は、ある時期から「アート×コミュニティ×産業」という、いわば「アートの社会化」の構図を示しながら（中村 2015）、アートと地域の関係に向き合っている。新型コロナウイルス感染症の影響で当初の想定は大きく変わったものの、東京2020オリンピック・パラリンピックを強く意識しながら国内外の多様な人々が東京に集う空間を構築しようという壮大な構想「東京ビエンナーレ2020」の具体化に向けた活動を進め、全国各地で地域の「文化力」を牽引しプロジェクトを担う専門職人材の育成システムである「プロジェクトスクール」の運営にも力を入れてきた★51。

ここでは中村が長年構築してきたアートプロジェクトをめぐる理念と実践の原点に立ち戻ってみたい。考え方の変化はあるにしても、理念（設計思想）とその具体化の方法の間には何らかの枠組み（システム）と呼びうるものを認めることができるだろう。中村のアートプロジェクトのシステム構築、いわば「設計と実装」に目を向けたい。

1. 地域アートプロジェクトの理念と実践

「地域因子」を「地域資源」へ──地域アートプロジェクトの方法論

中村政人は、ゼロダテ立ち上げの当時、自身ヴェネツィア・ビエンナーレへの参加（2001）などアーティストとして一線で活動しながら、東京藝術大学の教員（2003年より）として「美術と社会」「美術と教育」を主題に教育に携わっていた★52。「社会とアート」の関係性を問う表現はその活動と切り離しがたく結びついている。中村は、それまでも同時並行的にさまざまな活動を続けていたが、教員就任以来活動の幅を広げ2004年から富山県氷見市で地域アートプロジェクトの立ち上げに関わる（後に「ヒミング」★53として展開）など、既にこうした市民参加型アートプロジェクトに向けた構想・イメージを膨らませ実践感覚を養っていた。中村は、先にも見たように、2010年からは東京都内の廃校を利用して立ち上げられた「アーツ千代田3331」という文化拠点で数多くのアーティストと協働・連携しながらさまざまな活動を行っている。

写真2-19　Masato Nakamura,《QSC+mV》2001, Installation view at the Japan Pavillion, 49th Venice Biennale,（R）McDonald's Corporation, Courtesy of Masato Nakamura, Photo by Masato Nakamura

写真2-20　TRANS ARTS TOKYO 2014「アーバンキャンプ」（東京・千代田区 東京電機大学跡地）
Photo by command N
「アーバンキャンプ」は中村が関与したプロジェクトの一つ。

　ここでこのプロジェクトの実質的な設計者とも言える中村政人のコンセプト
＝「設計思想」を見ておく必要があるだろう。彼自身、先述したような、アーティ
スト／アートにとってのその土地、その地域の意味あるいは固有性、いわば「場
所性」を強く意識したことは改めて確認しておきたい。

　中村自身、アーツ千代田 3331 オープン時のインタビューで次のように述べ
ている。

　「このアートセンターは「個と全体」というのが一つのテーマなんですが、
一人のちょっとしたアイデアや表現する動機が、ある瞬間に全体に影響を与
えるようなバランスが必要だと思うんです。そもそも、街の構造そのものが創
造的な仕組をもっているんですよね。その中で人やお金、「ゲニウス・ロキ（地
霊）」のような場自体の力が僕らにアフォードする要素として出てくるんだと思
います。」（中村 2010：107）。

　こうした認識や姿勢はゼロダテに関しても基本的に変わらない。

　中村はその後、継続してきた「ゼロダテ」のそれまでの活動を振り返って自
らの方法論を総括し、「近い将来、地域のアイデンティティーを形成する「地
域資源」に成長する可能性を秘めた存在を「地域因子」」とした上で、その
地域因子が地域資源や地域文化へと変革するプロセスの手順（クリエイティブ
プロセス）について述べている。それは以下の6つの契機から成っている。

1. オルタナティブなチーム作り
2. 観察から発見へ

3．調査と検証

4．ビジョンを描き、アクションのプランを作成する

5．地域因子の逸脱

6．活動アーカイブの作成と共有　　　　　　　　（中村 2013：175-188）。

　既存のフォーマルな組織から始めるのではなく、これまでとは異なる多様な人々が参加する独自のチーム作りが起点になり、そこから上記の順序でプロジェクトは進行する。5にある「逸脱」という要素に中村は強い意識を持っている。中村は、別の場（中川眞との対話）でもこの「逸脱」について言及し、アートプロジェクトにおけるマネジメントの重要なポイントとして指摘している。それは「予定調和のボーダーを跳び越える感覚」にほかならない（中川 2011：34）。このプロセスは、単に地域おこしの「プロジェクト」なのではない。「アート」プロジェクトなのである。

　小さな不連続がもたらす大きな不連続＝逸脱。それはゼロダテの場合で言えば、ある日ずっと閉ざされていた店のシャッターを開ける、そして毎年開け続け、最終的にシャッター街そのものをなくすこと、だという（中村 2013：185）。既成事実を変えていく契機とその積み重ねとしてこれを理解することができるだろう。素材（因子）としての、例えば「秋田犬」や「温泉」はこの過程を経て地域の「資源」となる。こうした方法論（プロセス）は、複数のプロジェクトと関わりながら活動を続けてきた中村のこれまでの経験を踏まえた定式化（理論化）ということになるだろう。

“コミュニティを創り、アイデンティティーを確認するアート”

　中村政人は先のインタビューの中でアートプロジェクトのあり方について問われて、その形として2つありうると述べている。中村は「祭り」の例を挙げて「ねぶた祭り」と「三社祭」を対比し、「ねぶた」制作者の特殊性が前提となる前者をアーティストに特権性がある形、後者を市民の意見が反映されるチャンスが大きく市民が同等に参加しうる形として捉え、自身は「後者のプロジェクトを意識」しているという。「1人の存在がある時に主導権を持てるようなチャンスに対して、アートという意識が働くべきだと思うんですよね。両者ともアー

トの楽しさはあると思うんですけど、時代として圧倒的に欠けているのは後者のほうですよね」（中村 2010：107）。

　彼はさらにアートの未来を次のように展望する。「非西洋圏でアートが社会化する流れは始まったばかりだと思うんです。100 年くらいの単位で考えていくと、アジアではこれから、西洋のように貴族階級が支えていくのではなく、市民が自分たちのコミュニティーを創っていくために、あるいは自分たちのアイデンティティーを確認、構築していくために、アートというものが増々必要になっていくと思う。[中略] 経済的に価値が高い低いという縦の構図が変化してくるんじゃないかなと思っています。お金ではなく、共有するちょっとした意識」（同：107）。ここで言及されているのは、いわゆる「シビック・プライド」（地域への誇り）の問題を含め、地域とそこで暮らす人々に対してこれからアートに何ができるのかという問題である。

　グローバル経済の進展や少子高齢化によって社会的経済的環境が深刻化する一方で、日本社会がそれなりに獲得してきた文化的成熟。この条件がアートあるいはアートプロジェクトにもたらしているものは何か。ゼロダテの設計思想（コンセプト）もそれについての認識と深く関わっていると言えるだろう。

2. アートの事業化と価値形成のプロセス

アートプロジェクトの事業化——原点としての「コマンド N」

　こうした地域アートプロジェクトを主導してきた中村政人の活動の一つの原点は、自身が立ち上げた「コマンド N」にあると言ってよいだろう。彼の活動歴を改めて簡単に振り返っておこう。

　1996 年から香港に 1 年滞在した中村は、帰国後、それ以前からの経験（「ザ・ギンブラート」(1993)、「新宿少年アート」(1994) など、銀座や新宿におけるゲリラ的なアートプロジェクトやギャラリーや美術館での個展、国際展等）を通して暖めていたアイディアを実現するためには何が必要かを考えていたという。それは後に街全体を「アート化する」試みとも言えるビデオアート展「秋葉原TV」(1999) として実現するが、そのとき彼自身に訪れた「気づき」は「拠点をつくる」こと、つまり「プロジェクトをつくっていく同志が有機的につながっていくような場を立ち上げればいい」ということだった（コマンド N，中村

2017）。この極めてシンプルな構想は、千代田区と台東区の区境に良物件が見つかったことで早速1997年に実現する。「command N／コマンドN」と名付けられたこの拠点は[54]、シェアオフィスとオルタナティブギャラリーとして運営が始まる。「自分たちで自分たちの場所を作り、自分たちの活動を生み出す」というコマンドNの「精神」とこの活動はやがてアーツ千代田3331やその他多くのアートプロジェクトへと発展する[55]。中村によれば、立ち上げからの20年間（2017年まで）で「7カ所の拠点、190のプロジェクト、2,000名の参加アーティストと協働し、延べ120名のコアスタッフが企画しつづけ、約950名の運営スタッフおよび協働者・団体と制作してきた（前述の石山も一時期この場で活動している）。総事業費は、約7億円［各年積算］。東京都美術館の年間予算で実現してきた」という（同：7）。20年という継続期間（その後現在に至る）と共にその質的量的な豊かさには改めて驚かされる。

　先述したゼロダテも「コマンドN拠点、プロジェクト及びメンバーの変遷（1997〜2017）」という年表で位置づけられているが、この大きな流れ全体を見ることで中村の構想と実装の「形」が浮かび上がってくる。

　中村たちの表現活動は、いわゆるアートピースであれパフォーマンス的な形であれ、量的質的な拡大を遂げていく。より高い質の表現、財政的な健全性を維持しようとすればそこには創造性に裏打ちされたある種の高度な専門性が求められる。単独あるいは数人のアーティストが関わる「プロジェクト」から関係者の数や財政においてもそれなりの規模を持ち専門職集団によって担われる「事業」という性格も有するようになってきたと言えるだろう。

地域を超え、地域をつなぐアート──「東京」と「地方」の関係性、「地域」への視点

　コマンドNの活動は中村のアートプロジェクト活動の履歴とそのまま重なっている。これを中村と共に振り返る関係者（創設およびそれを引き継いだメンバーら）による座談会の発言を見てみよう。

　中村は、この中で、コマンドNの立ち上げの頃の話から、アーティストがイニシアティヴを持って作品制作しそれを提示するという課題（アーティストイニシアティヴ）をいかに組織化するかという問題に向き合い、そのためにプロジェクトスペースを起動したこと、それが展開する中で活動状況に変化が生じて

きたことについて語っている。

　中村らは、この間、さまざまな地域で活動してきたが、「地域」と言っても、「東京」と「地方」では、経済や文化など社会的資源の点で見ればその諸条件は、当然大きく異なっている。中村は、この活動の中で、両者のアート環境の違いについて改めて気付きを得ている。例えば、活動の広がりの中で、東京という空間の中では濃厚な「コマーシャル」が地方では希薄であるということがある。それぞれの地域におけるアート活動の（特に当事者にとっての）意味は必ずしも同じではない。この「現実」は言わずもがなのことのようで、やはり重要な再確認であったろう。

　「富山［ヒミング］だとか大館［ゼロダテ］だとか、東京じゃないところで［アーティストが］活動いっぱい始めてるでしょ。［中略］つまりもう、最初からコマーシャル相手に生活を組んでいない。東京の中心で見ているとわかりにくい。地方のアートシーンはコマーシャルなマーケットはほとんどないのが現状。アートの枠の外にはずれて自立してやっているのか、アートの枠の中でやろうとしているのか。そういう意味で考えるとコマンドＮの活動の後半部分は、主力はほとんど地域の活動に移っている。ＫＡＮＤＡＤＡはコマンドＮの中心としてのそれぞれ個々の活動を見せる場所、いわゆるホワイトキューブ的なことだから、個展シリーズであるとか、それぞれ自分のやりたいことを見せる。むしろ秋葉原ＴＶ的なプロジェクト的なものは、地域のアートプロジェクトとして展開してきている」（同：222）。

　作品、プロジェクトにはそれにふさわしい場があり、場にもそれを受け入れるのに適した表現があるだろう。この間、関係するアーティストやスタッフは地域それぞれの場と表現方法の関係性について認識を深めてきた。中村たちは、場所とその利用の仕方についての方法論を精錬することでアートの現場対応のスキルを向上させてきたとも言える。「コマーシャル」の問題のような中央（東京）と地方の関係性だけでなく、相異なる複数の場（地域拠点）の相互の関係性──相互作用もまたここに見ておく必要があるだろう。地域と地域（都市と都市）の関係は、アーティスト等多くの関係者の間の相互作用としても捉えられる。地域内的な相互作用だけでない地域間の相互作用がもたらすさまざまな発見や気づきは、それを必ずしも意図しなくても表現やプロジェク

トにフィードバックされることになるだろう。こうした経験が関係者に成長する機会を与えたことは間違いない。地域を超え、地域をつなぐアートという視点をここに認めることができる。

　中村の機動力の起点となったコマンドNは彼らの「アートの社会化」の拠点ともなった。中村はこの間を回顧しながら「コマンドNは社会化するアートの活動性とシンクロさせて、絶えず新しいページを開いていきたい」（同：222）と今後の展望を述べている。

地域貢献に対する認識の深化――アートは「地域」とどう向き合うのか

　地域アートプロジェクトについてはしばしば「地域貢献」という言葉がついて回る。この問題に中村たちはどう向き合ってきたのか。

　第二期メンバーの伊藤敦はコマンドNの位置づけとこの問題をめぐって次のように述べている。

　「僕はずっと一貫してコマンドNはハブ（HUB：ネットワークの中心に位置する集線装置であり、複数のネットワーク機器を接続する装置）だっていう話をしている。要するに、そこを起点としていろいろ広がりをみせるもの。通り過ぎていってもいいし、留まってもいいし。そこから拡散して、「ゼロダテ」や「ヒミング」ができて、3331もつくられるようになって、どんどん広がっている。場所やお金の取り方も違うんだけれど、たどってみるとコマンドNだったみたいな感じじゃないかと。だからさらに拡大していくのがいいんだろうなって思うんですよ。［中略］ヒミングやゼロダテとか地域との関わりも深まってきていたけれど、僕自身は当初は地域貢献とかは意識してなかった」（コマンドN，中村2017：224）。

　中村はこの発言を受けて以下のように述べている。

　　　貢献っていうのじゃないよね。「貢献」という意識は上からの目線だから。逆に、この地域で自分たちが何ができるのか？その流れを作っていくことが大事。地域の中でできることが少しずつ増えていくことが、自分たちと地域を成長させていく。
　　　だから、今言われているような地域アートっていう言い方には抵抗が

あって、地方に対しては都市が上、アート界の崇高なホワイトキューブのアートが上で、それに対して地域アートは地域の人たちがまちづくりのためにやってるように決めつけてしまってる。その考え方が狭くて窮屈。本来、地域ではいろんなことが起こっていい。地域にいる子どものために作って全然いいわけじゃない。それに対してアートの評論家たちが専門的に勉強してきたことが狭すぎるなって思う。現場の経験値が足りない。だからもっと地域でアート活動が増えていけば多様性が生まれて、コミュニティベースで作られていくものでも十分に立ち位置は見えてくる。予算をかけて大作家にパブリックアートをつくってもらうのと、青年会議所の方々と若手アーティストが一緒に作るものも、それぞれ認め合うっていう幅が必要だと思う。(同)[強調筆者]

　「地域」の固有性、そこにおける人々の生活、そこをベースにしてそこから生み出されるもの。これをどう評価するか。その点を見ない「批評」への違和感が中村にはある。中村がしばしば示す「地域アート」という語への強い反発の根拠の一端がここにうかがえる。
　中村は、アートと「場所」の関わりについてもここで発言している。コマンドNが拠点としてきた東京／神田という場所の特殊性・固有性からそれを超えた場所と場所の間に生まれる関係性構築の可能性について次のように述べている。
　「東京以外のどの都市でも関係性はあって、重要なのはそれぞれの関係性のある都市と都市とを行き来するっていうことかもしれない。同じように東京と秋田を行き来する人間同士の中で信頼が培われてくると、そこでの仕事の流れを想像できるようになってくる。それに気づいたのが40歳ぐらいだったから遅かったんだけど。20歳の時に気づいて20年後の秋田、東京間のイメージが俺の中にあれば、もっとできたはずなのよ、その蓄積の仕方がね」(同：227)
　単に東京と地方ということだけでなく、異なる地域（異質な空間）の間を往来することを通して接触する人の間に理解や信頼関係が生まれてくる。また、そこに新たな課題や可能性が生じてもくる。この間の時間はそうした学習の

過程でもある。時間はかかったとはいえ、そのことが活動自体にフィードバックされてきたということがこうした発言から読み取れる。

「地域アート」批判の死角——アートは「価値」とどう向き合うのか

少し遡って、中村にとって10年ぶりの個展となった「明るい絶望」(2015)に際してのインタビューの中の発言も見ておこう。彼がここで「地域アート」批判を強く意識していることは明らかである。(「アートの構造そのものに挑む!」https://www.tokyoartbeat.com/tablog/entries.ja/2015/09/masato_nakamura_interview_1.html)

——最近、企業や行政等との協力によって企画されているアートプロジェクトが増えてきている中で、「市場的に話題性のあるもの、わかりやすい市民性のあるものを」というニーズが、アート表現の自由度を欠いていくこともあると思います。アートが社会の中に介在していく上での課題、また付加価値とはなんですか?

アートが何を指しているのかということをはっきりさせる必要があります。地域でのプロジェクトや街づくりなど、アートの目的とは一見違うものの中の表現における質の低下を言ってる人は、現代美術の市場を中心としたアートのことを指していると思うんです。それはいわゆる欧米主導のアートシーンの価値観ですが、いま日本やアジアで起きているアートのさまざまな実験というのは、そういう現代美術の市場主義とは関係ないところで起きている。

行政の税金を使って行う公益性の高いプログラムは、ある種の社会課題を解決するための、具体的な方法になりつつあります。アーティストとプロジェクトチームが課題に対して具体的策を持つことは非常に有効です。作品の質という話ではなく、課題が解決するかしないか、ということなんです。享受する人はアート界にいる人ではなく、限界集落にいるおじいちゃんおばあちゃん達だったりするわけですから。

そういった意味で、美術の前提が僕の中では随分前に拡大しているん

です。アートと産業とコミュニティの３つがクロスする部分で、アートの概念を拡張し、実際に機能させることを目指しています。美術館はボードメンバーやコレクター、財閥からの寄付金によって成り立つので、現代美術の市場の中で作品を発表するだけでは、産業とコミュニティー[ママ]に接する必要がないわけです。作品の価値や、作家の生活を支える経済性、かつ作品そのものを受け止める鑑賞者の幅が今すごく揺れている。アートの定義や、アートをどの立場で考えるのかが、拡大してきていると感じます。[強調筆者]

　中村はここで「地域アート」批判に欠けている視点＝死角に言及している。今日のアートは、これまでの美術館やコレクターを中心とした（相対的に）安定した構造（美術市場）の中に納まるものではなくなっている。地域・コミュニティはその既存の構造をはみ出る要素・領域として浮かび上がってきている。そこにはこれまでとは異なった形でアートが担うべき新たな課題が見いだせるのではないか。中村はアートをめぐる状況が激しく揺れ動いていることに感応し、この流動的な状況に積極的に介入しようとしているように見える。

「価値形成のプロセス」としてのアート──アートと社会のゆくえ

　中村は、ある時期から「「アート」と「産業」と「コミュニティ」がクロスすることで経済資本と社会関係資本の両者の蓄積が生まれ、「社会文化資本」がそれまでの文化資本を含む形で生まれてくる」として「アート×産業×コミュニティ＝社会文化資本力」という図式を示して、アートの社会的機能についての認識と自身の活動の方向性を明らかにしている（「「東京ビエンナーレ」が日本の地域を変える」（東京文化資源会議 2016：136））。実際、中村の最近の活動は、この理念の実装化というフレームで捉えることができるだろう。長年、地域の文化資源を活かしたプロジェクト展開に関わり、東京文化資源会議や「東京ビエンナーレ」など、社会とアートの「接触界面」に位置する（身を置いてきた）中村の姿勢がここに現れている。

　「アート×コミュニティ×産業」という構図は、３つの領域を横断的につなげ、「街が創造的になるための場」としてアートを捉え直す視点に基づいている。

中村は「現在のアート界全領域を産業コミュニティに対して接続することで、経済的な裾野を広げ、アートそのものの社会的価値を地域社会に機能させていく必要があり、そのためには、経済的、政治的、文化的なインフラの横断的イノベーションが必須となる」と述べ（中村 2015：141）「アートという価値形成のプロセス」の可能性を積極的に提示している。この構想は、「創造経済」の視点ともつながり、また近年の文化行政の「経済化」の動きと響き合うものでもあるだろう。

　ここには「東京2020オリンピック・パラリンピック」とそれと連動した文化プログラム、そして一連の流れの結節点としての国際芸術祭「東京ビエンナーレ」の実現に向けた中村を始めとした文化芸術関係者の展望がある[56]。日本の文化芸術をめぐる政策の変化は、これをどう評価するかは別にして、アーティストら現場の人々にとっても今後を左右する重要な転換をもたらしている[57]。その動向に多くの人々が関心を向けている。

　その旺盛な活動を通じて文化芸術の多様で豊かな可能性を追求してきた中村だが、2020年、新型コロナウイルス感染症という大きな障害に直面することとなった。おそらく短期的に収束することはないこの災厄が、一プロジェクトだけでなくアートの環境——それに限らない、それを含む社会環境——の前に大きく立ちはだかっている。この困難とどう向き合うか、また構想と現実との間にどういう形で折り合いをつけていくのかという問題は、もちろん一アーティストだけのものではない。とはいえ、中村が置かれている状況には今日のアートと社会の関係性が鮮明に投映されていると見ることができるように思う。中村のアーティストとしての「表現」はもちろん、その社会的／公共的な活動を今後も注視したい[58]。

註：

[1]　「地域活性化」の代表的成功事例「大地の芸術祭」については、澤村 2014参照。前章でも触れたように、評価に関しては、やはり経済効果とソーシャル・キャピタル（地域内外での人的交流、信頼構築など）が主要な関心事となる。特に、長谷川雪子「大地の芸術祭の経済効果—公共事業の経済効果測定方法—」（同：47-61）、鷲見英司「大地の芸術祭とソーシャル・キャピタル」（同：63-99）参照。

★2 開催地域の特に事業主体（県や市町村など）の関心として高いのはやはりこうした経済効果である。この視点からの地域社会とアートプロジェクトについての分析と評価として、室井 2013 参照。室井は、「瀬戸内国際芸術祭」（2010）の開催地住民調査を元に離島振興について分析を行っている。各地のこうした事例報告や研究として、日本政策投資銀行大分事務所 2010；小林 2011；地域活性化センター 2013 などがある。星野、奥本 2017 も各地の例を挙げ、このことに言及している。

★3 中村政人は、後にも見るように、地域アートプロジェクトに対する「都心の美術館やホワイトキューブの中で働いている人たち」の冷ややかな視線に対する違和感についてしばしば言及している。例えば以下参照。「Cross Talk 03 美術館ではない場所で」（十和田市現代美術館 2020：111）。

★4 文化経済学や文化芸術の関係者は別にして、日本において「創造経済」についての認識が社会的に広がるのはやはり 2000 年以降だろう。横浜市は、2004 年から他の都市に先駆けて「創造都市」を掲げて文化芸術・経済振興に取り組んでいるが、「創造経済」の視点が広がり同様の取り組みが各地で活発化するのは、文化庁の支援事業「文化芸術創造都市推進事業」（2009 年度～）や「文化芸術創造都市モデル事業」（2010～2012 年度）等の本格化という契機を待つことになる（佐々木，水内 2009；地域活性化センター 2013；創造都市横浜のこれまでとこれから Part2 編集委員会 2014；大阪市立大学都市研究プラザ 2017）。また、都市だけでなく過疎や高齢化の悩みを抱える農村地域でも「創造農村」を掲げた同様の試みが生まれている（佐々木他 2014）。

★5 文芸評論家の藤田直哉は、アートによる経済効果に関する議論などに触れながら「現代アート」がおしなべて「地域アート」になってしまうかのような、その社会的な効用のみが賞揚されて「批評の排除」や「当事者の前景化」が進展する状況について強い疑問と危惧を表明していた（藤田 2014；藤田 2016）。第3章第2節も参照。

★6 筆者は、2010～2011 年度文化庁「文化芸術創造都市モデル事業」仙北実行委員会（秋田県仙北市）の活動、事業の評価を行う仙北評価委員会委員として同事業を間近で見る機会を持ったことがある（文化芸術創造都市モデル事業仙北実行委員会 2012）。この当時、当事者と関係者の間に文化芸術活動を「評価」することへの意識が急速に高まったことを実感した。この後、こうした評価については視点や基準についての議論も深化し、手法の開発も進んでいるが、その妥当性や有効性についてはなお難しい問題は残っている。以下参照。小松田 2017；アート NPO リンク 2019；熊倉 2020。

★7 「地域型アートプロジェクト」と呼ばれることもあるが、本書ではそのまま「地域アートプロジェクト」とする。加治屋 2016 も参照。

★8 大館市は、秋田県の北部に位置する。北境で青森県と県境を接し、東境で鹿角郡小坂町と鹿角市、南境で北秋田市、西境で藤里町と隣接している。2005 年、西部の田代町、北部の大館市、南部の比内町が合併し、面積がほぼ2倍となった。1960 年代のピーク時には 10 万超あった人口（旧市）は、合併時の 2005 年に 8.2 万、2015 年 7.4 万となり高齢化率も同年 35.9%となっている。

★9 東北圏内では、福島大学を中心に隔年開催で「福島現代美術ビエンナーレ」（その後「福島ビエンナーレ」に名称変更）が 2004 年に始まっている。

★10 「ゼロダテ」については、中村の他関係者による詳細な記録、出版物が残されており、本稿も筆者の訪問、聴き取りの他、それらに基本的に依拠している（中村 2013；中村 2014；中村 2015）。熊倉らのアートプロジェクト論でも、ゼロダテは、取手アートプロジェクト、ヒミング（氷見市）などと共に地方の事例として取り上げられている（熊倉 2014：175-218）。

★11 中村政人は「絶望をエネルギーに変える」という表現を「つくることが生きること　東日本大震災復興支援プロジェクト展」の記録・報告書でも用いている（コマンド N 2012）。ここにはアートを地域の意志や思いの集約点とするというフレームがある。

★12 百貨店の再生プロジェクトはその後も続く。「正札」のロゴが描かれた屋上の看板をアーティストが描き直し再提示する企画、近隣商店街でのコンサート、この空間を利用した作品展示などが試みられた。2010 年には大館市が正札竹村を新館と本館を2つに分割し、老朽化の激しかった本館の一部を解体、それによって生まれたスペースに大町商店街振興組合が国の制度を利用して多目的通路「ハチ公小径」を整備するなどした。小径には料理店や土産店が並び活性化の起爆剤となること

が期待されたが、こうした試みは定着しなかった(中村 2013：36-48)。試行錯誤は続く。このように、第1回以後も、これを市民の共有資産として維持し活用しようという企画が継続的に持たれている。再生プロジェクトの狙いは正札竹村の「アートセンター」化であり、この課題はその後も追求された。

★13 こうした試みは、「ゼロダテ」の活動を契機にその後も一プロジェクトとして継続したり、別の展開を見せたりしている。例えば、駅前の映画館「御成座」(1952 年開館)は、2005 年経営難から閉館したものの、市民の支援を得て立ち上がった「オナリ座再生ドネーションプロジェクト」を機に 2010年に一時的に使用され、空白期を置いて 2014年新しい館主による営業が再開した。今では数少ないフィルム上映館としてそのユニークな上映活動と共に全国に知られるようになり現在も営業を続けている。同プロジェクトでは、販売作品の売上の3割はアーティストへ、残りの7割が御成（オナリ）座の再生資金として、改修費、設備費、運営費のために使用された(熊倉 2014：183)。

★14 小学校の廃校跡を利用した同所はその後東京のアートの拠点としてのみならず海外からも注目されるアートスペースとして存在感を示すことになる。千代田区の位置付けとしては以下のように説明されている。「千代田区は、新たな文化芸術の拠点施設として、当面の期間、旧練成中学校［所在地省略］に「ちよだアートスクエア」を整備し、平成 22 年 6 月にグランドオープンしました。／事業の企画をはじめ、施設の改修および運営は、区が公募で選定した運営団体「合同会社コマンドＡ」が行います。／区は、アーティスト・イン・レジデンスおよび障害者アート支援の事業等を通じて、区民が気軽に文化芸術に親しめる機会を提供していきます。／ちよだアートスクエアは、千代田区文化芸術プランにおける文化芸術拠点施設として位置付けられており、ソフトとハードの両面をさしています。」［／は改行］(千代田区サイト (2022.1.更新) 参照)。

★15 ZAC TOKYO (http://www.zero-date.org/zactokyo/about/) は、東京都心で「秋田の文化芸術を発信・育成するアンテナスペース」であると共に「秋田に関連する企業、団体のプレゼンテーションが集結するスペース」と位置づけられていた (2013 年の休廊後活動休止)。

★16 2005 年 3 月、大館市に隣接する北秋田郡の鷹巣町・森吉町・合川町・阿仁町は合併し北秋田市となった。これが背景となって、2014 年は「第 29 回国民文化祭・あきた 2014」との事業連携で「ゼロダテ美術展」が開催されている。

★17 石川寛監督『ペタルダンス』(2013)、長澤雅彦監督『遠くでずっとそばにいる』(2013) が上映された。いずれも地元出身あるいは在住経験があり撮影地も大館である。石川監督は『好きだ、』(2006) でも大館を舞台に映画を制作している。大館市は、映画監督はじめ映画製作関連の人材も輩出しており、このことが企画コンテンツを豊かにしている背景にもなっている。

★18 日比野克彦は、数度に渡るライブペインティングの他、「小坂線近隣リサーチツアー」(2011)、「明後日朝顔(あさってあさがお)」(2012)、「魚座造船所」(2014) などのワークショップをここで行っている。藤浩志は、ゼロダテの初年度に彼の代表的なプロジェクトであるおもちゃ交換プログラム「カエッコ・ヤ」(「かえっこ」)を開催した。ワークショップはその後も市民の手に委ねられて継続することになった。2 人の制作行為は「コミュニティアート」という視点で捉えることができるが、その語の理解とそれに対する姿勢はそれぞれ異なる。日比野は、この語を基本的に肯定的に受けとめ、アートが社会やコミュニティに果たすべき役割について語っている (「コミュニティアートの理想は参加者全員が『私が作った』と言うこと」(中村 2013：126-130))。一方、藤はこの語に違和感を示しながら、自らの活動を「アート活動」ではなく「街いじり」だと述べている (「アートではなく『大人の部活』で街いじり」(同：126-135))。藤は別の場所でも同様の発言をしている (藤，AAF ネットワーク 2012 他)。

★19 宇川直宏 (1968 ～) は、日本の現代美術家・映像作家・グラフィックデザイナー。2010 年、日本初のライヴストリーミングスタジオ兼、ライヴストリーミングチャンネルであるメディア「DOMMUNE」を個人で開局、運営する。

★20 アンドロイド演劇については、石黒と平田の対談 (「アンドロイドは人間の夢を見るか」2012 年 1 月 20日 (平田 2015：118-125)) および佐々木敦による批評 (「アンドロイドはロボット演劇の夢を見るか?」(同：126-132)) 等を参照。

★21 この企画は、後に中村らが関わった「ふじさと Re:design プロジェクト」(2015) に生かされたとも言

える。同プロジェクトは、藤里町（大館市に隣接）の廃業した人気食堂をコミュニティの新たな交流拠点として再生させるというもの。建物の設計案だけでなく地域活性化に向けた施設利用のアイディアをセットで募集するというユニークなリノベーションコンペティションが行われた（竹内昌義（建築家）委員長、中村らが審査）。この旧食堂は現在「かもや堂」として地域交流の場になっている。

写真2-22 「正札竹村清掃ワークショップ」への参加を呼び掛けるチラシ

★22 大館には秋田犬保存会の本部が置かれ、純血種を保ち後世に伝える活動が行われている。天然記念物として珍重される一方、「商品」として扱われるという現実もある。秋田犬は、世界的にも人気のある犬種だが大館発のブランドとしてその価値を保持する活動という意義も大きい。

★23 ゼロダテでは2014年6月に「正札竹村清掃ワークショップ」を企画してサポーターを募集している（写真2-22）。「清掃」にはその場所に集い共同作業を通じて場所への愛着を確認し連帯感を醸成するという意味が込められている。呼びかけのフライヤー（チラシ）の裏面には「「正札再生実行委員会」参加者募集！」とあって、次のように書かれている。「ゼロダテでは、正札竹村を再生するためにリノベーション（改修）プランを打ち出しました。アートだけでなく、子供、高齢者、家族、商業者、観光客など市内外から人々が集い、交流し、楽しめる場所。かつての正札がそうであったように、この場所に来たら新しい何かに出会える。そんな場所と未来の大館をつくるための仲間を募集しています。」ここには別に「旧正札竹村デパートリノベーション計画案」としてこの空間のリノベーション構想をイラスト化したものが示されている。街のシンボルを何とか再生の拠点にしようというプロジェクトの当初の「思い」はその後もこういう形で継続した。このように、この場所を複合文化施設「コミュニティ・アートセンター」にして市街地の活性化に資するという中村による「正札竹村コミュニティ・アートセンター構想」はゼロダテの「精神」を集約したものとも言える。ゼロダテとしても「私たちが望む新しい「旧正札竹村」の再生」のあり方を問うと共に、この「構想」を市民に提起し、アンケート調査を通して世論喚起を試みた（中村 2015：127-134）。「正札再生実行委員会」はその後「大館未来コミュニティ推進協議会」と名称変更、再生計画はさまざまな形で模索されたが、それが実現することはなかった。とはいえ当時のまちの人々の地域への思いがこの一連の出来事と行為を通じて沸騰しその経験が一つの記憶として残ったことは確かだろう。また、こうした挑戦は別の機会や場所に形を変えて活かされている。中村は、この後も、地域/特定の場所との関係性を深める一つの手法として「清掃ワークショップ」の形態を採用している（元額縁店を再生、拠点化する「優美堂再生プロジェクト」（2020〜））。

★24 ポコラートは、東京都千代田区に位置するアートセンター「アーツ千代田3331」が取り組む事業で、「障がいの有無に関わらず人々が出会い、相互に影響し合う場」を意味する（POCORARTは、Place of "Core＋Relation ART" の略称）。この事業は、ポコラートの活動に賛同し、「アーツ千代田3331」の協力を得て実施する形になっている。

★25 「統一地方選2019　大館市の課題（上）」『朝日新聞』（地方版）2019年4月18日参照。

★26 この白神フーズ株式会社大館工場の事例は、廃校利用による地域活性化の事例として以下で紹介されている。派出石 2015：67-76 参照。

★27 御成座については以下を参照。https://ja.wikipedia.org/wiki/%E5%BE%A1%E6%88%90%E5%BA%A7（2020年6月2日閲覧）

★28 当時の実行委員会の様子について石山は次のように述べている。「お互い腹の内を言い合って、最後には「実行委員会対反対派の市民」という対立を重視するのか、大型アートプロジェクトに対して

「ゼロダテ」は何をしていくのか、というような方向性を共有していきます。それぞれ悩みごとも、大変なことも多いし、冷静に席について話し合う実行委員会ではないです。半分はケンカ状態ですが、それによって仲間意識も上がるのでしょう」（「現場の実態」（熊倉 2014：199））。

★29　石山はアートプロジェクトの「現場の実態」を語る中で「中村［政人］さんともよく話しますが、仕事を自分たちでつくらないと給料ももらえないということを日頃から意識してやっていますね。普通の会社に勤めると、「何時間働いたから給料もらって当然」という感覚なのでしょうが、僕らのやっていることは起業に近いです。自分でお金をつくって、企画して、予算管理して」（熊倉 2014：194）と述べている。

★30　「MARUWWA ニコメ」は、「ガバメントクラウドファンディング」（ふるさと納税制度を活用し自治体が地域の課題解決に向けて限定した使途で寄付を募る仕組み）を利用して開設された。約 3 か月の募集期間、目標 200 万円で設定されたが、2019 年 11 月にその目標を達成した（『秋田魁新報』2019 年10 月 2 日他）。同スペースは、10 月の時点でオープンし、「子育て・小商い・塾」を 3 本柱にして運営されている。その後、こうした活動は、大館市との連携の下、「学び」を「働く」ことにつなげることを目指し「キャリア教育」と「リカレント教育」を連動させる試み「大館学び大学」として新しい展開を見せている（2022 年 4 月）。MARUWWA のサイト（https://maruwwa.com/）参照。

★31　最近、移住・交流を進める活動やビジネスに関心が集まっているが、そうした情報サイトでも大館の事例が紹介されている。以下参照。https://cocolococo.jp/26169 等。また、サテライトオフィス事業は、「MARUWWA に集う地域発新たな働き方」（『北鹿新聞』2019 年 7 月 4 日から 8 月 15 日まで断続的に 5 回連載）や「お試しオフィスで第一歩」「都会離れ働く幸せ」（『日本経済新聞』（首都圏経済面）2019 年 12 月 12 日）として紹介されている。

★32　「田園（地方）回帰論」は、人口減少社会と「地方消滅」の危機を訴えたいわゆる「増田レポート」（2014）に対抗する形で活性化し、小田切徳美らを中心に 2010 年代半ばから盛んになっている。小田切, 筒井 2016；小田切他 2016 他参照。この議論については、第 7 章参照。

★33　若い世代の「地方回帰」の潮流に注目が集まっているが、特定の職種や専門性の枠組みにはとらわれない新しい発想や価値観で創造的な仕事をする「クリエイティブ人材」への関心は、むしろこうした「ローカルでソーシャルな働き方」の先進例が生まれている地方の動きの中で高まっている。松永 2015；松永 2016；吉田 2016 参照。

★34　平田はこの講演（2011 年 8 月 14 日）で、変化する社会と地方都市コミュニティのあり方を展望する上で、演劇や文化・教育を通じて「新しい広場」を創出することの意義について述べている（中村2015：121-126）。これについては平田 2013 参照。

★35　「包摂的社会」は「社会的包摂」と同義と考えてよい。日本でも 2010 年前後から現代アート、地域アートプロジェクトの大きな「主題」となってきている。天野 2010；長門 2016；中川 2016 他参照。

★36　立ち上げメンバーの笹尾は、京都の美術大学卒業後秋田に帰郷し、かねてからの願いだったアートスペースを後藤ら仲間と共に構想していた。そうした時期に県主催の「女性のための起業セミナー」を受講したという。「セミナーへの参加によって、それまでまとまりのなかったアイディアや思いを、すっきりとしたプランにする事ができ、今まで夢だったことが現実味を帯びてきました。また、セミナーで作成した県の創業支援事業助成金申請の企画書が運良く採択され、起業のための費用の 1／2 を助成金でまかなうことができました。」ココラボラトリーはこうした形で始まった。彼女自身一人の起業家でもあった。以下参照。http://www.pref.akita.lg.jp/www/contents/1343113487627/index.html（2016 年 1 月 18 日閲覧）。なお、2015 年から笹尾に代わり後藤が同代表を務めている。

★37　以下参照。笹尾千草「奇跡のバランスでなりたつ美術の場所」（2008 年 8 月 21 日）http://www.nettam.jp/column/45/

★38　リチャード・ロング（1945 ～）はランド・アートの代表的作家として知られる。「秋田の瀧の線（Akita Waterfall Line）」（2003）はアートプロジェクトとして企画されたロングの秋田での滞在制作作品である。現在、同作は穂積が運営する介護付有料老人ホームに設置・展示されている。

★39　フォーエバー現代美術（Forever Museum of Contemporary Art：略称 FMOCA）は 2006 年秋田

市に開館した同県で初めての現代美術を専門にするアートスペースだった。2009年10月まで非営利の形で運営された。

★40　こうした交流・交歓は、直接間接に、地元メディアや県内外のクリエイター等も巻き込んでゼロダテのようなアート系の動きだけでなく、地域資源の発見の動きなどにもつながった。この動きはローカルメディア、編集・デザインの視点の共有でもあった。秋田の事例を含めこれについては、影山2016参照。

★41　石山拓真「ゼロダテの「この街と歩く」から「じぶんで　みんなで　この街で」に続いていくこと」(2008年9月29日) https://www.nettam.jp/column/46/?utm_source=internal&utm_medium=website&utm_campaign=prev_next「ネットTAM」(http://www.nettam.jp) のシリーズ企画では、2008年当時コラボラトリーとゼロダテに連続して焦点を当てている。

★42　同大学は、1952年秋田市立工芸学校として設立、後に秋田公立美術工芸短期大学となり、2013年の4年制大学移行によって設置された東北地方の公立大学では唯一の美術系大学 (美術学部1学部の単科大学) である。その後、大学院複合芸術研究科修士課程 (2017年)、博士課程 (2019年) を設置している。

★43　プロジェクト型の表現活動を展開するアーティストの代表例として、川俣正、藤浩志、日比野克彦、中村政人らがしばしば挙げられる (熊倉2014：23)。ゼロダテを含め、日比野、中村、そして同大の教員である藤らが秋田地域のアート状況に深く関わったことの意味は大きい。同大学は設立当初から「地域貢献センター」を置き、旧国立農業倉庫を改装したアトリエ、秋田駅前ビル内のサテライトセンター、市内ケーブルTVとの共同ギャラリー「BEYOND POINT」を運営してきた。これらの運営を引き継ぐ主体として「NPO法人アーツセンターあきた」が設立された (2018年2月)。理事長には藤浩志が就任している。同法人は、内外のアーティストを積極的に紹介するほか、文化庁支援によるプロジェクト等、諸事業を企画運営するなどアーツカウンシル的な存在として地域活動を精力的に続けている (『地域創造レター』2020年5月号参照)。また、秋田市の文化芸術活動の拠点として2021年3月に開館した「秋田市文化創造館」は同NPOが指定管理者となっており、藤は同館長を務めている。公立美大が秋田地域の文化芸術全般に直接間接に果たしている役割は大きい。AKIBI plus事務局2017等参照。

★44　秋田県は、2018年時点で国指定重要無形民俗文化財が17と全国最多あり、民謡についても14の全国大会が開かれしばしば「民謡の宝庫」とも言われる (秋田県2019)。わらび座が拠点としている仙北地区は歴史的経緯もあり、特に民謡や舞踊などの民俗芸能が盛んな地域として知られている (荒牧2018)。

★45　わらび座は1951年2月東京で創設、53年に秋田に拠点を移し、以来同地で芸能・演劇活動を続けてきた。2021年には創立70周年を迎えた。わらび座公式ホームページ https://www.warabi.co.jp/ 参照。同劇団は、また、劇場の他、温泉、ホテル、レストラン、観光農園等の施設を有した複合型観光拠点「あきた芸術村」を運営し、地域経済にも大きな影響を与えている。佐々木雅幸は、創造都市の視点でわらび座と芸術村の存在に早くから注目している (佐々木2001：210-214)。

＊補注……わらび座は、2021年11月初め、秋田地裁に民事再生法の適用を申請し、再生手続きの開始決定を受けたと発表した。新型コロナウイルス禍の長期化で劇団事業を支える宿泊観光事業が落ち込み、経営悪化に耐えきれなかった形である。非営利法人として再生を図り、同法人により雇用は維持、公演などの事業は継続する (「劇団のわらび座、民事再生手続き　事業継続・雇用維持」『日本経済新聞』2021年11月2日等参

写真2-23　わらび座 (出典：Wikimedia Commons)

照）。70 年にわたり地域に密着した活動を続け、ミュージカルや海外公演を含め各地で年 800 の公演を継続してきた同劇団を愛する人々は多く、早速地元をはじめ全国規模で支援の輪が広がっている。この間、公演も少しずつ増え、2022 年 3 月にはクラウドファンディングも開始されている。わらび座の力強い復活に期待したい。

★46 仙北市は、2011 年 5 月文化芸術創造都市部門で文化庁長官表彰を受けている。同市は、2010 年度から始まる文化芸術創造都市モデル事業に 3 年連続採択されるなど文化芸術によるまちづくりで高い評価を得ているが、「創造都市・創造農村ネットワーク」加盟自治体として、その後も「過疎と高齢化を創造的に生きる」戦略を進めている。長くわらび座で劇団代表などの要職を担い、「たざわこ芸術村」［当時］開設や劇団と仙北市との連携を進めてきた是永幹夫は、こうした事業に事務局長として深く関わってきた。是永はその実践を紹介しながら、横浜や神戸のような大都市ではない、独自の自然と文化に恵まれた仙北市のような中小都市・農村における文化芸術による活性化の可能性を示し、東日本大震災のような危機を迎えたときこそ発揮される「民俗芸能の底力」に大きな期待を寄せている。また、是永はモデル事業の一つ「蔵とアートをめぐる "ネオ・クラシック! カクノダテ"」の成功を振り返りながら、地元のまちづくりリーダーの言葉を引き、これを地域の寛容性と共に、わらび座、秋田公立美大［前身の短期大学時代含み］の連携の所産と評価している（是永 2014）。仙北市の地域力はこうした諸アクターとの連携でより強まったのである。芸術祭やアーティスト・イン・レジデンス等、地域資源とアートが結びついた「創造農村」の事例としてほかにも中之条町（群馬県）、神山町（徳島県）、直島町・小豆島町（香川県）などがある（佐々木他 2014）。こうした創造都市ネットワークの現状と動向については、佐々木 2017 参照。

★47 「アート・ワールド」の理解に関しては議論の余地はあるが、地域的な／ローカルなレベルでもそれを考えることはできるのではないか。ベッカー 2016 参照。

★48 個展「明るい絶望」（2015）開催時のインタビュー。「中村政人ロングインタビュー・全編 アートの構造そのものに挑む!」（https://www.tokyoartbeat.com/tablog/entries.ja/2015/09/masato_nakamura_interview_1.html）。

★49 片岡真実は、中村ら 1960 年代生まれのアーティストの近年の活躍に目を向けている。とりわけ中村の「地域にエンゲージした活動」に注目し、2011 年の震災以降の支援活動等に触れ、「その総合的な活動全般をとおして、日本における「ソーシャリー・エンゲイジド・アート」の中心的な役割を果たしている」（片岡 2015：182）と高く評価している。

★50 山本浩貴は、1990 年代から現在に至る「社会批判」の要素を内包した中村の表現と活動を紹介し、そのコミュニティ関与型の芸術実践を「コミュニティとの共創」として捉えている。また山本は、中村らの活動を今日の日本固有の「アート・プロジェクト」の議論に接続して一連の動向の位置づけを探っている（山本 2019：180-198）。

★51 中村は、2016 年より「プロジェクトリーダー」を育成する「プロジェクトスクール＠3331」を開校、その後も全国各地にその活動を広げるなど、こうした事業の担い手育成にも力を入れている。

★52 中村は単に「美術教育」ではなく「美術と教育」について問いながら、その問いを「美術（アート）と社会」へと広げ、自身のアート／社会との向き合い方を模索していたとも言える。その過程は、美術作家をはじめとして批評家、キュレーター、画廊主、研究者、編集者、官僚、デザイナー、建築家、ミュージシャン等々、80 余名の多種多様な文化芸術関係者に対して数年間にわたって行われたインタビューに見ることができる。その成果は『美術と教育』（1997）、『美術の教育』（1999）、『美術に教育』（2004）としてまとめられている。

★53 ヒミングは、富山県氷見市で市内の建築家を中心としたメンバーが 2003 年に行った「蔵再生プロジェクト」と 2004 年に始まった映像プロジェクト「氷見クリック」が連結し 2008 年に活動拠点「ヒミング・アート・センター」をオープン、2009 年「特定非営利活動法人アート NPO ヒミング」として法人化し活動を続けている（熊倉 2014：177）。

★54 この名称は、「マッキントッシュのショートカットキーで「新しいページを開り」というスクリプトの意味からつけた。個人を開き、仲間の心を開き、プログラムを開き、街を開き、その先の見えない未来

まで開こうとする。タブラ・ラサ（白紙還元）ではなくその逆のスクリプトだ」と中村は述べている（コマンド N，中村 2017：6）。なお、コマンド N は、1997～2009年までは任意団体、2010年に法人格を取得して現在に至る。プロジェクトとメンバーの変遷（東京だけでなく氷見や大館などの地方や海外のプロジェクトとの関連も含め）も興味深い（同：8-9）。創設メンバー座談会なども参照（同：216-222）。なお、「ギンブラート」（1993）「新宿少年アート」（1994）など、東京のアート空間においてこうした中村の活動が果たしたアート史的意味付けについては、山本 2019：185-191 参照。

★55　コマンド N の神田における活動の展開（2014年時点）については以下を参照。「アート×まちづくりの流儀－地域におけるアートプロジェクトの仕組み」https://www.nettam.jp/kaizen-file/6/　アートセンター作りの過程としての「TRANS ARTS TOKYO」プロジェクトについての当時のスタッフ久木元拓の話が興味深い。

★56　「東京ビエンナーレ」は戦後の復興期に上野の東京都美術館で行われていた国際展だが、1970年を最盛期としてその後休止していた。東京 2020 オリンピック・パラリンピック開催の機運を好機としてその復活・再構築が構想された。以下参照。https://tb2020.jp/about/　そこには次のように記されている。「東京ビエンナーレが目指す活動は、様々な「私」が出会い、「私たち」で共有する事象です。この地域に昔から暮らす住民と、日本各地、世界各地から集まってきた新しい人々。様々な人々が暮らし、働き、遊ぶ国際都市東京で、アートは多様な出自をもつ人々をつなぎ、このまちの歴史を顕在化し、未来を描き出すことで、「私たち」を出現させ、また新たな「私」を発見します。「アート×コミュニティ×産業」をキーワードに、地域の人々とともに、「HISTORY & FUTURE」「EDUCATION」「WELL-BEING」「RESILIENCY」を活動コンセプトとして、私たちの文化を、私たちの場所でつくっていくこと。東京ビエンナーレは「私たち」がつくる新しい都市と文化の祝祭となります」

★57　太下義之は「「オリンピック文化プログラム」序論」で次のように述べている。「オリンピックの文化プログラムにおいては、様々な社会実験を展開することを通じて、「文化に携わることが一つの職業になり得るのだ」という大きなメッセージを発信していくことが重要だと考える。そのような社会実験を通じて、アーティストであることや文化に携わることを職業として持続可能なものとしていくことができるのではないか。そして、残念ながら今日喧伝されているように「アーティストでは食えない」という社会から脱却して、「文化で生きる」社会へと転換を図ることが必要であろう」（太下 2016：26）。日本の文化芸術環境は他の先進産業国に比して貧弱だとされてきた。関係者にとって持続可能なシステム作りは悲願でもある。立場や姿勢は異なったとしても、文化芸術に関与する者＝利害関係者にとって 2020年は重要な年であったことは確かだろう。構想の全体像については東京文化資源会議 2016 等参照。

★58　ここでは言及できなかったが、中村は、「アートプロジェクト」と「文化資本」を主要論点とした著書（中村 2021）でこれまでの活動を振り返り今後の展望を示している。

第 3 章

地域を超えるアート、地域をつなぐアート
——地域とアートの関係再考

はじめに

　「地域」とアートの関係は単純ではない。「地域」を物理的な地点や空間と考えるのか、あるいは地域住民の一集合態＝「コミュニティ」と考えるのか、また地点と地点の連続性（延長）＝エリアと考えるのか、単に「場所」なのか。この語をめぐっていくつかの分析的視点を示すことはできるだろう。しかし、始めからこれに一義的な意味（定義）を与えることはさしあたり控えておきたい。実際のところ、この語が複合的な意味で用いられているということだけでなく、「地域」にとっての「アート」と「アート」にとっての「地域」がそれぞれ何を意味するかは、そこに存在しあるいは生起するアートの当事者（作り手・受け手）はじめそれに関与する者の視点に依存せざるをえないからである。

　とはいえ、近年のアートプロジェクトにとって「共創」と「サイト・スペシフィック」の視点は重みを増しており、第1章でも見たように、特に「地域（型）アートプロジェクト」については後者は不可欠とも言える要素になっている。

　本章では、「地域」とアートの関係について、「場所」「空間」「コミュニティ」といった視点から改めて考えてみたい。ここではまず、一アーティストの実践（表現行為）に注目して、アートと「場所」の関係（アートにとっての場所／場所にとってのアート）について考える。アーティストが生み出す自生的／主体的な表現が社会化される過程で、地域とアートの関係が変容していく様子が見えてくる。そして、改めて「地域」とは何かという問いを通して「地域」とアートの今日的な関係に見いだされる課題と可能性について検討することにしたい。

第1節　アートにとっての場所／場所にとってのアート
——野村幸弘と「幻聴音楽会」

　地域とアートをめぐる実践の一つの事例として、岐阜を拠点に多様な表現活動を続けている野村幸弘（1961～）と彼が主宰するアーティスト集団「幻想工房」（1994年活動開始）に注目してみたい★¹。

野村はイタリア美術史と美術教育の研究者・教員として大学に籍を置きながら、一方で絵画、オブジェ、映像等の制作のほか、ジャンルを超えた総合的なパフォーマンスの構成・演出など旺盛な表現活動を長く続けている。ここでは特に、その居住地岐阜のみならず東京、神戸、徳島、浜松、フィレンツェなど全国各地・海外で展開した一連の「幻聴音楽会」の活動に焦点を当ててその表現の意味について考えることにしたい。アートプロジェクトの一形態として捉えることのできるこれらの実践活動から、地域とアートの関係の今日的なあり方の一面が見えてくるのではないかと思う。

＊以下の論述は、野村幸弘との数年にわたる折に触れての直接間接の対話（インタビュー、メール等）および野村提供によるパンフレット、新聞記事等の資料、DVD等の映像資料に基づいている。本節で使用する画像は野村の提供によるものである。

1. 「場所の芸術」の探求──「幻聴音楽会」の実践

「幻聴音楽会」とその起点──"聖なる空間"としての神社

　1994年、野村は美術評論「聖なる空間を求めて」（野村 1994）[★2]を発表し、その直後から表現活動を本格的に開始する。同評論でも主題化しているが、彼の関心および表現の原点は「場所」である。野村はイタリア留学（1985〜87）の体験を経て帰国後美術に向き合う中、ヨーロッパと日本の社会的文化的差異の大きさを改めて認識する。それは日欧の彼我を超え、また現代美術にも通底する普遍的な問題として芸術と作品それ自体のあり方と深く結びついた「場所」の問題である。そこに向けられた関心が野村の表現活動を導くことになる。

　美術史を踏まえ現代美術の行方について考えていた野村に気づきを与えたのは、神社の存在である。彼は日常的な生活空間における神社の存在とその意味を再発見する。岐阜県は全国でも神社の数において有数の地域だが[★3]、全国に8万余あると言われる神社は、その本来的なあり方として、所在地域と深く結びついた「聖なる空間」でありながら、どこにでもあるありふれたと言ってもいい極めて日常的な場所でもある。地域やコミュニティについて考えるとき、日本における神社仏閣は、ヨーロッパにおける歴史的文化的な存在としての教会や広場と対比し得る──それは必ずしも相同的な関係ではないに

写真3-1 第1回幻聴音楽会のパンフレット
（写真提供：野村幸弘）

しても——空間／場所の一つと言えるだろう[4]。特に神社は、宗教的な存在というだけでなく、古くからの地域的履歴の表徴と目されるものも多く、また豊かな自然を抱く「鎮守の杜」としての機能など複合的な要素を持っている。神社は、子どもの遊び場になったり祭りの場になったりと身近にある日常的な空間でありながら、地域固有の自然、歴史、文化と地域の人々との関係性が濃縮された場所にほかならない。野村は、神社の存在を通して、地域というものが時間軸の中に埋もれた諸要素の重層性から成っている場だということを見いだした——というより再確認したと言えるかもしれない[5]。

　野村は、神社の空間／場所としての魅力と可能性を見いだし、この存在を動機として自らの表現行為を展開していくことになる。1995年10月、野村はこの構想を岐阜市内の神社（熊野神社）の境内で「幻聴音楽会」として現実化させている。それがどのようなものであったのか、残された記録を通して見てみよう。

　この「音楽会」の聴衆はコンサートホールでない場所で「音楽」（必ずしも楽音ではない音）に耳を傾けることを促された。深閑とした森の中から鐘の音、太鼓の音そして蜩の声が響いてくる。これらはすべてテープから流された再生音である。聴衆はこれらの音と同時に、コオロギや鳥の鳴き声などその場のさまざまな自然音も両者一体のものとして体験する。

　　このように「幻聴音楽会」はいつ知れずとも始まったわけだが、基本的に演奏者は木立の陰に隠れていて姿は見えない。そこから音を、音楽を表現した。ピアノ、バイオリン、チェロ、クラリネット、マリンバ、パーカッションなどの音が、森の中からひそやかに流れた。その合間に、あちこちに仕掛けてある再生装置が突然鳴り出したりもした。

コンサートも半ばを過ぎたころ、遠くの方から軍楽隊の楽音が聞こえ
てきた。音は次第に大きくなり、総勢三十人ほどの子供たちの吹奏楽団
が忽然と境内に現れ、そして立ち去った…。
（「敏感に音を聴き取る空間　ある試み——「幻聴音楽会」」『岐阜新聞』1996
年1月14日）

　後に「第1回」と称されることになる最初の「音楽会」について、野村はこ
のように振り返り、この「作品」としての試みを次のように説明している。「見
えないところから聞こえてくる音を聴き取ること。そういう聴取形式を複数の
聴衆が特定の場所で共有するひとつの出来事を、わたしは「幻聴音楽会」と
名付けたい」（「幻聴音楽とは何か」『幻聴音楽会』［最初の「音楽会」パンフレット］
1995より）彼自身が述べているように、ここにはジョン・ケージ（1912〜1992）
の拡張された音楽観に対する共感があることは明らかだろう（野村1999）。
　この音楽会をたまたま体験した聴衆の一人（岐阜県図書館館長）がこの試
みに関心を示し、それが次の企画につながった。翌年5月には岐阜県図書館

写真3-2　第3回幻聴音楽会　岐阜市伊奈波神社（1996）（写真提供：野村幸弘）

のオープンスペースでダンスと音楽のコラボレーションが、そして同年10月には再び神社（伊奈波神社）で同様の企画が行われた。以後、この試みに興味関心を持つ人々は次第に広がり、地方公共団体やNPOなどの依頼主からオファーを受けるようになって回を重ねていくことになる。開始から2013年までの約18年の間に大小31回を数える（図表3-1参照）。（この「音楽会」については2005〜07の約3年の空白期があるが、この間、野村は映像作家として野村誠（音楽家）と共に横浜トリエンナーレへの参加（2005）や東南アジアでの即興芸術の実践（2007）などの活動を行っている）。

「場所からの発想」── 非日常の再発見

野村は、幻想工房の表現活動について次のように説明している。

> 幻想工房の活動は、何よりもまずある特定の場所から出発します。ふつうなら作品があってそれを画廊や美術館に展示し、曲があってそれを音楽ホールで演奏します。そうではなくて逆なんです。まず最初に場所を決める。
>
> それから、その場所にどういう作品を置けばいいのか、どういう音や音楽を鳴らせばいいのか、どういう身体表現をすればいいのか、どういうことをすればその場所の力を最大限に引き出せるだろうか。そういうふうに発想するのです。
>
> （「幻想工房」HP（https://www1.gifu-u.ac.jp/~ynomura/））

「場所」を強い動機として始まったこの「音楽会」の開催場所は、当初の神社の鎮守の森から工場プラント、商店街、廃屋、河川敷、駅前、公園といった多様な場所へと広がっていく。その趣旨も、子どもを対象にしたものであったり商店街活性化であったりと、モチーフ、形態共に多様なものになっている（「幻聴音楽会」各回パンフレットより）。

野村は「場所からの発想」と共に「日常の再発見」を表現の動機として挙げ、音楽会各回の事例を示しながら「日常の空間を芸術空間に転化させることも幻想工房のねらい」と述べている。コンクリート工場を舞台にした、その名も

「コンクリート・コンサート」（第4回）では、プラント全体が巨大な音響装置に変貌し、繁華街の廃屋ビルの中で行われた演奏会「アーケード・ミュージック」（第6回）では、建築サイズのジュークボックスが出現する。また木曽川河川敷の大草原で行われた「草原の音楽」（第9回）では、その場所一帯が映画のロケシーンに早変わりする。

　　現代ではさまざまな芸術が商品として世界中に流通し、美術館や音楽ホール、文化会館、市民会館などを飛び交っています。ですが、私は飛び交わないもの、つまり岐阜なら岐阜という地域の土壌に根ざした、その土地、その場所でしか味わえない、音や空気や風、光、温度、湿度のなかで生み出される芸術に関心があるのです。（前掲「幻想工房」HPより）

　野村自身の生活の拠点である岐阜市内で行われていた音楽会は、その後岐阜市外へ、そして岐阜県を出て、形を変えながらさらにその外部へと進出・拡張していく。立川（東京）、フィレンツェ（イタリア）、神戸、徳島、浜松等々、

写真3-3　第4回幻聴音楽会「コンクリート・コンサート」
岐阜県羽島郡岐南町岐南コンクリート工業（1996）
（写真提供：野村幸弘）

写真3-4　第6回幻聴音楽会「アーケード・ミュージック」
岐阜市柳ケ瀬商店街（1997）
（写真提供：野村幸弘）

写真3-5　第9回幻聴音楽会「草原の音楽」岐阜県羽島郡川島町（1998）（写真提供：野村幸弘）

海外を含め都市の規模や物理的環境（港湾、団地、隧道等）もさまざまな地域で数多くの作品が生まれた。芸術祭や文字通りのお祭り、地域活性化プログラム、教育的意図の強いもの、福祉事業に関連するもの、広く社会課題に取り組むものなどその内容も形態も多様化していく。とはいえ、これらはその地域での制作を求められる場所固有の性格、いわば「場所性」を重要な要素としたという点では一貫した一連の作品群ということになるだろう。その場所も、不特定多数がアクセス可能ないわゆる「パブリックスペース」かそれに近い空間（普段は自由なアクセスはできないが一時的に開放される「セミ・パブリックスペース」とでも呼べる空間）である場合がほとんどだが、それらは美術館や公共ホールのような公的な文化芸術専用空間ではない。野村自身が示唆するように、これらの実践は、むしろパブリックスペースとして意識されにくい空間をパブリックスペース化（公共空間化＝場の開放）する試みと言えるだろう。

　こうしたパフォーマンス作品は、映像表現へと接続し、野村自身それらを単に記録（ドキュメンテーション）に留まらない映像作品へと展開させている。

　これらの企画は、当然ながら諸条件に関して主催者側との協議と調整を経

ているが、基本的には野村が中心となって行われている。幻想工房は、さまざまな領域の「アーティスト集団」といっても固定した実体はない。それゆえ「幻想工房」なのであり、恒常的な組織チームと言うより協働（コラボレーション）による共同体、いわば仮設的・テンポラリーなプロジェクト集団である。オブジェ制作、ダンサー等、各回多くの作家、アーティストが関与しているが、例えばこうした作品制作と切り離せない音楽についても、坂野嘉彦、片岡祐介、野村誠といった作曲家・演奏家たちとのプロジェクト的あるいは仮設的な協働作業が個々のパフォーマンス作品のベースになっている。

自主公演から依頼公演へ──表現（作品）の社会化

この約18年間31回の一連の「音楽会」プロジェクトを、便宜上1995年から2001年までの前半（第1回～15回）と2002年から2013年までの後半（第16回～31回）に分けて全体を見渡してみよう。前半は岐阜市内および県内がほとんど（15回中14回）で自主公演が多い（15回中7回）が、後半になると県外開催が増え（16回中9回）依頼公演が大半（16回中14回）を占めるようになっている。野村が当初強い関心を持っていた神社での公演は、前半に集中している（5回）が、後半には行われていない。なお、野村自身が創作行為としての映像表現により傾斜していったということもあって、この「音楽会」は意図的な終了ではないが2013年以後は行われていない[6]。

改めて、一連の「幻聴音楽会」を振り返ってみよう。

公演スタイルは、回にもよるが規模（参加者、観客、予算等）が概ね大きくなり全体として自主公演から依頼公演へと比重を移している。野村は「幻想工房の活動は、何よりもまずある特定の場所から出発します」（前掲「幻想工房」HP）と述べているように、その表現行為は「場所」を基本的なモチーフとしてきた。タイトルからうかがえるようにさまざまなコンセプトでそこに提示されているものの、野村は自身の意図としては「場所の芸術」（野村 2021a；野村2021b）を実践してきた。この一方で、実践する当人が必ずしも意図しない──というより意図を超えた形で作品が受容され成長していく過程（アートの社会化）をここに読み取ることができる。

公共団体やNPOなど依頼主や関係者が広がり、実施規模が大きくなって

いくということは、そこにより複雑な関係が生まれているということであり、それは表現行為の「社会化」のあり方にも影響を及ぼしているということでもある。また、彫刻やオブジェのような設置される物体としての作品ではなく、組織化された仮設的・テンポラリーなパフォーマンス作品であることがもたらす効果についても注意して見ておく必要がある。この一連の過程は、制作・演出者（作家という統御主体）の意図の正確な投映として「作品」が生まれる（そのまま形（表現）になる）というより、そこには参加者や環境等の諸要素の間の相互作用が生まれ、そのことによって何かしら意図を超えたもの（創発効果）がその場に生起しているということではないか。記録（文章や映像等のドキュメンテーション）からは興味深いことが浮かび上がってくる。

　次に、「運河の音楽」（第26回の幻聴音楽会）の制作・運営に関わった一人である沼田里衣の「公共性とアート」をめぐる論説からこのことを考えてみたい。

アートとコミュニティ──「運河の音楽」から見えてくるもの

　沼田里衣は、近年のアートと社会の関係の変化をアートが社会と積極的に関わろうとする動向と（社会が）コミュニティ創生にアートを活用しようとする動向の交錯の中に見ながら、この「運河の音楽」の事例を通して、アートと社会をめぐる課題と可能性について考察している（沼田 2011）。

　沼田は、議論の端緒として、平田オリザ（平田 2001）、川俣正（川俣 2001）らを引きながら、アートはコミュニティの中でどのように機能することができるかという問題について、アーティストとコミュニティの関係性の観点から論じている。沼田の関心は、アートと社会（コミュニティ）の関係をめぐって、アーティストと非アーティスト（鑑賞者、ボランティア、行政・民間組織の職員等）の従来の関係性の変化がもたらす可能性にある。この関係性は、近年のさまざまなアートプロジェクトなどの試みを通して以前とはずいぶん変わってきたとはいえ、それ自体はまだ固定的限定的なものに留まっていると言わざるを得ない。特に「参加」という視点で見れば、両者の間にある壁はなお大きい。この一方で、平田も川俣もこの困難を意識しながらも、これを乗り越える方向性を示している。演劇（平田）とアートプロジェクト（川俣）では異なる要素もあるが、沼田は、両者の共通点として「独自のアートを模索する芸術家としての姿勢

図表3-1 幻聴音楽会 (1995~2013)

開催年	回	幻聴音楽会（タイトル）	開催場所	委嘱者・団体
1995	第1回	―※	熊野神社（岐阜市）	＊自主公演
1996	第2回	―	岐阜県図書館（岐阜市）	岐阜県図書館
	第3回	―	伊奈波神社（岐阜市）	＊自主公演
	第4回	コンクリート・コンサート	岐南小学校・岐南コンクリート工業（岐阜県岐南町）	岐阜県岐南町役場
	第5回	ウィンドワ・ミュージック	ヒラギャラリ（岐阜市）	＊自主公演
1997	第6回	アーケード・ミュージック	柳ケ瀬商店街（岐阜市）	＊自主公演
	第7回	天球の音楽	養老天命反転地（岐阜県養老町）	養老天命反転地
	第8回	―	伊奈波神社（岐阜市）	＊自主公演
1998	第9回	草原の音楽	木曽川河川敷かさだ広場（岐阜県川島町）	岐阜県川島町役場
	第10回	―	伊奈波神社（岐阜市）	＊自主公演
1999	第11回	迷宮の音楽	問屋町（岐阜市）	＊自主公演
	第12回	公園の音楽	金公園（岐阜市）	岐阜市灯りフェスタ実行委員会
	第13回	雑踏の音楽	JR立川駅（東京都立川市）	立川国際芸術祭
2000	第14回	階段の音楽	長良川国際会議場屋上庭園（岐阜市）	アスペン国際デザイン会議 in GIFU 2000 実行委員会
2001	第15回	黄昏の音楽	黄昏（おぐれ）神社（岐阜県神戸町）	黄昏神社氏子
2002	第16回	庭園の音楽	妙照寺（岐阜市）	ギャラリーなうふ
2003	第17回	以前の音楽	岐阜県美術館（岐阜市）	岐阜県美術館
	第18回	影の音楽	フィレンツェ東大教育研究センター（イタリア）	フィレンツェ東大教育研究センター
2004	第19回	回転の音楽	フィレンツェ東大教育研究センター（イタリア）	フィレンツェ東大教育研究センター
	第20回	回転の音楽Ⅱ	岐阜県美術館（岐阜市）	岐阜県美術館
	第21回	火影の音楽	蒲郡東港埋立地（愛知県蒲郡市）	蒲郡商工会議所
2008	第22回	照明の音楽	鴨江別館（静岡県浜松市）	NPO法人クリエイティブサポートレッツ
	第23回	街路の音楽	遠州浜団地（静岡県浜松市）	NPO法人クリエイティブサポートレッツ
	第24回	講義の音楽	岐阜大学（岐阜市）	＊自主公演
	第25回	奇数の音楽	アトリエ幻想工房（岐阜市）	＊自主公演
2009	第26回	運河の音楽	兵庫運河（兵庫県神戸市）	神戸大学大学院国際文化学研究科異文化研究交流センター（文部科学省現代GP「アートマネジメント教育による都市文化再生」事業）
	第27回	美術館の音楽	岐阜県美術館（岐阜市）	岐阜県美術館
2010	第28回	照明の音楽Ⅱ	新町川徳島こども交通公園周辺（徳島市）	徳島LEDアートフェスティバル2010
	第29回	庭師の音楽	浜名湖ガーデンパーク花の美術館（静岡県浜松市）	浜名湖ガーデンパーク花の美術館
2013	第30回	陶芸の音楽	岐阜県現代陶芸美術館（岐阜県多治見市）	岐阜県現代陶芸美術館
	第31回	1.7kmの音楽	愛岐トンネル群（愛知県春日井市）	NPO法人愛岐トンネル群保存再生委員会

※―は「幻聴音楽会」単独タイトル　　　▭ 岐阜県内での開催　　　筆者作成

写真3-6 第26回幻聴音楽会「運河の音楽」ポスター
（写真提供：野村幸弘）

を保ちつつも、アートの技術を参加者に提供し、そこに関わったものがともに新たな価値観を創出するという関係性が重視されている点」（沼田 2011：198-199）を指摘し、アートと社会あるいはアーティストとコミュニティの「双方向の変化」の重要性に注目している。沼田の関心は、まさに、アートに関与する者同士の関係自体がダイナミックに変化することの可能性にある。

　沼田は、こうした認識を踏まえ、主として音楽教育・音楽療法の観点からアートと福祉の関係性の課題と発展的な可能性について考察している★7。そこではアウトサイダー・アートをめぐる議論――芸術性の追求か福祉的課題の重視かという問題の（一種のジレンマ的）構造が示されている（同：201-205）★8。沼田は「運河の音楽」（2009年3月於：兵庫県神戸市兵庫区）の作品構造を解析しながら、この困難な問題を解きほぐしていく道筋を見ようとする。

　「運河の音楽」は、神戸大学国際文化学部研究科主催の文部科学省現代GP「アートマネジメント教育による都市文化再生事業」のアートプロジェクトの一つとして行われた。野村は、その活動に関心を持った沼田らに企画を依頼され、この事業スタッフとの協働作業を通して作品を制作した。事業名にその趣旨目的が表れているが、このアートワークは、神戸市にある兵庫運河を舞台とした地域の人々による集合的パフォーマンス作品である。この作品については、制作者の意図、制作過程などについて「ロケハン」（実施場所の探索と確認）や企画の意図を参加者で共有するセミナーなどの準備段階を含め、詳細に記述されている。地元アーティスト、児童館の子どもたち、中学校のブラスバンド、高齢者のハンドベルグループ、神戸大学のアカペラや競技ダンス部などのアート系サークル、地域のコミュニティリーダーなど約340人が出演、観客延べ1,000名を集めたという。沼田は、必ずしも（というよりあまり）芸術

写真3-7、3-8
第26回幻聴音楽会「運河
の音楽」神戸市兵庫運河
(2009)
（写真提供：野村幸弘）

あるいは現代アートに詳しくない人々が準備段階から数多くかかわりながら、
次第に制作の意図を少しずつでも理解しパフォーマーとして楽しむようにな
る過程を記述している。このパフォーマンスには中学生やダンサーなど多様な
演者が関与し、「即興」が大きな要素となっている。沼田は、「ここでは、「即
興音楽」という媒体が、言葉でのコラボレーションが難しい知的障がい者［ママ］
がコミュニティと関わる際に重要な役割を果たしていたと考えられる」（同：
212）とこのプロジェクトを評価する。

　野村は、視覚と聴覚を一体のものとして表現を組み立てるという創作活動
を続けてきたが、このプロジェクトもこの点は一貫している。また、ここには美
術／音楽、さらには「障害者福祉」や「高齢者福祉」の領域とされる活動も

同時に進行している。沼田は、視覚／聴覚、美術／音楽（あるいはダンス）、芸術／福祉といった二元論的構図や境界区分を超える契機をこの試みに見いだしている。これはまさに、アーティストのみならず非アーティストである教育者、療法家など立場の異なる人々が「双方向的」な関係性を創出していく過程なのである。「音楽会の制作過程では、関係性を連鎖的に網目のように創出しながら、関係した個々人にとって重要なアートがつくられていき、それらが価値観の差異を内包した1つのアートイベントとしてゆるやかに共有されていくのを見ることができた」（同：216-217）。

このさまざまな要素が渾然一体となった試みは、アーティストと非アーティストの区分を消失させ、「一般市民」という抽象的な「公衆」（パブリック）像からすれば周縁的とされてきた存在である（いわば「一般社会」の外側＝アウトサイドにある）「子ども」や「障害者」や「高齢者」を巻き込みながら、一つの集合的沸騰状態を生み出した。無視されたり、見過ごされたりしがちな、つまり「社会」やコミュニティから排除されがちであった存在がその「属性」（「年齢」や「障害」等のいわば負の社会的カテゴリ）を希薄化させ一つの集合的行為の主体となったのである。ここにアートがもたらす社会的包摂の作用を見いだすことは容易だろう。実際、近年、こうした「アートの力」への期待は高まってきている。このプロジェクトに先立つ第22・23回の音楽会も、この視点から野村の表現に期待するものであったと言えるだろう★9。

このように、沼田は自らも関わったこの実践活動の中に「アートの力」の可能性を見て、この試みを高く評価しているが、アートが持つ社会的包摂の機能に注目した活動はさまざまな形を取り、その対象を広げながら各地で同様の試みが広がっている★10。

2. 社会化するアートプロジェクト

「場所の芸術」から「社会関与の芸術」へ

「場所」や「日常性／非日常性」といったコンセプト自体は、現代美術にとっては特段新しい発想・視点ではない。それは現代美術の祖型を提示したデュシャンやケージの基本コンセプト＝枠組みの踏襲とも言える。

野村は、「音楽会」の試みについてのインタビューの中で「芸術のための場

所」の重要性に関して（1960年代末から70年代以降展開されている）マリー・シェーファー★11のサウンドスケープ論との関連について問われ、以下のように答えている。

　　　ぼくの一連の活動はすべてマルセル・デュシャンからはじまっていると言っても言い過ぎではありません。限りなくデュシャンに近づこうとしながら、反対にそこからどんどん離れて行くことになるにしても、です。デュシャンのような生き方や思考方法を知らなかったら、たぶんぼくはこのような活動を始めなかったと思います。デュシャンが美術の世界でやったことをケージが音楽で行なった。そしてシェーファーはケージから出発している。ただぼくは自分のやっていることを別にサウンドスケープ論として深く考えているわけではありません。　（「第三回幻聴音楽会」パンフレット）

　野村はまた「日本における芸術行為というのは、シュルレアリスティックな現実をレアリスティックな芸術に戻すことじゃないか、とすら思います…」（「第4回幻聴音楽会──コンクリート・コンサート」パンフレット）とも述べ、現代美術の「祖型」への敬意と共に日本における芸術受容と創作環境が抱える課題と困難について言及している。
　この文化芸術をめぐる課題と困難について筆者なりに確認しておきたい。
　西欧近代以前の堅牢な文化（特にキリスト教のような宗教文化）は芸術が成立する上でもまさに強固な基盤だった。芸術の制作者と受容層は文化を共有する共同体の一員だったと言える。しかし社会的文化的変動はこうした状況を大きく変えた。時代を経てそうした共有文化（（古典的）「教養」と言ってもよい）は急速に希薄化し脆弱化した。かつての芸術が依拠していた安定的で強固な共通基盤の喪失。これはデュシャンら現代芸術の創始者の冷徹な時代認識でありその創作の出発点でもある。西欧と日本では歴史的条件はじめ背景が大きく異なっていることは言うまでもないが、この前提は、共に社会的経済的激変（産業化）を遂げた今となっては彼我でほぼ共通している。文化的共通基盤の脆弱性は、看過できない一つの現実なのである。
　こうした現実を踏まえ、野村自身は、現代芸術における「作り手と受け手

写真3-9
第19回幻聴音楽会「回転の音楽」
フィレンツェ東大教育研究センター
(2004)
(写真提供：野村幸弘)

写真3-10
第28回幻聴音楽会「照明の音楽
II」『徳島 LEDアートフェスティバ
ル2010』
徳島県徳島市新町川徳島子ども
交通公園 (2010)
(写真提供：野村幸弘)

の共通理解の基盤の喪失」という困難な状況にどう向きあうかということを
起点にしてきたという (筆者の聞き取りによる)。この状況を打ち破ることが野
村にとっての創作行為の動機にほかならない。「場所」は、まさにその素材と
いうことになる。ある場所を開放的空間 (オープンスペース) として機能させる
こと、つまり作り手と受け手が一つの空間を共有する状況を生み出すことは、
その場において「日常」と「非日常」を交錯させること (異化と同化の契機を共
に与えること) にほかならず、それは芸術とその享受者がまさに「出会う」場と
なる。そこに野村の作品制作の狙いはある。「場所の芸術」というコンセプト
を一貫して保持しながら続けられてきた「音楽会」は、その実装化の試みで
あり、一連の「習作」でもあったと言えるだろう。

　とはいえ、作り手の意図やコンセプトがどうであれ、「設計思想」としてのそ
れが現実化する過程は、関係者との相互作用の過程であり、そこに生じる創

発性の所産にほかならない。野村の表現行為は、「場所」に強く動機づけられるというシンプルな基本構造を持つことで、かえって多様な形態や対象を柔軟に包摂する構えを持っていた。

　自主公演という形で始まった「幻聴音楽会」は、その即自的行為としての性格を少しずつ変化させながら他者から求められる存在としていわば社会化されていくことになった。その過程は、特定の地域（社会）に社会化されるだけでなく、地域を超えたより大きな「社会」に関与する（社会化される）過程にほかならない。「場所の芸術」は、作家が当初は意図していない形で「社会関与の芸術」となったのである（野村 2021a；野村 2021b）。このように自ら「社会関与の芸術」と振り返る野村の表現行為をどう位置づけるか。語義的には重なって見える「ソーシャリー・エンゲイジド・アート」や「サイトスペシフィック・アート」との関係については、改めて適切な批評を待つことにしよう★12。

「場所の芸術」の展開

　野村の作品（表現行為）は、彫刻やオブジェのような物体＝実在物としては存在するものではない。しかし、それは場所との関係において常に仮設的でありテンポラリーなものであって、そこに確かに生起した出来事として現実化したという意味で「場所の体験」でありそれは同時に「空間の履歴」となってもいる。

　地元の神社や商店街から始まった「音楽会」は、次第に空間的（地域的）にも内容的（主題や表現方法）にも大きく展開していった。最初は、実施規模や資金的にもそう大きくない形で行われていた活動は、近隣地域の人々、地元の個人事業者などの物心の支援に助けられたという。そこから依頼主や実施規模も大きくなり、より大きなプロジェクトに成長していく過程を改めて振り返れば、野村の個々の表現とその全体像は、従来言われている「サイト・スペシフィック」ということとは異なる視点で捉えられるべきものではないだろうか。アートと場所／アートにおける場所の問題としてこれを考えるとすれば、これもまた一つのヴァリエーションと言えるだろう。

　見てきたように、野村は、「場所」の問題にこだわり続けてきた。野村は、以前、日本におけるパブリック・アートの現状について、作品とそれが置かれ

る場所や環境（「器」）が「不幸な関係にある」と批判的に論じたことがある（「居場所ないパブリック・アート」『朝日新聞』2001年10月3日）。

　野村は、戦後日本の都市開発と欧米の芸術受容の経緯に触れ、欧米の都市インフラと芸術インフラ（「器」＝設置環境）の整合的な関係性と日本におけるそのちぐはぐさ（不整合）を問題にしている。日本の都市は戦後急ごしらえで作られたものが多く、雑多な仮設物がひしめきあい景観に対する配慮も決して十分とは言えない。また、主に欧米の影響から生まれたアート作品も必ずしも「器」の問題まで考えられて作られてはいない。歴史を踏まえ作品設置が都市環境と協和した西欧の事例（例えばスイスのバーゼル）と対比して、日本におけるそれらに「個性」を見いだすことは難しい。野村はこのように、作品と設置環境のちぐはぐな関係性を指摘し、そうした作品を「居場所のないパブリック・アート」と呼ぶ。それは芸術家にとっても不幸なことに違いない。野村は、それらは「パブリックな（公共のもの）であるはずなのに、そこで作り手と受け手がうまく出会えていない」ことを嘆き、いくつかの提言と共に、作り手と受け手の「幸福な出会い」が可能となる文字通りの「公共の場」を探し求める必要性を訴えている。批判の文脈については、2000年前後の状況ということも考慮する必要はあるが、この認識が彼自身の表現行為の基盤になっていることは明らかだろう。

芸術交流と「地域」との関わり── 一時的な関与／恒常的な関与

　「幻聴音楽会」などの表現活動の一方で、野村は、市民と芸術を結びつける日常的・恒常的な活動も続けている★13。

　野村は、さまざまなジャンルの創作・表現者が集い作品発表や話題提供と自由な談義を行う場として2001年4月よりほぼ月1回のペースで「岐阜大学芸術フォーラム」を開催、現在もこれを継続している（2022年3月末時点）★14。ここにはアーティストやクリエーターばかりでなく、アートに関心がある一般市民も参加し、まさに開放的な「芸術交流」の場となっている。

　掲げるテーマやゲストスピーカーによって参加人数は異なるが、概ね10〜30人くらいの範囲で、過去には60人ほどの参加の回もあったという。「一般的に画廊や美術館では、芸術家と観客の心理的な距離が大きく、作品につ

いて気軽に話せる環境にない。フォーラムは発表の場がフラットなので対等で自由な対話がしやすい」という敷居の低さが特徴である★15。2010年には100回を重ね、2022年3月末時点で230回を数える。新型コロナウイルス感染症が猛威を振るう中、一時開催が危ぶまれたがオンラインなど実施方式を工夫しながら活動を継続、活動期間は20年を越えている。

　開催場所は、時期によって変化があり、大学構内、アトリエ、市街地の商業ビルの一室、また大学サテライト等々固定していない。地元やその周辺の参加者が多いが、近隣の名古屋のほか東京・京都・大阪など遠隔地や大都市圏からの参加者も少なくないという。トピックによって参加者の顔ぶれも異なり、必ずしも固定メンバーばかりではない。

　この「フォーラム」は、「(芸術の)作り手と受け手の関係性を深める」「芸術についての共通基盤の形成」を意識しながら続けられてきた。とはいえ、必ずしも芸術をテーマとする実演やワークショップという形ばかりでなく、教養講座的な内容を含む多様なジャンルのトピックも多く取り上げられている★16。専門、非専門や年齢を超え気楽に言葉を交わし合うゆるいサークル活動のような雰囲気もある（筆者もオンラインで参加し、その空気を体感したことがある）。また野村によれば「みかけは、芸術に関係しない話題提供でも、かならずどこかで芸術とクロスする」と言う。ここではアートは一つのまさにコミュニケーションのメディア＝媒体になっていると言えるかもしれない。

　普段、仕事や家庭を持ちそれに囚われがちの「普通の」人々にとって、形式ばらずに（インフォーマルなあるいはそれに近い形で）さまざまな芸術や知識に触れ、それについてオープンに語り合う場は貴重である。このことは長い目で見れば、豊かな眼を持つ鑑賞主体・享受者や創作者を育むことにもつながるだろう。市民と文化芸術をつなぐ契機が、こうした日常的な社会生活の中にあるとすれば、作り手と受け手の豊かな関係はそうした環境の中でこそ培われるのではないか。アートNPOのような形で活発な活動を続ける団体・組織は全国的に増え、その重要性は高まっているが、地域と文化芸術の関係を考える上で、こうした開放的な「市民サロン」的な交流活動の意義もまた見過ごすべきではないだろう。

　アート／アーティストと地域との豊かな関係は、一朝一夕に形成されるもの

ではない。互いの関係は、関心の範囲や濃淡も異なる多様な主体＝アクターを媒介にしながら、豊かになっていくのではないか[17]。ここにはそうしたアートと地域の幸福な関係の一事例を見いだすことができる[18]。

地域で育ち、そこを基盤としながらやがて地域も超えるアート。アーティストとその享受者の関係、また両者を取り巻くさまざまな人的物的な関係性は、時間的経過の中で変容するが、場所性や空間だけでなく社会圏も超えてゆく可能性を持っている。地域を超え、地域と地域をつなぐアート。野村幸弘の実践は、そうした地域とアートの関係の可能性について示唆を与えてくれる。

第2節 アートにとって「地域」とは何か
——コミュニティとしての地域

ここで改めて、「地域」という概念に焦点を当ててみよう。これまでもたびたび述べてきたように、一般的に、「地域」は厳密な定義の上で用いられることは少なく、これを伴う言葉、例えば「地域アートプロジェクト」や「地域アート」という語も直感的に（特に疑問も持たれずそういうものだと）受け止められやすい一方、文脈を問わず無前提に使用される傾向がある。呼称と概念の関係は単純ではない。ここでは、「地域」について分析的に考察した上で、この語＝概念とアートとの関わりについていくつかの視点から見ていくことにしたい。

「地域」を何らかの「共同性」に基づいた「コミュニティ」として捉えることは不自然ではない。その一方で、これらの語の間には一筋縄ではいかない複雑な関係もある。アートあるいはより広い意味での文化芸術と地域／コミュニティの関係を考える上で、この作業は欠かせないだろう。

1. コミュニティとしての地域

「地域」とは何か

「地域」とは何か。迂遠なようだが、いったん、地域について研究蓄積のある社会学の見地からこれについて検討しておこう。一般的な社会学辞典では、「地域（area）」とは、「政治、経済、社会、文化等の諸過程、諸契機に基づいて相対的に自立した一定の空間的領域」を指すとされている（森岡他 1993:

982）。この定義は、一般的な辞書や事典などでも見られる定義とそうかけ離れたものではないだろう。この語に関する記述の主要部分を確認しておきたい。

　　　［地域とは］政治、経済、社会、文化等の諸過程、諸契機に基づいて相対的に自立した一定の空間的領域をさす。経済圏、交際圏、婚姻圏や、地区などが具体例である。これらの場合、たんに空間的広がり（地域性）をさす場合が多い。この空間的広がりに社会的連帯（共同性）が認められ、上記した諸機能が相互に重なり相対的統一性をもつ場合、言い換えれば一定の共通性をもつ部分社会となっているとき、それを地域社会（コミュニティ）ということもできる。したがって地域とはたんに機能的な範囲をさすが、後者の場合それらが重層しかつ他の空間とは区別される共通の特質をもって存在する。また全体社会に対して部分社会を意味するものとして地域を措定する場合には、先の相対的統一性、他の空間に対する独自性を加味して、「もう一つの全体」と把握され、これが中央に対する自立の価値、理念、運動と結合されると地域主義というイデオロギーを生み出す★19。

　文中にある「部分社会」とは、「社会生活が完結する自足的な統一体」としての「全体社会」の対概念で、ここでは「社会関係・集団」と考えてよい（同：893）。また、この記述の後に「かなり広い地域が社会的、文化的に個性をもって現れる場合、こうした地域を地方（リージョン）とよぶ。普通、リージョンはコミュニティより地域的（空間的）範囲は大きい」（同）とされ、類語との近親性と区別が示されている。しかし、「地域」と同様の語として用いられる言葉を探せば、多くの人は、町、村、近隣、地区、郷土、あるいは農村、都市といった語を思い浮かべるだろう。英単語に置き換えれば、主要には、area, region, community等に相当する内容を含むが、引用の記述からも分かるように、「地域」という語は、どうしても狭い意味対象の範囲に収まるものではない。とはいえ、概念としてこの記述から一定の整理はできるだろう。少なくとも、われわれがこの語を用いるとき、ここで出てきた複数の概念がそこに含まれ、しばしばそれらが混在した形で使用されているということは確認できる。

実際、「地域アート」という場合の「地域」もその対象ははっきりしない。星野太は「地域アート」に関して、ここでいう「地域」が「一緒くたに語られている」として、地域 (local)、地方の (regional)、地域の (site-specific 場に固有の) という3つのレイヤーを区別すべきとしている (十和田市現代美術館 2020：92-95)。妥当な指摘だろう[20]。

　このように、「地域アート」あるいは「地域アートプロジェクト」という場合、対象範囲で見れば「地域」は、空間的限定に関してはかなり曖昧で、地図上の「点」に近い特定の場所 (一点である場合も複数の点である場合もある)、市町村 (自治体) という単位、またその境界を超えた広域的空間 (例えば「瀬戸内」とか「三陸」とか) であることもある。上述のように、社会・経済圏や歴史・文化圏としてのまとまりと自立性を強調し、中央・大都市圏に対する対抗的な意識がそこに含まれる場合もある[21]。それは地域主義あるいは地方主義 (リージョナリズム) と呼びうるが、「地域」に関してはこうした視点があることも注意しておきたい。

　意味・指示対象に幅があることはやむをえないにしても、「地域」とは一つの「相対的な統一体」つまり「まとまり」あるいは「単位」として理解できる。その上で、「地域」の語の指示対象はかなり広いものの、基本的に「共同性」や「共通性」のニュアンスを多分に含んだ「(地域) コミュニティ」に焦点化できるだろう[22]。その場合、それが住民やプロジェクトの運営主体にどのように理解されているかが重要である。地理的地形的な条件、歴史的背景等の要素に加え、市町村合併や行政区の変更、広域的な事業連携等、行政的制度的な変化が、当該地域内外の実態的心理的な関係性 (行政サービスの実際、親近感や疎外感等) に与える影響は決して小さくない。現実には、そこに関係する人々の地域／コミュニティ認識というのは必ずしも安定的で確固たるものであるわけではない。行政区分など空間的な範囲としてのみ「地域」を考えれば自明に見えたとしても、社会的には曖昧な存在であるとも言える。

　にもかかわらず、地域／コミュニティという語は使い勝手の良い言葉として用いられ、それほど疑念が持たれることはないリアリティを持っている。本来、コミュニティは「共同体」を意味するが、「地域」という語はこの「共同性」を曖昧に含意しているところに利点 (使い勝手の良さ) がある (意図的な曖昧さ)

と筆者は考えるが、以下は、この点も踏まえて、「コミュニティ」「地域コミュニティ」、「地域／コミュニティ」という表記を併用して論述を進めたい。

コミュニティとしての地域──関心の高まり

近年、コミュティの視点からさまざまな問題にアプローチする議論が盛んになっている。

地域／コミュニティに一定の関心が集まった1970年代後半の「地方の時代」にはほとんど用いられていなかった「地域づくり」「地域活性化」「地域再生」など類似した言葉は、1980年代半ば頃からしばしば用いられるようになり、その後それぞれ比重を異にしながら頻用される語になっていく（小田切2014）。それぞれにニュアンスの違いは認められるが、こうした語の急増ぶりはやはり地域／コミュニティへの強い関心が広がっていることを示唆していると言ってよいだろう[23]。後に見るように、この背景には言うまでもなく、グローバル／ローカル（世界・国家・地域社会）の水準で進行した激変──身近な問題で見れば、地域経済の衰退、人口減少、少子高齢化等に対する危機意識がある。

福祉社会論・コミュニティ論の代表的な論者の一人である広井良典は、「地域性」「共同性」「地域意識」といった論点から現代的なコミュニティの可能性について議論を展開している（広井2009）[24]。そこで広井は、自身の市町村アンケート調査を元に「（地域）コミュニティの中心」や「単位」の問題を取り上げている（同：66-93）。

同調査によれば、「中心として特に重要な場所は何か」という問いに対して1位は学校、2位は福祉・医療関連施設、3位は自然関連であり、「学校」「学区」が一般に重要な存在として受けとめられていることがわかる。また、「その実質的な単位あるいは範囲をどう考えるべきか」という問いに対しては、「自治会・町内会」が群を抜いて多く、次いで「小学校区」だったという（同：75）。このことは都市的性格の濃淡によって異なる可能性があるが、やはり近隣性や普段の生活との関連性が意識に与える影響の強さとして理解できるだろう。広井は、これに関連して、全国に今もそれぞれ8万あるとされる神社や寺の地域における存在意義についても言及しているが（註4参照）、旧小中学校を

利用したアーツ千代田3331や神社を活かした「幻聴音楽会」のケースのように、地域アートプロジェクトにおいて、学校跡（廃校）や神社がしばしば重要な役割を果たしていることを見れば、このことは腑に落ちるものがある。やはり、単に空間的な把握としての「地域」ではなく、「コミュニティ」としてこれを理解することで、人と人とのつながりや統合性の問題が見えてくる。多くの場合、アート／アーティストが意識するのもやはりこの意味での（コミュニティとしての）「地域」だろう。

　また、この語に対する感覚は「社会」という語の使用とも関係している。松永桂子は、若者の「働く」ことの意識に関する電通総研の調査データを引いて「社会のために働く」とか「社会に貢献する」というとき、その「社会」のイメージとして人々が何を思い描くのかという点に注目している（松永 2015：35-37）[25]。

　「社会」のイメージに近いものとして「日本社会」を挙げるものが多い一方で、「会社や所属している集団」「住んでいたり、関わりのある地域」「友だちや家族」も同様に上位にあり、基本的に会社や家族と同様に地域社会が一定程度意識されていることがうかがえる。世代的な認識の違いはあるにしても、「社会」もまた「地域」に近い感覚で、自分自身との直接的な関係性の中で捉えられる傾向があると見ることはできそうだ。

　漠然としているようで、地域／コミュニティは多くの人々の日常意識のなかにしっかり位置づけられている。

2. コミュニティの可能性

ポスト成長社会の希望？──コミュニティに託される期待

　近年、コミュニティに熱い視線が向けられる背景は何か。なぜコミュニティなのか。

　日本の場合、前世紀末から各地で相次いだ自然災害が、多くの人々に足元の生活圏の大切さを再確認させ、郷土意識を高めたということもあるが、ここでは大きな時代的趨勢の中でこのことを考えてみたい。

　長らく経済大国の自負と共に生きてきた日本社会は、今大きな転換期を迎えている。経済成長と人口増加の時代であった高度成長期ははるか後景に退

き、われわれは人口減少・少子高齢化と「ポスト成長時代」に足を踏み入れている。経済的活力の喪失と停滞に耐えながらそれを克服し、少子高齢社会をわれわれはどのように乗り越えていくべきか、社会システムとこの時代に見合った新しい価値観の創出が求められている。こうした状況の中で「コミュニティ」が一つの「希望」として語られるようになっている。

　伊豫谷登士翁らはこうしたコミュニティへの関心の高まりを踏まえ、これまでのコミュティ論の「再考」を迫っている（伊豫谷他 2013）。その議論の中で、齋藤純一は、「私たちがコミュニティの再生に関心を寄せるようになった背景には、ポスト成長時代に入り、グローバル化の中で市場や国家への不信・不安が高まっていること、「個人化」の負荷に耐えきれなくなってきた時代状況がある」（齋藤 2013：15-16）とし、かつてそれが前近代的な否定的性格を孕むものでもあったことに触れながら、次のように述べる。

　「コミュニティを日本語にすれば「共同体」になるが、近年語られているコミュニティには「共同体」のような否定的な意味合い、つまり排他性や等質性の含意は希薄である。いまコミュニティは、すでにある帰属先の集団というよりも、相互行為や協働の積み重ねを通じて再生すべきものとして理解されている。実際、コミュニティ再生にむけての取り組みは、人々が何らかの問題状況に直面しているところに生じており、危機意識に促される場合も多い。人口の流出や住民の高齢化、主幹産業の衰退、森林・里山・田畑の荒廃、中心市街地の空洞化、社会的排除や孤立化の昂進などがそうである」（同：17）。

　齋藤はまた「コミュニティ再生への関心は、国家及び市場への不信と「個人化」（U. ベック）による負荷の経験が重なるところに生じており、競争や成長に定位するのではない他者との関係や生活／活動様式を探ろうとする人々の思考を反映している」として「コミュニティ」という語には「現状と将来に不満や不安をいだく人々の過剰ともいえる期待が託されている」（同：21）と言う。

　今日では、地縁血縁、情緒（義理人情）的な関係性、縦関係といった（必ずしも負の側面ばかりではないが）かつての「共同体」的なものが持っていた否定的側面は、それなりに変質し希薄化してはいる。しかしながら、最近のコミュニティ（再生）論には現代的システムがもたらしている苛酷な現実への失望を

反転させたにすぎない安易な期待があるのではないか。ここにはそうした齋藤の批判が読み取れる。とはいえ、齋藤はコミュニティの存在に希望を持つことを単に否定しているわけではない。むしろ、これまでとは異なる新しいコミュニティのあり方を展望し、そこにさまざまな困難を克服する途を見ようとしている。

コミュニティに蓄積される「資本」── 地域的履歴の「豊かさ」

　齋藤は、コミュニティ再生（論）の「両義性」に注意を促しながらも、コミュニティとそれに関わる人々との今日的な関係に注目し、その可能性に言及している。齋藤は、その関係性の特徴として次の3点を挙げている。

　「まず、今日のコミュニティへの人々の関わり方を特徴づけるのは、コミュニティへの一元的な帰属ではなく複数のそれへの多元的な関与（multiple affiliation）である」（同：23）。また、それは単なる一過的な関係ではないこと、さらに「たんに特定の目的を達成するための道具的な集団ではなく、それに関わる者にとって「居場所」となるようなコンサマトリーな（意味が外部に疎外されない）関係をもさしている」（同：25）ということである。齋藤はこうした特徴の中にコミュニティのまさに今日的な可能性を見いだしている。この議論の中で、齋藤は、コミュニティには広い意味での「資本」が蓄積されていることに注意を促している。

　　コミュニティは、すでにそれがある程度持続的に存続してきた場合には、そこに広い意味での「資本」を蓄積している。コミュニティがそなえる資本としてよく言及されるのは、社会関係資本（social capital）である。つまり、相互性（互酬性）と相互信頼の規範をともなう関係のうちに蓄積される資本である（日本ではそうした社会関係資本として「結」「講」に言及されることがある）。コミュニティには、それ以外にも、自然との関係において形成される物的な資本、食習慣、共通の記憶や伝承される物語などの「文化資本（cultural capital）」、さらにはコミュニティに固有の社会化によって形成される「人的資本（human capital）」などがある。そうした資本は、コミュニティに生きる人々の活動を支える基盤であるとともに、そ

の活動——いわば「投資」(investment) の活動——を通じて維持されうる
ものであり、それがなければ否応なく減価していくことになる [略]。(同：
24-25)[強調筆者]」

　この「資本」とは、端的に言えば、その履歴を含んだ地域の「豊かさ」であ
り「富」である。
　ここに、自然環境（鉱物・生物資源、生態系、景観等）を同様のものとして捉
える「自然資本」を加えてもよいだろう。齋藤の言う「資本」は、「広い意味で
の」というように、「生産の原資・手段」という含意を共有しながら、社会学や
経済学、政治学、経営学等でしばしば言及される諸概念が一つのものとして
示されている。概念規定や相互の関連性の整理の必要はあるが、さしあたり
そこは措いて、これらを地域で人々が個人あるいは集団として持ち、共有し、
次世代へと継承する社会的資源であり何らかの価値を生み出す可能性と理
解してよいだろう。また、「投資」の活動とは、日常的なコミュニケーションそ
のものと考えることができる。齋藤の「個人化」批判の文脈を押さえると、特
にここでは資本は個人的／私的所有の対象というより共同的な資源（一種の
「コモンズ」）として理解することに意味がある。こうした論点については、第5
章、第6章でも再論したい。
　齋藤は、コミュニティ再生の要諦をこうした「資本」の可能性に見ていると
言ってよいだろう。「コミュニティ再生は、相互性・持続性のある関係を人々の
間につくりだし、それを活性化しようとする人々の協働をともなっている」(同：
39) とすれば、それはこうした資本の可能性を活かすことにほかならない。こ
の視点の中に地域とその資源としての文化芸術の間の強い結びつきやそこか
ら生まれる創発性や創造性への期待を読み取ることができる。

「地域文化」の可能性
　資本とは時間をかけて積み重ねられてきた価値、豊かさであり、地域の歴
史、地域的履歴と考えることができる。齋藤の言う「地域の諸資本」とは、こ
の地域的履歴（あるいはその所産）であり、自然的、経済的な要素はもちろん
あるにしても、従来「芸術文化」や「歴史文化」として理解されてきた狭義の

「文化」に限定されない、広い意味での「地域文化」と考えてよいだろう。このように、文化を風土や生活文化あるいは産業等の要素とも結びついた複合的かつ厚みのあるものとして捉え、単に「個人」の問題としてではなく異なる社会的主体の間の「社会関係」や「環境」との関連で考える見方は、創造都市／創造経済論また「クリエイティブ・クラス」の議論と連続する要素を持っている。齋藤はこうしたことに直接言及してはいないが、この一連の議論を地域における文化資源の問題、また地域と創造経済の関係の問題に接続することは可能だろう（第5章参照）。

　地域を「複合的で厚みのあるもの」と捉える見方は、前項でも見た「諸要素の重層性としての地域」という認識とつながっている。この視点を採ることで、地域にとってのアート／アートにとって地域の意味が改めて見えてくる。地域を深く理解したアートはしばしばこうした地域の「厚み」や「重層性」について気づきを与えてくれる。この関係は相互的なものだろう。豊かな地域文化が豊かなアートを生むという面もある。こうした一種の正の循環関係をここに認めることができるだろう。資本は資本を呼ぶのである。

新たなコミュニティ像——共同性と公共性の場

　今日、さまざまな問題が「コミュニティ」を通して語られるようになっている。その意味で「コミュニティ」は複合問題として主題化されていると言えるかもしれない。多様な議論が巻き起こり沸騰状況にあると言ってもいいコミュニティ論をここで総括する無謀は避け、再び広井良典の議論に目を向けることにしたい。

　広井は、コミュニティ論を軸に経済だけでなくケアの問題など福祉や環境の問題を視野に入れながら定常型社会・創造的福祉社会を展望し野心的に将来社会像の構想を示している。コミュニティという場に諸課題の包括的な（政策統合的な手法を通じて）解決の方途を見いだそうとする論者は広井だけではないが、そうしたコミュニティ論が次第に人々の支持を集めるようになってきていることは確かだろう。

　広井は、コミュニティの形成原理として①「農村型コミュニティ」と②「都市型コミュニティ」を挙げている（広井 2009；広井 2011）。自身が認めるよう

にいささか図式的であるにしても、農村と都市の対比の中に現代的なコミュニティの可能性を見ることにはやはり意味があるだろう。広井は、①と②の関係を、「共同体的な一体意識」＝共同性と「個人をベースとする公共意識」＝公共性あるいは「文化」と「文明」として捉え、それぞれの固有のソーシャルキャピタルのあり方を（R・パットナムに由来する）「結合型（bonding）」と「橋渡し型（bridging）」として特徴づけている（広井 2011：80-84）。広井は、この見立ての下に、「都市型コミュニティ」の確立を通して、従来もっぱら「農村的なもの」と考えられてきたコミュニティ概念の可能性を広げようとしている。

　職住分離が一般化した現代の都市生活は、職住近接を特徴とする農村生活と対立するかに見えるが、前者においてコミュニティの要素が失われているということはない。むしろ都市は開放的で自由なコミュニケーションが可能な空間であるところにその魅力があるとも言える。

　このコミュニティの再定義は、狭隘な「共同性」に囚われていた旧来のコミュニティ像の限界を超えようとする試みにほかならない。広井は、論中で特にヨーロッパにおける「歩いて楽しめる」都市空間の経験をもとに都市において「つながり」を意識できる「コミュニティ感覚」の重要性を強調している（同：56-95）。都市の開放性が生み出す人の間の交流、関係性の構築を前者の限界を克服する要素として獲得することは豊かなコミュニティの形成にとっての重要課題である。そもそも農村と都市を単純に対立させそれぞれの性格を優劣で評価することは、かつて（例えば高度成長期）と諸条件が大きく異なる現在においてはほとんど意味を失っている。自然環境、交通、消費手段、地域住民同士の関係性など、かつてはそれぞれの長所や短所に見えた諸要素は、単に便利／不便、豊か／貧しい、冷淡／濃密といった正負の価値基準で捉えられるものではなくなっている。広井が指摘するように、むしろ共同性と公共性のようなそれぞれが持つ異なる特性として受けとめられるようになっているのではないか。そのことを踏まえてわれわれはそれらの要素を冷静に相対化することもできるだろう。前者に欠けるものを後者が補い、またその逆の関係を意識的に作り出すことでわれわれは新しいコミュニティを生み出すことができるのではないか。広井の構想にはそうした期待が込められていると理解できる[26]。

この議論には創造性（クリエイティビティ）の問題、「クリエイティブ・クラス」の議論（フロリダ 2008）との接点もある。広井は、「成長」を追い続けてきた現代資本主義の隘路を見定めながら、「成長」以後の社会経済を展望しているが、彼はそこで創造性と生産性（効率性）の再定義の必要性を強調している。R・フロリダの「クリエイティブ・クラス」論はその格好の素材である。

広井は、R・フロリダの議論には限界を見ながらも、それを「資本主義の"反転"論」として理解することを通して、その弱点（平等あるいは再分配に関する議論）を克服し、創造性に開かれた社会を展望している（同：36-42）[27]。創造経済のコンセプトとの関連性（丸被りするものではないが）を彼の議論の中に見ることができる。

共同性と公共性の場としてのコミュニティ。矛盾や対立の可能性を孕みながらも、かつての農村と都市の対立を超えた新しいコミュニティ像をわれわれは現実のものとすることができるのか。

暮らしの場としての「地域」という当たり前の視点にわれわれは立ち戻りつつある。その「地域」で「豊かに」暮らすとはどういうことだろうか。前節でも見たように、地域／コミュニティを「諸資本」という視点で捉え直すことを通して、われわれは「豊かさ」についての再考を求められる。人口減少、少子高齢化等の「危機」について恒常的に語られ、「地域再生」や「地域活性化」が盛んに唱えられるが、その内実について深められた議論は意外に少ないように見える。真の課題は何か。見過ごしている問題は何か。そうした本質的な要素を看過することなく、根底的な議論を深めることが求められている。コミュニティと文化芸術の関係もそうした議論の中から見えてくるはずである。

3. コミュニティと文化政策──課題と展望

文化政策の課題としての地域／コミュニティ

改めて、地域／コミュニティと文化芸術の関係に立ち返ることにしたい。

国・地方の行政の視点、文化政策の視点から両者の関係はどのように捉えられるか。

文化政策には（広義の）文化の機能を「文化力」として捉え、これを地域社会の活力に結びつけるという考え方があり、これは今なお政策の重要な要素

となっている（枝川 2007）。

　友岡邦之によれば、戦後日本の文化芸術、特に文化政策・文化行政の文脈で「地域づくり」や「コミュニティ」はテーマとしても大きな位置を占めているという（友岡 2018）。文化政策は、芸術文化振興基金創設（1990）を起点とし、「アーツプラン21」（1996）、「文化振興マスタープラン」（1998）など1990年代を通じて国家レベルで劇的な変化を遂げてきた。それ以前は、基本的に文化は地方自治体の課題であったが、この2000年以降もこの政策展開のなかで地域／コミュニティは国家レベルで大きな課題の一つとして認識されているという。「地域」は文化政策のメインターゲットなのである（同：225）。

　友岡は、戦後日本の文化政策のターニングポイントを1970年代の地方自治体の取り組みに見ている★28。高度成長期を脱し、社会経済の定常化の局面に入ったこの時期は「地方の時代」や「文化の時代」ということが盛んに言われるようになったことが想起される。友岡の整理によれば、広義の文化概念の下で文化行政の「総合行政化志向」が生まれ、その延長線上に「行政の文化化」という主題が浮かび上がってきた。文化政策・文化行政は、地域振興と密接なつながりを持つが、そこには「市民社会の構築」と「地域経済の活性化」という2つの側面があり、それを区別する必要がある（同：227）。当時の議論における文化概念が抱えていた（両義的な）性格からか、やはりこうした議論は抽象的になりがちであり、その理念を具体的な施策や事業にどう反映するかについては、多くの自治体で困難に直面し十分な成果を上げることはできなかった（同：228）。

　友岡は、こうした経緯を踏まえ、今日もたびたび問題化する芸術の公共的価値をめぐる困難について次のように指摘している。

　芸術作品の価値は、文化経済学的に見れば、公共財ではなく準公共財である以上、その価値を平等性の観点から保障することは困難である。だからこそ、芸術の価値においては異なる価値観の承認という契機こそが重要となる（同：229）。しかしこの問題はこの間克服されることはなかった。市民と行政の間には多様な価値観が交錯する。地方行政においては、日本におけるリベラリズムの未成熟を背景に行政のパターナリズムがしばしば争点化・問題化したのである★29。

リベラリズムとパターナリズムの葛藤 ── 文化政策をめぐる問題構造

　地域の文化政策をめぐるこの問題構造は課題として残り続けた。

　政策・行政におけるリベラリズムとパターナリズムの葛藤はこれまでも続いてきたが、この課題は未解決のまま「創造都市」論を背景にした文化政策の新しいステージが訪れることになる。リベラリズムとパターナリズムの対立構造は止揚されることなく、われわれは芸術を中心としたクリエイティヴな文化資源を「手段」としそれを「利用」することをめぐってコンフリクトに直面することになった。

　友岡は、地域における文化政策の展開についてこのように振り返っている。これを踏まえると、現在の文化芸術と地域との関係が改めてリアルに見えてくる。友岡は、藤田直哉の「地域アート」批判を「地域社会に手段化されるアート」批判と捉え、この議論にアートの手段化をめぐるコンフリクトを見ている[30]。友岡は、こうした批判的議論が生じていること自体を否定的には捉えず、批判と向き合うに至った文化政策の一定の進化も見いだしているが（同：234）、今なお自治体と市民の間のアートの価値の共有という問題は困難な課題としてあることに注意を促している。

　もっとも、リベラリズムとパターナリズムの対立構造がそのまま市民と自治体の関係と重なるかという点については、少し保留して考える必要がある。少なくとも一方の最大化が他方の最小化となるという関係にあるわけではなく、リベラリズムが優位になればいいとか両者の宥和が望ましいといった単純な結論に収まる話ではおそらくない。現実はもう少し複雑だろう。一概に（非専門家である）「市民」といっても価値観において一様ではないし、利害関係者という視点に立てば、ここには自治体や（非専門家としての）市民以外にも企業や研究者等々多様なアクターが想定しうる。こうした関係性の複雑化がアクター相互の意見や利害の調整に及ぼす影響の問題は今後の課題でもあるだろう。

　友岡は、議論の最後に、2003年地方自治法改正に伴う指定管理者制度の導入等を機にこの間浸透してきた文化政策におけるNPM（New Public management）とリバタリアニズムの趨勢についても言及しその進展に懸念を示している[31]。首長の強力な指揮下で進められた大阪府・市の文化行政は

まさに民間企業の手法による公共政策経営の典型だが、友岡はそこに見られた経済的効率優先のリバタリアン的な諸政策の事例を「文化的価値について、共同体的合意に基づいた共有を偽装することの難しさが露呈した」ものとして捉え、文化芸術の「公共的価値」を「市民同士が正面から討議していかなくてはならない時代が到来した」と述べている。友岡はそこでさらに、こうした時機だからこそ、専門性と独立性を備えたアーツ・カウンシルと民間の文化支援のプラットフォームが必要であると制度的な変革の重要性に言及している（同：236）。「芸術全般に対する公的資金を一元的に管理し、再配分する専門組織であり、芸術文化の発展を振興する機関」（菅野 2018：131）としてのアーツ・カウンシルに対する関係者の期待は高まっているが[32]、ここで言われている多様なアクター間の利害および価値（観）の調停・調整と経済的効率の追求という方向性は妥当なものだろう。実際、制度的変化はこうした方向性に少しずつ進んでいるが、それはそれとして、ここで示されている文化芸術の公共的価値をめぐる葛藤の問題はなお残る——というより形を変えて現れていることも確かだろう。

地域／コミュニティと文化芸術の関係——市民社会の課題

　文化芸術の現場で関係者がこうした価値をめぐる葛藤状況に直面するケースは各地で見られる。「地域アート」批判だけでなく、芸術祭における「表現の自由」や作品理解をめぐる一連の出来事など、近年こうした問題は顕在化し注目される機会も増えてきている[33]。価値の共有／価値をめぐる葛藤は、さまざまな形を取って生じており、このことは地域の文化芸術の関係者にとって大きな課題となりつつある。これは、文化デモクラシーの問題として論じることができるが（第8章）、実際、狭義の文化政策の問題というより地方自治と市民社会の根幹である民主主義の問題でもある。

　近年、われわれの社会では「多様性」が微温的に称揚される一方で、領域や分野を問わず、多様な価値が宥和的に共有される状況とは程遠い現実がある。「公共性」（の価値）は尊重されるべきものであるにしても、それを単に「不特定（大）多数」と理解すれば、それは数の圧政の容認にもなりかねない。むしろ「少数の」あるいは「特異な」価値（美意識）を認め尊重するところに

文化芸術の存在理由（懐の深さ、寛容性）もあるのではないか。また、異なる価値同士が葛藤状況にあること自体、市民社会の原則（「表現の自由」等）からして何ら否定的に捉える必要もない。現実には、異なる価値観を持った者同士の葛藤がしばしば問題化（政治化）するのだが、そうだとしても葛藤そのものが問題なのではなく、重要なのは地域／コミュニティと文化芸術の関係がその葛藤に耐えられるか、またそこから何かしら得られるものがあるのかということだろう。

　葛藤自体、非生産的なものであるとは限らない。葛藤が新たな価値や関係性を生み出すということもある。こうした葛藤は地域と文化芸術にとって、時に激しい対立へと発展するリスクではある。その点で、現実には、地域と文化芸術の関係はまだ脆弱なものかもしれない。しかし、両者の豊かな関係構築のためには、われわれはそのリスクを避けて通ることはできないだろう。

註：

★1　野村幸弘は、ジョット、カラヴァッジョなどを中心としたイタリア美術史および近現代美術史の研究活動の一方で、本節で紹介する活動の他に多岐にわたる活動を展開している。文化芸術活動の受賞歴として、ダンス評論「土方巽と日本美術」（1996年第1回シアターアーツ賞）、映像作品「草原の音楽」（2000年第22回東京国際ビデオフェスティバル・ゴールド賞）、同「場所の音楽」（2002年キリンアートアワード奨励賞）など。野村の活動全般については以下を参照。https://www1.gifu-u.ac.jp/~ynomura/

★2　「聖なる空間を求めて」は1994年度「箱根彫刻の森美術館公募論文」佳作入選。

★3　「宗教統計調査」（文化庁平成29年度）によると、全国に神社は8万1,158あるという。都道府県で見れば、岐阜県は、首位の新潟、兵庫、福岡、愛知に次ぐ順位にあり、3,000余社を数える。文化庁『宗教年鑑』各年次等参照。

★4　広井良典はそのコミュニティ論の中で「コミュニティの中心」の問題に言及し、こうした「宗教的空間」の問題に触れている。「意外に思われるかもしれないが、全国にあるお寺の数は約八万六〇〇〇、神社の数は約八万一〇〇〇であり、これは平均して中学校（約一万）区にそれぞれ八つずつという大変な数である」（広井 2009：67）。

★5　野村は、当時岐阜県内の神社を200社ほど訪れ、その存在の意義について理解を深めながら、自らの視点を「アナクロニズム」とアイロニカルに表現しつつ、地方都市の課題の解決の一方途として「神社を中心とした街作り」を提言している（野村 1998）。この視点は、近年、「コミュニティ再生」の見地から注目されていることと重なる（広井 2009：66-93）。

★6　第13回「雑踏の音楽」（「立川国際芸術祭」）、「第31回幻聴音楽会——1.7kmの音楽」「場所の音楽～愛岐トンネル群」（「愛岐トンネル群・アートプロジェクト2013　荒野ノヒカリ」）といった芸術祭や複合的なアートプロジェクトへの参加の事例もある。

★7　沼田自身、「音遊びの会」の主宰者として即興音楽を通して障害者、ミュージシャン、音楽療法士

等が出会い、異質な価値観を認め合う場を作る活動を2005年から続けている。そこに生まれる芸術、福祉、教育の協働のあり方は、まさにこの事例と重なる（沼田 2016）。

★8　近年関心が集まり議論も高まっている「アウトサイダー・アート」については、服部 2003 を参照。ただし、単純に「障害者」＝アウトサイダーと考えるとすれば、それは「アウトサイダー・アート」の誤解につながるだろう。沼田は、ここで斎藤環の議論「「関係すること」がアートである」（斎藤 2009）を参照している。斎藤はそこでまさにアートの／における「関係すること」の重要性に言及している。

★9　第22回と第23回のプロジェクトは、NPO法人「クリエイティブサポートレッツ」（浜松市）の依頼によるものである。同法人は、2000年設立の前身から2015年認定NPO法人化し、浜松市の通所型障害福祉施設「アルス・ノヴァ」の運営を中心に、「知的に障害のある人たちの表現活動をサポートすることを中心に、障害や国籍、性差、年齢などあらゆる「ちがい」を乗り越えて」人々が「生きる力」を発揮し、共生する社会を目指す活動をしている。以下のサイト https://fields.canpan.info/organization/detail/1292695200 および藤、AAFネットワーク 2012 : 77-87 等を参照。

★10　アートの社会（的）包摂の機能に期待するこの傾向は近年広がっているが、最近の動向については以下参照。たんぽぽの家 2016；文化庁×九州大学 2019。後者では、せんだいメディアテーク「3がつ11にちをわすれないためのセンター」の「東日本大震災の記録をアーカイブする」活動、アーツ前橋「表現の森」の「アーティストと特養の高齢者が創造する音楽とダンス」、可児市文化創造センター ala の ala まち元気プロジェクト「スマイリングワークショップ」の「不登校の子どもたちへのコミュニケーション・ワークショップ」など地域固有の課題に即した各地の取り組みが紹介されている。

文化庁は文化芸術基本法の制定をうけて、第2条の社会包摂の理念を元に「社会包摂型アート」への積極的な支援を行っている。これについては、「簡単ガイド　文化芸術による社会包摂のガイドライン」（https://www.bunka.go.jp/tokei_hakusho_shuppan/tokeichosa/pdf/92212901_05.pdf）参照。こうした試みとして、宮城県の仙南芸術文化センター（えずこホール）のワークショップやアウトリーチ活動も興味深い。同県最南部の白石市など2市7町で構成される仙南圏域に「住民参加型文化創造施設」をコンセプトに掲げ1996年に開館した同ホールは、一般的な音楽コンサートや演劇公演のほか、水戸雅彦センター長を中心に当初から社会包摂型の事業を自覚的に展開してきた。ホールを拠点にして演劇、音楽、ボランティア活動など8地域団体が日常的に活動しているという。地域住民、子ども、高齢者、「障害者」が音楽やダンスや演劇を介して交流し作品を製作しパフォーマンスを実践する。小中学校や幼稚園・保育園、高齢者施設にさまざまな団体や個人が赴き、創造的な場が設けられる。柏木陽、藤浩志、野村誠、片岡佑介、きむらとしろうじんじん等、演出家、アーティスト、音楽家らがたびたびこれらに参加している。2017年には開館20周年を迎えホールの活動を振り返るイベントが行われた。記念誌によると、アウトリーチが1,000回以上、参加者は5万人、ホール開催のワークショップは700回を超え参加者3万人。参加者全体では8万人、関係する仙南地域の2人に一人が同ホールの参加体験型プログラムに参加した計算になるという（えずこせいじん研究会 2019）。

★11　レーモンド・マリー・シェーファー（1933～2021）。カナダの作曲家で「サウンドスケープ」論の提唱者。たびたび来日して日本でも大きな影響力を持つ。シェーファー 1986 参照。

★12　野村は、デュシャンやケージ、寺山修司らからの影響を示唆し、自身のこれまでの表現行為を「社会関与の芸術」として振り返っているが（野村 2021a）、語義上は近いもののここでは最近言われている「ソーシャリー・エンゲイジド・アート」と単純に同一視することは控えておきたい。また、場所に物理的に何ものかを作品として残すイメージが強い「サイトスペシフィック・アート」も野村の表現の呼称としてはしっくりこないところがある。野村自身は「サイトスペシフィック」は意識していたとしても、その語を特に用いてはいない。

★13　同フォーラムに関する記述は、筆者のメールによる質問に対する野村の回答（2020年12月14日）と事後の補足確認による。

★14 　野村は自身の活動紹介のサイトで、岐阜大学芸術フォーラムの活動について、当初の目的として4つ挙げている。1. 大学のスペース・施設を広く一般に開放する／2. 芸術を通して、学内と学外の人と人との交流の場を作る／3. 芸術を通して、海外からの留学生との交流の場を作り、国際化をすすめる／4. 岐阜発の芸術を作り上げる。また現在の活動目的は、「芸術をはじめ、さまざまなテーマについて参加者が自由でフラットに意見を交換すること」としている。https://qfwfq5133.wixsite.com/my-site/art-forum 参照。

★15 　以下参照「分野超え芸術交流　岐阜大フォーラムまる2年」『朝日新聞』（岐阜版）2003年2月21日。このほか「芸術交流広がる輪　「芸術フォーラム」24日に100回目」『岐阜新聞』2010年7月20日等、地元紙でもその活動が紹介されている。

★16 　2020年の例だと「エスペラント」や（コミュニケーションの要素としての）「（他者に向けて話す際の）声」などのトピックが言語学研究者やアナウンサーを講師に迎えて取り上げられている。過去には「ダブルワークのススメ」「食の安全・安心」といった主題もあった。

★17 　こうした活動以外にも、野村が継続的に関わったものとして公募展「岐阜フラッグアート展」（岐阜フラッグアート展実行委員会［総合監修は日比野克彦］）がある。同公募展は1996から2016年まで20年間続いた。野村は2回目から審査員としてこれに加わっている。

★18 　一般市民が文化芸術に自由にアクセスできる環境の保障は市民的権利（シティズンシップ）の一つとしても考えることができるだろう。第8章第2節参照。

★19 　「地域（area）」は似田貝香門の執筆（森岡他 1993：982）。

★20 　この「地域」概念の曖昧さが、なお「地域アート」と呼ばれる一連のアートプロジェクトの性格を示してもいる。十和田市現代美術館の「地域アートはどこにある」プロジェクト（2019）のトークの記録が英文化されているが、この語は、"Chiiki Art" とそのまま訳されている。以下参照。https://towadaartcenter.com/en/projects/chiiki-community-art/ 少なくとも、「地域」はあくまで "chiiki" であって "community" や "region" ではない。ここにはいわゆる community art とも同一視できないという認識があるようだ。

★21 　「共通の社会経済的基盤をもち、文化的アイデンティティを共有する特徴ある地域」を「テリトーリオ（territorio）」と呼ぶ。例えば、瀬戸内海とその周辺からなる広がりを、土地、土壌、水環境、それらに培われた人々の営み等の有機的な総体たる一つの経済文化圏（「瀬戸内テリトーリオ」）として捉える考え方が示されている。包括的な文化概念の提示という点だけでなく行政区分で考えられやすい地域概念に風穴を開ける議論としても興味深い。「瀬戸内テリトーリオの再構築」（日本建築学会 2019：2-20）が参考になる。特に、北川フラム、齊木崇人、陣内秀信、武田尚子「座談会　瀬戸内の光と影——テリトーリオの過去から近未来へ」（同：2-9）および陣内、高村 2019 参照。ここには地域主義・地方主義（リージョナリズム）の視点も読み取れる。

★22 　実際、アートプロジェクトの場で「コミュニティアート」という呼称は頻繁に用いられている（第2章参照）。リレーショナル・アート等との関連でこの語を理解することもできるが、ここでは特に厳密な定義でこれを用いることはしない。

★23 　農山村における「地域づくり」の問題に焦点を当てながら小田切徳美は、1980年代から今に至る期間で「地域づくり」はどの期間にも使われ続けているが、その前期（1980年代後半〜1993年頃）には「地域活性化」、後期（2000年代以降）には「地域再生」が独自の言葉として用いられていると指摘し、それぞれの語の時代的文脈があることに注意を促している（小田切 2014：48-49）。少なくとも問題関心のあり方に差異があることは確認できる。

★24 　広井は、その後もコミュニティ論を定常型社会論や創造的福祉社会論などと接続する形で議論を発展させている（広井 2011；広井 2013）。

★25 　電通総研『「若者」×働く」調査』週3日以上勤務の就労者、男女18〜49歳5,400人のうち、18〜29歳3,000人のデータ。2015年3月実施（松永 2015）。

★26 　こうした都市コミュニティの社会関係資本の豊かさの再評価とコミュニティ論の再構築については、ジェイコブズ 2010 参照。

★27 広井はこうした議論の中で「成長」後の社会構想として、創造性の再定義と生産性（効率性）の再定義を通して定常型社会と環境・福祉・経済の相乗効果の可能性を論じている（広井 2011：16-53）。

★28 「文化行政」についての基本的議論については、松下，森 1981 および根本 2007 参照。文化が果たす機能を「文化力」として捉えることを踏まえこうした文化政策と地域文化振興の歴史的経緯については、枝川 2007 も参照。

★29 友岡は水戸芸術館、すみだトリフォニーホールなど1990年代の専門文化施設建設ブームにこうした問題化の端緒を見ている（友岡 2018：232）。

★30 「地域アート」批判については、藤田 2016 参照。そこでは「関係性の美学」（N. ブリオー）の誤読に基づいた地域ベースのプロジェクトの濫立状況に対する批判が基調になっている。社会的効用のみが称揚され「批評の排除」や「当事者の前景化」が進展する近年の状況について強い疑問と懸念が示されている。ここには確かに「アートの手段化」に対する批判的視点がある。この「批判」の意義を探るために以下もう少し関連する議論を見ておきたい。
椎原信博は「地域アート」論の文脈で「アートプロジェクト」を論じている（椎原 2017）。椎原は、藤田の議論を「芸術の自律性が損なわれる危機意識を表明」したものだと位置づけ、「政治性や鋭い社会批評性」を欠いた（海外特に欧米のそれとは異なる）「日本型」の「地域アート」・「アートプロジェクト」の問題としてこれを捉え直すと共に「社会関与の芸術」の実践の構図の中に置き直している。椎原は、他方で、各地で生まれている実際の多様なアートプロジェクトを「地域アート」と一括りにすることの限界を見ている。「地域アート」は単に事業の枠組みとして捉えられることで、美的価値や芸術学的価値の考察対象からに外れてしまう。しかし実際に行われている芸術祭等のプロジェクトを見ると、些末なトラブルもあるにせよ葛藤や対立、抗争は避けられないものであり、「地域アート」が経済的価値だけの問題ではなく政治的問題へ発展する可能性もまたそこに見いだすことができる（同：90）。そこに単純な回答を求めることは難しいにしても、社会とアートの関係を考える契機が「地域アート」にはある。椎原は、藤田の議論はそのための（関係者間の）「対話」のきっかけとして読まれるべきだと述べている（同：92）。
「地域アート」批判に応える動きとして十和田市現代美術館の『地域アートはどこにある』プロジェクト、展覧会「ウソから出た、まこと──地域を超えていま生まれ出るアート」（2019）に注目したい。「批判」は、アーティストはじめ、芸術祭やアートプロジェクトに関わる人々の間に大きな反響と複雑な反応を生んだが、この企画はこの問いかけを様々な思いで受け止めた人々による一つのレスポンスと言えるだろう。同展には北澤潤、Nadegata Instant Party、藤浩志が参加。それぞれの「地域」に対するアプローチ・方法論を示した。なお、期間中、藤田直哉を始め、小池一子（当時同美術館館長）、中村政人、星野太、加賀谷健司、山崎亮ら地域アートプロジェクトの経験豊富なアーティストや批評家等多数が参加したクロストークが複数回行われ、「ポスト「地域アート」の序章」（里村真理）と言うべき議論の場となった。参加者の発言は企画展の関連資料と共に書籍化されている（十和田市現代美術館 2020）。

★31 同政策については、英国におけるその進展と帰結を詳述した以下が参考になる。ヒューイソン 2017 参照。

★32 これについては菅野 2018 参照。「アーツ・カウンシルにおいて、芸術文化に関する政策や人事、助成に関する意思決定は政府とは一定の距離を置き、独立性を保つことを意図する「アームズ・レングスの原則」が尊重され、実施される。そして、専門家集団から構成される組織としてのアーツ・カウンシルは国家の文化政策に助言を行い、また同時に文化政策を実践し、さらには芸術のあり方についての国民の議論を喚起する役割も担っている」（同：131）。英国など欧州にその原型があるが、現在世界78か国に設立されており、各国の文化政策の中核を担っている。国内でも地域アーツ・カウンシルが東京、横浜、新潟、大阪、沖縄などで相次いで設立されている（同）。2020年4月現在12自治体に設置済、10団体が検討中という。文化庁の支援が背景にあり、2020年東京オリンピック・パラリンピックに向けた文化プログラムを視野に入れた動きでもある。以下参照。https://

yokohama-sozokaiwai.jp/eventreport/20109.html

★33　近年、社会的関心を集めた事例として、「福島ビエンナーレ」（2018）における『サン・チャイルド』
　　　（ヤノベケンジ作）の設置と撤去に関わる動き、「あいちトリエンナーレ」（2019）の「表現の不自由」
　　　展をめぐる動きなどがある。本書第8章参照。

第 4 章

コミュニティに向き合うアート
──参加、協働、共創

はじめに

　今日のアートプロジェクトをめぐる言説には「参加」「協働」「共創」などの語がしばしば登場する。それぞれ概念としては異なるものであっても、これらの語の間には民主主義という市民社会的価値と結びついた互いに類縁的な関係性が認められる。これらはまた「公共性」や「コミュニティ」に関する議論において頻出する語でもある。リレーショナル・アートやソーシャリー・エンゲイジド・アートなどに見られるように、「参加」も「共創」も今日的なアートのキーワードと言ってよいが、これらの語彙は近年のアートと地域／コミュニティの関係のあり方を端的に指し示しているように思われる。

　本章では、こうした問題意識から、アートと地域／コミュニティをめぐる諸問題の一つとして「参加」に焦点を当てることにしたい。「共創」「協働」も基本的に「参加」の問題系の一部として考えることができるだろう。

　まず、最近のコミュニティ論の文脈に定位してコミュニティデザインとアートの関係性について検討し、次いで「参加」の問題が孕む課題について考察を進め、最後にソーシャリー・エンゲイジド・アートの可能性についても触れることにしたい。

第1節 コミュニティデザインとアートの可能性 ──「参加」の社会実装

　「地域」や「コミュニティ」がアートの舞台として注目を浴びている。「地域アート」や「地域アートプロジェクト」など呼称はさまざまだが、こうした試みの中に人々の地域／コミュニティの再生への希望やその可能性への期待があることは既に見た（第3章）。

　こうした動きと交錯するように「コミュニティデザイン」という試みが注目を集めている。「コミュニティ・アート」[*1]という言葉もあり一見紛らわしいが、この「コミュニティ」「アート」「デザイン」という語の組み合わせで示される言葉

は、実際、多様な現実を表現してもいる。

　本節では、「コミュニティデザイン」の先駆的実践者として知られる山崎亮の「コミュニティ」と「参加」をめぐる議論を取り上げたい（山崎 2012 他参照）。山崎は『縮充する日本 ——「参加」が創り出す人口減少社会の希望』（山崎 2016）の中で、少子高齢化・人口減少の課題に直面する日本社会と「地域／コミュニティ」の現状と未来について「参加」の問題を鍵として実践的かつポジティヴに論じている。この議論の概要をまず見ていこう。

1. コミュニティとアートの交錯
——コミュニティ論における「参加」とアート

"縮充"する社会——コミュニティの視点から

　山崎亮は、人口減少、財政の縮小といった現状について既存の発想の内にある「縮小」として否定的に捉えるのではなく、人口増加と経済成長を前提としてきたこれまでの国家・社会モデルを離れ、「縮充」としてこれを捉え直す必要を説く。「縮充」とは本来毛織物の加工に関わる用語だが、山崎はこれを「人口や税収が縮小しながらも地域の営みや住民の生活が充実したものになっていく」こととして示し、こうした「しくみ」を編み出さなくてはならない時期を迎えていると述べている（山崎 2016：17-18）。彼は「縮減でも縮退でもない。拡充でも補充でもない。縮みながら充実させて、質感がよく暖かい地域社会をつくること」（同：4）［傍点ママ］とも述べ、現在日本各地各領域で胎動する「参加」の潮流をその鍵だとしている。「参加」の重要性は、特に「市民社会」派を中心にこれまでもさまざまな論者が強調してきたところだが、山崎は同書の中で、これについて「まちづくり」「政治・行政」「環境」「情報」「商業」「芸術」「医療・福祉」「教育」の8つの分野に触れながら包括的に論じている。

　それぞれのトピックについて、住民参加、自主運営、共有型経済、医療参加などいずれも「参加」をめぐり豊富な事例紹介と興味深い議論が展開されているが、そこにはアートとデザインの思考が色濃くうかがえる。山崎自身、芸術（アート）への深い関心と敬意を持ち、アートとデザインの方法論の違いにも留意しながら議論を展開しているが、ここでは特にコミュニティと「芸術」との関係に焦点を当てることにしたい。

「共創」がもたらす価値

　山崎がコミュニティデザインにおいて強調する「参加」は、「参加→参画→協働」という発展段階的な図式で捉えられている。他者がつくった計画に「参加」することから、計画の策定段階に自ら加わる「参画」へ、そしてより高次の活動としての「協働」へという発展である（同：66-68）。

　山崎はその一方で、これと切り離せない概念として「共創」に言及している。

　この語は一般的な辞書にはまだ収められていない新語の部類に入るが、手近な情報源に頼って確認しておくと、「共創」とは、「［名］（スル）異なる立場や業種の人・団体が協力して、新たな商品・サービスや価値観などをつくり出すこと。コクリエーション」（「デジタル大辞泉」）とされている。この説明にもあるようにもともとビジネス・経営論の文脈と関連が深い。

　山崎は、商業分野における「参加」の潮流を、生産者主導のものづくり（市場支配とパワーマーケティング）から消費者が参加するものづくりへという移行過程として捉えている。ここには「共創」の視点が介在している。

　1970年代初頭の高度成長の終焉と消費構造の変化は企業行動にも変化をもたらした。山崎によれば、生産者側の社会参加は、1980年代のメセナ、2000年代のCSR（企業の社会的責任）、さらに2010年代に入るとCSV（Creative Shared Value＝共有価値創造）という形で進んできた。営利だけでなく社会的課題の解決をも志向する企業のあり方はこの間徐々に社会に浸透している★2。一方で、1990年代以降の消費の冷え込み、これに伴う消費構造の変化もこの傾向に拍車をかけた。2000年代に入って人口減少と国内需要の伸び悩みが見えてくると、企業間の顧客の奪い合いは激化、顧客とのつながりを求め生産者側の「参加」の度合いはソーシャルメディアの発達を背景にさらに強まった。「消費者参加型の商品開発」などはそうした事例の一つである。

　今では、企業の社会参加は、単に「参加」というだけでなく「共感」や「共有」「共生」といった語が鍵になるような社会的現実と結びつくようになっている。「共創」（co-creation）というタームはこれらを統合し包摂する術語として浮かび上がってくる。今日、この潮流の中で「ユーザー参加型のビジネスモデル」は花盛りとも言えるだろう。こうした状況を踏まえ、山崎はユーザーとデザイ

ナーが協働してものづくりに携わる「オープンデザイン」の可能性に強い期待を示している（同：219-265）★3。

　今日では、こうした企業の社会参加は既に特別なことではなくなっている。というより、社会参加という形式は、営利非営利を問わずさまざまな主体に担われるようになっており、その分野も広がっている。この現実は、社会と経済（経営）の相互浸透――社会の経済化・経済の社会化の所産と言えるかもしれない。いずれにせよ、生産者と消費者、送り手と受け手といった単純な二項的（ダイアッド）な関係性を前提に現状を見ることから離れようとする傾向が強まっている。

アートにおける参加とは――「参加型アート」の興隆

　「共創」の問題は「参加」の問題と深くつながる。こうした「参加」の視点と論理は、今日の芸術／アートにも通底している。山崎亮は「ファインアートから参加型アートへ」（同：267-306）という潮流に注目している★4。

　山崎は、「日本のアートの分野でも、コミュニケーションや協働の中に作品のテーマを感じさせる参加型の活動が勢いづく」として阪神・淡路大震災（1995）の後に「社会に対して何ができるかを考えるアーティストが増えた」と述べ、最近のアートと地域の関係の変化を指摘する（同：277）★5。こうした動きは、近年のアートの潮流と相即している。山崎は、「リレーショナルアート」で知られるニコラ・ブリオーの議論と「関係」と「参加」を強く意識した現代アートの潮流に触れながら今日の「参加型アート」の展開に目を向けている。

　山崎は、「参加型アート」が「市民（鑑賞者）の関わり方の深度によって」［強調筆者］いくつかの形態に分けて考えることができるとして以下のように3つの形態を示している（同：277-278）。（以下、図表4-1参照）。

　第一形態は、「鑑賞段階での参加」である。まずアーティストの作品は現前するが、ただ（絵画や彫刻をもっぱら視覚のみで）鑑賞するだけではなく、触れたり使用したりすることもできる（「ハンズオン」）。こうして体感するだけでなく、場合によっては「書き込む」「つけ足す」「持ち去る」といった行為によって制作に参加する。

　第二形態は、「制作への参加」である。アーティストは創作の主体でありプ

ロジェクトを統括する。制作過程に市民が参加する。実態としては「分業」や「共同作業」である。山崎は「（作品のコンセプトにまでは市民の意思は反映されず）アーティストの役割は作品の企画から展示までをまとめ上げるキュレーショナルなものになる」としている。

　第三形態は、「活動への参加」である。アーティストは市民の作品への参加機会を設定するが、その枠組みの中であるとはいえ活動を起こすのは市民自身である。「参加者の活動そのものがアーティストの意図であり、作品の価値である」。これらは「リレーショナルアート」であるとか「完成に向かうプロセスの楽しさを創造する活動」として「ワーク・イン・プログレス」と呼ばれる。

　第一および第二形態のアートは、実際に最近さまざまな場でよく見られるようになっている。子どもが参加しやすいワークショップ形式の企画や地域で共に作業をしながら大きなオブジェを作り上げるといった共同作業的な作品は各地のアートプロジェクトでしばしば見られるものである。山崎は「参加の深度」に注目して、この形態を区別しているが、市民を（単なる）鑑賞者から制作に（段階的に）参加する創造的主体へと転化する可能性を秘めた存在として捉えている。参加の形態は、単純素朴な関わり方からそれなりに創造的な分業や共同作業と段階的な差異はあるが、単純化はできないものの、この区別は受動的存在であった市民＝鑑賞者を能動的存在として捉え直しているということである。逆の言い方をすれば、アートは受動的市民を能動的主体へと形成する可能性を持っているということになるだろう。

　第一、第二形態の具体的事例はここでは示されてはいないが、山崎は、より深度が進んだ第三形態については、川俣正、藤浩志、椿昇（1953～）、宮

図表4-1 参加型アートの3形態

	特徴	形態の具体例
第一形態：鑑賞段階での参加	「アーティストがつくった作品を、市民は単に鑑賞するだけではなく、直接触れたり、使ってみたりする。」	ハンズオン＊書き込む、つけ足す、持ち去る
第二形態：制作への参加	「アーティストが創作の主体としてプロジェクトを統括し、制作過程に市民が参加する。」	分業共同作業
第三形態：活動への参加	「アーティストが作品への参加機会を設定し、その枠組みの中で市民が試行錯誤しながら活動を起こす。」	リレーショナルアートワーク・イン・プログレス

＊山崎亮（2016）『縮充する日本』（PHP研究所）より筆者作成（同：277-278）

島達男（1957〜）らの事例を挙げている。川俣をはじめ、いずれも現代日本を代表するアーティストだが、ここではその活動の継続性と地域的な広がり、社会的浸透度という点で藤浩志に注目したい。

　藤は、1980年代から表現活動を開始、1996年より「参加者が主体となって創作に取り組む状況をアートと捉える」（同：279）「OS（オペレーティングシステム）作品」を提唱し、これを基本コンセプトに制作を続けている。仕組みをインストールして自発的＝自動的に行動を生起させるという考え方と理解してよいだろう。この具体的な実践例（表現）として、家庭内廃棄物を捨てない実験「ごみゼロエミッション」（1997〜）や不要になったおもちゃを物々交換する活動「かえっこ」（2000〜）などが知られる。特に後者は、人と人の関係（社会関係）の発展的な可能性を追求したシンプルだが極めてユニークな試みである。「かえっこ」は、おもちゃの交換を廃棄物を極力抑制するという循環型社会に貢献する活動として現出させるとともに、この交換によって生じる「ポイント」（かえるポイント）を一種の通貨システムとして機能させおもちゃ交換とはまた別の自由な活動や社会課題解決へとつなげていくといういわば重層的な行為創出システムである★6。これまでも全国各地の公共施設、学校、商店街、商業施設など1,000を超える場所で開催され、それぞれの地域で自発的な子どもたちの自由な活動を創出してきた。運営主体となる人たちの目的によって環境教育、防災教育、広報活動、学校教育、販売促進などさまざまなアプリケーションを生み出す仕組みとしても機能するところがまさにこのシステムの魅力である。「かえっこ」は、派生的に自立した「作品」も生み出すが、いわゆる「アートピース」（芸術作品）そのものではない。まさに社会化した「参加型アート」の代表例と言えるだろう★7。

　山崎は、「アートの分野では九〇年代半ば以降に第三形態の参加が一気に進んだ」と指摘し「二一世紀になって、アートの主流は"観る"ものから"関わる"ものへと移行した」（同：281）として、「参加型アート」が前景化していることに注目している★8。

参加型アートの「第四の形態」
　山崎はさらに「第四の形態」に言及している。その例として示すのが「大

遊ばなくなったおもちゃを物々交換する「かえっこ」

写真 4-1、4-2　コロナ以前の「かえっこ」

写真 4-3～4-5　2021年の「かえっこ」（写真提供：3331 Arts Chiyoda）

地の芸術祭」の「こへび隊」として知られる自発的なサポーターたちである。アートディレクターの北川フラムは、「共犯性と協働」をその特徴として挙げ（北川 2014：227）、この存在について単に「ボランティア」と呼ぶことを好まなかったが、山崎もまた観客の中からサポーターに加わり、「楽しいから一緒にやりたい」といって運営に参加する人たちの存在を改めて高く評価している。実際こうした「参加型のアートイベントにおけるサポーター」は「大地の芸術祭」から生まれ、ここで大きく注目されたといっていいだろう。山崎は次のように述べている。

　「こへび隊はイベント運営の方針に参画するところまではいかないが、運営の主体者の手がまわらない部分を連携しながらうまく補完する。この構図は、九〇年代後半以降のまちづくりのプロジェクトが目指した行政と住民の関係にそっくりだという気がする。アートへの参加の第四形態は、アートの分野だけに限った市民の行動ではないだろう。」（山崎 2016：283）。実際、この「第四形態」は単に「参加型アート」の問題にとどまらず、より広く「参加」と一般的なプロジェクト（営利的事業や社会的事業等）の組織化の問題に接続する。このように、アートの手法とマネジメント一般の問題が接続し融合している現実がある★9。

　地域アートプロジェクトに見られるアートの社会への浸透は、いわば「アートの社会化」というより「社会のアート化」と呼ぶべき過程でもあったのではないか（この点は地域とアートのどちらの側から記述するかという問題でもある）。

2. 参加の発展段階

参加の深度──「アーンスタインの住民参加の梯子」

　改めて、「参加」の問題に立ち戻って問題を整理したい。

　山崎は別のところで「参加」の問題を一種のグラデーションのようなものとして捉え、「アーンスタインの住民参加の梯子」（Arnstein 1969）について言及している。社会学者シェリー・アーンスタインが示した、いわば「参加の深度」の尺度を定式化した図式である（図表4-1参照。原図は同：217）。ここではさしあたり山崎の理解に沿って見ていこう。

　この図式によれば、①操作、②鎮静、③通知、④相談、⑤譲歩、⑥協力、

⑦委任、⑧住民主導の8つの段階があり、1）非参加（①②）、2）形式的参加（③④⑤）、3）実質的参加（⑥⑦⑧）と、①から⑧にかけて参加の深度は増す★10。一般に「住民参加」というと、行政においてはアンケートや（不特定多数が参加する）公聴会あるいは（特定少数が参加する）審議会等を通じて果たされたと考えられることが多いが、それはそれで形式的なものに終わる場合もないではない。実際、政策の策定や実施に関しては、その関わり方によって真の意味で住民が参加したのかという点で疑問が残るケースも少なくない。⑧の住民主導のケースは（特に日本では）なおなかなか見られないが、住民参加の「実質化」をどう評価するかという視点からこのことを考えることも可能だろう。

　参加の深度を見据えたこの図式は、地域活動の評価はもちろんだが、民主主義の達成度の評価尺度として見ることができる。また、改めてこの「梯子」図式と「参加型アートの三形態」の図式を対照してみると、それぞれの要素（形態）の間に一定の対応関係を認めることができるだろう。

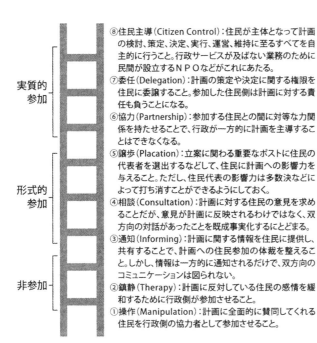

実質的
参加

⑧住民主導（Citizen Control）：住民が主体となって計画の検討、策定、決定、実行、運営、維持に至るすべてを自主的に行うこと。行政サービスが及ばない業務のために民間が設立するNPOなどがこれにあたる。
⑦委任（Delegation）：計画の策定や決定に関する権限を住民に委譲すること。参加した住民側は計画に対する責任も負うことになる。
⑥協力（Partnership）：参加する住民との間に対等な力関係を持たせることで、行政が一方的に計画を主導することはできなくなる。

形式的
参加

⑤譲歩（Placation）：立案に関わる重要なポストに住民の代表者を選出するなどして、住民に計画への影響力を与えること。ただし、住民代表の影響力は多数決などによって打ち消すことができるようにしておく。
④相談（Consultation）：計画に対する住民の意見を求めることだが、意見が計画に反映されるわけではなく、双方向の対話があったことを既成事実化するにとどまる。
③通知（Informing）：計画に関する情報を住民に提供し、共有することで、計画への住民参加の体裁を整えること。しかし、情報は一方的に通知されるだけで、双方向のコミュニケーションは図られない。

非参加

②鎮静（Therapy）：計画に反対している住民の感情を緩和するために行政側が参加させること。
①操作（Manipulation）：計画に全面的に賛同してくれる住民を行政側の協力者として参加させること。

図表4-2
アーンスタインの
住民参加の梯子

出典：山崎亮（2016）
『縮充する日本』
PHP研究所, p.125

コミュニティデザインとアートを隔てるもの——相同性と差異

　山崎は、自身が主宰する「studio-L」を通じて、住民参加型福祉社会の構築をはじめ、多くの地域でまちづくりやプロジェクトに関わっている。それらの活動の中にも地域住民と関係者の間の「自発性と共犯性」という参加型アートの手法がコミュニティデザインの視点と深く結びついていることが見て取れる[11]。

　しかしながら、一方で、山崎は、参加型アートについて論じるC・ビショップの指摘を引き、ビショップがこの「アーンスタインの梯子」を安易に芸術に援用してはならないと述べていることに注意を促している（同：299-300）[12]。ビショップは「芸術の民主主義的な形式と社会の民主制の形式の間の関係」に関してこの図式に言及し、次のように述べている。「この「梯子」は市民参加の形式間にある有益で微細な差異を提示しつつも、芸術の営為における複合性への適応という意味では充分なものではない。もっとも取組むのに値する芸術表現は、この図式には追随しない。なぜなら芸術の民主主義的モデルは、社会における民主制のモデルと本質的には無関係だからだ。同等視は誤解を招くものであり、それとは異なる、より矛盾した基準を創出するための芸術の可能性が見落とされてしまう」（ビショップ 2016：425）。

　山崎はコミュニティデザインにおいては「課題解決のためのプロジェクトを住民が自律的に運営することを目指す」が、その「自走」という段階つまり「住民主導」が、そのままアートの目的になることはないという。アートにおいては「市民の自走」は目的ではない。とすればアートの分野における梯子の最上段は何になるのか。山崎はその結論を示すことは困難だとしつつ、その要点はアーティストと参加者の間の緊張関係そして民主政治と同様「権力」と「参加」のバランスの問題であるとしている（山崎 2016：300）。

　両者の間に相同性が認められるにしても、この目的の違いがまさにコミュニティデザインとアートを隔てるポイントとも言える。

　山崎の議論から、実践的コミュニティ論と現代アートの問題意識が通底する部分が見えてくる。一方で、山崎・ビショップはアートにはアートの独自の領域があることを認めていることにも注意しておきたい。アートは課題に対する直接的な解答や結論を示すものでなくてはならないのだろうか。アートとは

何か、デザインとは何かという厄介な本質論にはここでは立ち入らないが、コミュニティデザインとアートとの関係を考える上で、両者の間の相同性と共に差異についても議論を深める必要があるだろう。

プライベート／コモン／パブリック──「公」「私」をつなぐ「共」と「参加型社会」

　山崎は、コミュニティ論においてパブリックとコミュニティの問題を「私」（プライベート）と「共」（コモン）と「公」（パブリック）の関係として捉えている（山崎 2012：57-66）。「プライベートとパブリックは別々の概念なのではなく、コモンという規模を自由に変化させる概念によってつながっている」（同：59）。

　「公」「私」をつなぐ領域としての「共」。この図式は、山崎のコミュニティ論の基本的構造をなしている。しばしば、「公」と「私」は対立的で矛盾をはらむ関係として捉えられるが、「共」という媒介領域を考えることで、「参加」「共創」「協働」の関係もある程度明確に捉えられるようになってくる。行為者間の相互作用や創発性といった諸契機についても同様だろう。

　山崎のコミュニティ論の先には「参加型社会」の展望がある。山崎は、日本社会におけるまちづくり、医療・福祉、教育等8つの分野について参加の（発展の）系譜を整理している（山崎 2016：406-7）。そこで山崎は、参加の発展段階説として①反発、②批評、③提案、④実行という段階的移行の図式を示している。戦後日本社会における参加の動きは、疑問と反発から始まったが、それは次第に洗練された手段に置き代わり、成熟に向かっていくという見立てである（同：409-414）。山崎は、その上で、④実行の先に⑤協働の段階があるという。先の「参加→参画→協働」の図式の改訂版と理解できるが、このように、協働の段階までを見据えて「参加」を考えることでコミュニティ／社会の設計の道筋が見えてくる。

　こうした認識を踏まえて、改めてアートとコミュニティ／社会の関係について考えることができるだろう。それは今日のアート（特に参加型アート）のあり方を問うことでもある。ここでも見てきたように、「参加」の問題は、集団や社会の問題であり人間と人間の関係の力学という意味で政治の問題でもある。文化芸術は社会と無縁ではない。参加と政治の問題はアートの問題でもあり社会の問題でもある。次節ではこの点について考察を深めることにしたい。

第2節 アートにおける参加の可能性と隘路
——ワークショップという手法

本節では「ワークショップ」を通して「参加」の問題について考えてみたい。

「ワークショップ」という言葉は、「新しい学びと創造の場」を意味するものとしてすっかり定着し、このところわれわれの周囲至る所で耳にするようになっている。「体験学習」とか「参加型学習」という表現もあるが、この語は「参加」「創造」「学び」といったポジティヴな言葉と結びついて、学校教育だけでなく、企業研修や社会教育、まちづくり等々の場で広く取り入れられている。中野民夫によれば、主要には、演劇、美術、まちづくりといった領域で発展してきた歴史がありそれぞれ定義も異なるようだが、「参加」「体験」「グループ」がキーワードとなるような「双方向的、全体的、ホリスティック（全包括的）な「学習」と「創造」の手法」がワークショップということになるだろう（中野 2001: 11-12）。対象者を選ばずさまざまな領域で適用可能なこの手法についてはその効果に大きな期待が集まっている。

しかし、ここには問題点や課題がないわけではない。山崎亮は、コミュニティデザインの発想に至る過程でワークショップという形式が一つの出発点になったということを認めつつ（山崎 2012）、この手法につきまとう負の側面も指摘している（山崎 2016）[13]。また、この手法は、アートの領域においても一般化しており、特にある種のアートプロジェクトにおいてはそれ自体と切り離せない形式としてよく用いられるようになっているが、その一方で、最近はこれを冷ややかに見る眼があることも確かである。いずれにせよ、ここには「参加」や「協働」をめぐる重要な論点が見いだせる[14]。この視点からアートにおけるワークショップの問題について考えてみたい。

1. アートプロジェクトの政治学——「参加と動員」をめぐって

ワークショップという手法

鷲田めるろは、アートプロジェクトの隆盛ぶりに注目し、これと切り離せない要素としてワークショップがあることを指摘している（鷲田 2009）。2000年代後半の時点で鷲田は、「取手アートプロジェクト」「広島アートプロジェクト」

「ヒミング」等のアートプロジェクトが日本各地で増加していることを指摘し、その特徴を次のように紹介している。

> それら［アートプロジェクト］の内容を見てゆくと、いくつかのキーワードを共有していることが分かる。「都市との関わり」、「地域」、「協働」、「NPO法人」、「ワークショップ」、「子供」などである。これらの単語からも、アートプロジェクトとは、アートを契機として、市民が都市や地域と関わりながら、人々の参加を促し、社会をより良くすることを目指すプロジェクトである、と定義することができるだろう。藤浩志、中村政人、川俣正、柳幸典、日比野克彦などが代表的なアーティストである。そのアーティストの所属する大学や地方自治体が協力し、国や企業などの助成金を受けて実施される場合が多い。また、ある目標を達成することよりも、プロセスと継続性が重視されることが多いのも特徴である（鷲田 2009：237）。

鷲田は次いで、こうした試みが盛んになった背景の一つに「参加体験型、双方向性を特徴とする「ワークショップ」という手法への注目がある」とし、この「ワークショップ」には「アート系」「町づくり系」「社会変革系」「自然・環境系」などいくつかの流れがあるが、いずれも「参加者が主役になる形式」であることを強調している。

鷲田がもう一つ重要な背景として言及するのは、「市民によるボランティア活動、NPOが盛んになったこと」である。阪神・淡路大震災（1995年）をきっかけに多くのアートNPOが生まれた。そうした諸団体が主催するアートプロジェクトが増えたことが1990年代後半から市民参加を促すアートプロジェクトが盛んになったことにつながっている（第6章参照）。

このように、鷲田は、アートプロジェクト隆盛の背景を、ワークショップへの関心の高まりとNPOの増加に見ている。このことを踏まえ、彼の関心は、「参加」という概念に縮約される民主主義的な理念の称揚が孕む危うさに向けられる。鷲田は、参加の概念とファシズムとの親近性を指摘し、「展示の政治学」（川口 2009）の問題性[15]を引き受けながら、われわれの日常にある視覚やメディア等に関わる政治、つまりミクロの政治としての「アートプロジェクトの政

治学」を提示しようとする。

鷲田はこうして、当時金沢21世紀美術館のキュレーターとして自身が関与していた「金沢アートプラットフォーム」という「市民の主体的な参加を促すプロジェクト型の展覧会」（同：241）の体験を元に議論を展開している。

「現場」から見るアートプロジェクト ── 二つのワークショップをめぐって

鷲田が焦点を当てるのは、「参加」とファシズムとの親和性の問題であり、またこれと深く関わる「相互作用」の問題である。このことは、ワークショップをめぐる二つの対比的事例を通して語られる。

鷲田は、ある作家の市民参加型のインスタレーション作品を例にとって（事例1）、その制作途中で「ワークショップにおいて、作家がどこまで参加者の作るものを規定するか」について「考えさせられた」経験をここで語っている。鷲田は、作品の質や量をどの程度までコントロールするかという課題を挙げ、制作に参加して「作る人の満足」という評価基準と展示における「鑑賞者の満足」という評価基準という「この二つの目的の間に作家が立たされることになった」（同：242）と述べている。

鷲田はこうした問題を別の作家において改めて意識させられる。もう一人の作家は、作品と自分の（単独）作品を明確に区別していた（事例2）。ここには前者のケースのような矛盾は生じない。ワークショップに対する二人の作家の二つの態度の違いを通して、鷲田は「参加型の展覧会」というコンセプトの抱える課題を強く意識したという。

参加とファシズムの親和性

鷲田は、「参加を促すアートプロジェクトがファシズムに陥ることをどのように回避するか」（同：243）という問いに立ち戻りながら、改めて「参加」と「ファシズム」の関係性の問題に向き合っている。鷲田は、「ファシズムは、大衆に彼ら自身を表現する機会を与えることが、自分の利益になると考える」というベンヤミンの『複製技術時代の芸術作品』の議論を参照して、そこから「［大衆の］自己認識の欲求」と「所有関係の変革」の可能性の問題を抽出している。一般の人々が「参加」という形で自らを表現する機会を得ることが誰かの所

有の形成や拡大に資することにはならないのか。このことは、アートの文脈で言えば、「参加」によって構成される作品あるいはプロジェクトであってもそれはその作家や主催者の「所有物」にほかならないとすれば、——それが作家の意思（善意や悪意）とは関係がないとしても——「参加」にはどういう意味があるのか、という問いとして再構成されるだろう。鷲田自身は「ファシズム」という一筋縄ではいかない概念に対して慎重に向き合っているが★16、この様態と近親性を持つアートにおける参加の問題を作品（あるいは作品制作）の所有関係の問題として捉える視点はきわめて重要である。

　鷲田は、この議論の後、再びワークショップ（事例1）のその後の展開について語っている。この作品制作を通じて、参加者の関わり方も深まり変化も生じてくる。そこには「善意」で参加する人々の「ボランティア」としての側面や「自己認識の欲求」に拠る「表現者」としての側面といった、時には両立しにくいその多面的な性格も見えるようになってくる。これらの要素をどう理解したらよいのか、またそれらを作家の「思い」とどう折り合いをつけていくか。鷲田は、このように、迷いやその都度の判断を例示しながら、当時彼が向き合っていた問題状況を振り返っている。鷲田は「ベンヤミンの言う「所有関係の変革」とは、アーティストや主催者の名のもとから、大衆へとプロジェクトを解放することを指すのだろう」（同：247）と述べ、「大衆へとプロジェクトを解放すること」つまり「大衆による所有」という主張を正当なものとしながら、それを実現することの困難を一方で強く自覚していることがわかる。

　鷲田は「大衆による所有」ということの意味が「誰のものでもない」という場合はよいが、「誰かの所有」になってしまうことは避けるべき（同：247）と考えるが、ここには難しい問題がある。

アートプロジェクトはコモンズか？—— 参加と相互作用の場

　アートにおける所有権問題と言えば、著作権の問題がある。最近、フリーウェア、オープンソースという考え方を背景に「クリエイティヴ・コモンズ」という概念が提唱されている。著作者が自らの著作物を「クリエイティヴ・コモンズ」と定めればこれを「利用者が改変を含め自由に使える」というものだが、ここに著作者が限定を加えれば、この作品（二次創作）は、やはり同様の「ク

リエイティヴ・コモンズ」として公開しなければならない。この理念に照らして
アートプロジェクトというものをどう考えたらよいのか。先の事例はどうか。鷲
田はこうした判断は「個別のケースによって論じられるべき」（同：248）として、
単純に一般化することを避けつつ、共有物の所有権を主張する人にいかに
対抗するか、意味の囲い込みに対抗する手段はありうるのではないか、とそ
の可能性を示唆している。

　そこで鷲田が強調するのは「相互作用」の重要性である。アートプロジェク
トの目的はワークショップの方法論と切り離せない。異なるもの同士が時と場
を共有し互いの価値観を学び合う。そこに他者理解とコミュニケーション能力
の向上も生じる。

　先に見たように、中野民夫はワークショップの特徴を①参加、②体験、③
相互作用としている（中野 2001：ii）が、鷲田はこれを引き、アートプロジェク
トが優れた相互作用の場となりうることを改めて強調している（鷲田 2009：
249）。

　鷲田は、事例1で（実現はしなかったが）あり得たいくつかの可能性に言及し、
その経験を踏まえてファシズム的な美の追求に陥らないための方策を示して
いる。それは「参加者の組織化」を回避するということであるが、そのために
は「参加の自由」を確保しなくてはならない。参加の自由は二つに分けられる。
一つは、参加していない人が強制されないということ（[特に少数派が多数派に]
強制されない自由）であり、もう一つは参加をいつでも自由に止められるという
こと（退出の自由）である（同：250-251）。

　作業に参加した者同士は無関心ではいられない。しかし、こうして生まれる
「親密圏」は束縛を生む条件にもなる。この自生的な構造には注意が必要で
ある。ここに「ファシズムとアートプロジェクトの「親和性」」の類似があり、「そ
こに魅力が生じると同時に、危険も生じる」ことを鷲田は改めて強調するので
ある（同：252）。また、鷲田は、こうしてアートプロジェクト特有の困難な要素
を抽出することを通して、その危険性をただ避けるのではなくそのことを理解
しながら利用することにアートプロジェクトのリテラシーを学ぶ意義があること
も示している。

　鷲田の議論からは、アートプロジェクトの可能性を考える上で多くの示唆

が得られるように思う。

2. ワークショップの可能性

アート・ワークショップの課題と可能性

　ワークショップと「参加」に関わる議論をもう少し見ておきたい。自身ソーシャリー・エンゲイジド・アートを志向するアーティストの一人である岩井成昭（1963～）は、「アート・ワークショップ」そのものに焦点を当て示唆に富む考察を示している（岩井 2014）。

　岩井は、やはり中野民夫の分類（アート系、まちづくり系、社会変革系、自然・環境系、教育・学習系、精神世界系、統合系）を引照しながら、アート・ワークショップを「相互の交流や創造的精神を優先させる試み」と紹介している。岩井はそこで、こうした「形態」に対する受け止め方の違いに注目して、アート・ワークショップの変遷と現状を検証し、この形式が独自に有する特性と可能性について論じている。

　岩井は、国内におけるアート・ワークショップを①黎明期（1980 年代～1990年代前半）、②展開期（1990 年代後半）、③拡張期（2000 年～2010 年）としてそれらを振り返っている。

　岩井によれば、公立美術館における教育普及活動として始まった日本におけるアート・ワークショップ（黎明期）は、やがて若いアーティストたちの美術館の外での活動として展開し（展開期）、自立した芸術表現としてその可能性を広げている（拡張期）という。

　岩井は、アーティストや学芸員などワークショップの現場の当事者からの聞き取りからワークショップの形成に必要な要素として、（1）成果物よりもプロセスを重視すること、（2）相互交換を重視し、フラットな関係性をつくること、（3）柔軟性のあるガイドラインをもつこと、という 3 点を抽出している（同：53）。そこではこの理念を具現化したものとして藤浩志の「かえっこ」（2000～）や特定非営利活動法人「芸術家と子どもたち」（2001 年発足）のワークショップ型の活動が挙げられている。岩井は、これらの活動を高く評価した上で、近年の現場を離れワークショップが「メソッドとしてパッケージ化する方向性」に批判的な眼差しを向けている。特に子どもたちなどの参加者が「能動的に

働きかけるという大前提さえ奪われているように思えてならない」と（一部の）現状に違和感と懸念を示している。

　また、岩井は、著名アーティストのアートプロジェクトが、「プロセスの重視」を謳いながら、そのカリスマ性ゆえに作家と参加者の間に一種の依存関係や従属関係が生まれ、結果的に「成果物が最重要視され」ることの問題を指摘し、「ワークショップのユニークな理念」と不整合な状況が生じる可能性に懸念を示している。ここには、制作過程における従属関係に対する批判的視点という点で鷲田の議論と通底するものがある。

　一般に、アートプロジェクトには「成果物」としての高い質が求められる以上、そのことが他のことに優先される傾向があることは否定できない。そこで参加の過程にある種の負荷がかかることはないのか。

　岩井は、このようにアート・ワークショップの理念を充足させることの困難を見据えてはいるが、もちろんその可能性を否定してはいない。岩井はアート・ワークショップの持つ柔軟性が「異ジャンルの共存に対しても高い汎用性をみせてくれるだろう」とその可能性に期待を示し、「美術や演劇のワークショップが有する「構築性」と、音楽や身体表現のワークショップに顕著な「即興性」という矛盾をはらんだ要素を、ひとつのアート・ワークショップの中で効果的に共存させる」（同：57）ことにこの形式の魅力があることを認めている。

　構築性と即興性という両立困難な要素をいかに統合的に実現するか。そこにアート・ワークショップという手法の醍醐味があることは確かだろう。

ワークショップのこれから

　アートにおける「参加」はポジティヴに取り上げられることが多いが、その一方でいささか安易に語られる傾向があることも否めない。それはどんな意味で「参加」と言えるのか。またそれは何によって保障されるのか。その実質性を問わずに単に「参加」を語ることは、アートプロジェクトの存在理由に抵触することにもなるだろう。

　ワークショップ形式のアートプロジェクトにおける方法論の硬直化と参加者の従属的関係の固定化は、そこに関与する者の間の相互作用や創発性というその最良の部分を損なう可能性を孕んでいる。「仕組まれた参加」や誘導さ

れた「自発性」など、この形式の背後にある種の欺瞞が隠れていることもある。そこは、「地域アート」批判にもつながる、リレーショナル・アート批判と相通じる要点でもある★17。こうした点はしっかり見定めておく必要がある。

　しかしまた、ワークショップという形式の難点を自覚することがその最良の部分を生かすための必須の条件であることをこれらの議論から学ぶことができる。ワークショップという形式は、数々の実践を重ねる中で、参加とは何かという本質的な論点を再認させ、そのことを通じてより質の高いコミュニケーションや表現を実現する契機をわれわれに与えているように思われる。

3.「参加」型アートのゆくえ
——ソーシャリー・エンゲイジド・アートの可能性

社会関与するアート

　「参加型アート」「ソーシャル・プラクティス」など呼称はさまざまだが、「参加」や「実践」を強く意識したアート表現が近年勢いを増している。なかでも「ソーシャリー・エンゲイジド・アート」（Socially Engaged Art）（社会関与型アート）は高い関心を集めている。

　パブリックアートの研究（工藤 2008）で知られる工藤安代は、「1990年代以降、芸術界の枠を離れて社会と実質的な関わりを求め、人びとと協働形式で社会的課題に取り組もうとする芸術表現が増加している」（工藤 2015：39）として2000年以降のその潮流の世界的な広がりを踏まえ、これについて次のように紹介している。

　「その活動特色は、作品がアーティスト個人の手でつくられるのではなく、参加、対話、行為を通して、共同で制作されることである。地域コミュニティ、都市デザイン、福祉、環境まで実に幅広い範囲を活動対象とし、多様な表現メディアを使用している。作品よりもそのプロセスに重きを置き、現代社会が抱える多様な問題に対して、参加者との対話や関係性を構築しつつアプローチしていく」（同：39）。

　この動向はさまざまな呼称で言及されたが、やがて「ソーシャリー・エンゲイジド・アート」と呼ばれ、それが90年代に定着することになる。工藤は、一方で日本の動向に言及し、「日本においても2000年以降、地域や社会と積極

的に関わる芸術活動が、主に地方都市や農山漁村地域などで増加」し、それらが「アートプロジェクト」と包括的に呼ばれる傾向があることに触れた上で、後者の語の曖昧さを指摘するとともに、「特定の表現形式として定義する」ためにも「美術史上の位置づけ」やこれに関する議論の必要性を強調している（同：39）。

多層的な参加の構造

「ソーシャリー・エンゲイジド・アート」（以下 SEA）をめぐる議論は近年盛んだが、呼称や概念など理論的、美術史的位置づけに関してはなお錯綜した状態が続いているようにも見える。総称的に「ソーシャル・プラクティス」という呼称も提案されているが★18、「アート」という言葉を欠いた呼称がアートとしてどのように認識されるのかという幾分奇妙な状況もある。

ここではそうした議論にはあまり立ち入らず★19、主唱者パブロ・エルゲラの提示する「多層的な参加の構造」の議論に限定して検討しておきたい（エルゲラ 2015）。

エルゲラは「SEA プロジェクトの存在にはコミュニティが不可欠であるだけでなく、プロジェクトがコミュニティ構築の装置となっている」（同：43）ことを認め、「参加」の問題をこのコミュニティとの関連で論じている。

「参加」、「関与」、「協働」等意味的に近接し類似した言葉の間に共通の一致した見解を求めることは困難である。「参加」は最も包括的な概念だが、これをめぐってエルゲラは、一定の整理を試みている。

そもそも「すべての芸術は見物人（スペクテーター）の存在を必要とするので参加型と言ってよい」（同：49）が、エルゲラは、これを「多層的な参加の構造」として捉え、アントニオ・ムンタダス（1942〜）やオノ・ヨーコ（1933〜）らの具体的な作品の事例を挙げながら、「参加」のレベル（層）をその形態、関わり方（様態）、時間枠期間等の観点から区別し、「名目的な参加」「指図された参加」「創造的な参加」「協働の参加」の4つに分類して示している（同：49-54）。ここでは便宜的に表にして示す（図表4-3参照）。

参加する主体＝来訪者／鑑賞者は、作品とさまざまな関わり方をするし、またその時間もさまざまである。これらの参加者は、受動的な形から、作品作り

に部分的に貢献したり、作家の設定内でその内容を提供したり、作家と共に協働的に作品を制作し責任を共に負うこともある。この議論は、先に見た山崎亮の「参加型アートの三形態」(図表4-1)やアーンスタインの「住民参加の梯子」(図表4-2)の図式と比較対照して見ると興味深い。参加のレベル(層)は、「深度」と言い換えても通用する。エルゲラの図式は山崎の示した図式と近親性があることが見て取れる。どちらが先かということとは別に、両者の間には共通した論理があることを認めることができる。もちろん、これら図式はあくまで理念・モデルであり、実際には「作品」あるいは「ソーシャルプラクティス」そのものに即して議論されるべきものだろう。

　エルゲラは、こうした問題と関連してソーシャルメディアなどのヴァーチャルなメディアにおける参加の問題、そしてアートを受容・享受する潜在的／顕在的存在としてのオーディエンスについても言及しているが(同：55-65)、これらは今日の多様化・複雑化するメディア状況を考えると極めて興味深い論点ではある。「参加」とその関与者としての「オーディエンス」の問題は、その水準と次元の問題など、今後も議論を深めていく必要があるだろう。ここでは論点と課題を挙げておくにとどめたい。

「参加」と民主主義の模索

　SEAは、その理念も重要だが、現実態 (実践) についてこそ語られるべきだろう。また、その理解も多様であり、何をSEAとカテゴライズするか、誰を「SEAアーティスト」と規定するかという問題は困難というほかないし、実際

図表4-3 エルゲラのアートにおける参加の4形態

参加の形態	参加の様態	参加の時間枠
1、名目的な参加	来訪者／鑑賞者は、受動的で孤立した形で作品に向き合う	大抵は一度きりの出会いで終わる
2、指図された参加	来訪者／鑑賞者は、作品作りに貢献するためシンプルな課題をこなす	同上
3、創造的な参加	来訪者／鑑賞者は、アーティストが設定した構成に基づき作品のコンテンツを提供する	より長期間にわたって展開する傾向がある (一日から数か月、数年)
4、協働の参加	来訪者／鑑賞者は、アーティストとコラボレーションや直接対話を通じて作品の構成やコンテンツを展開させる責任を共有する	同上

＊エルゲラ, パブロ (2015)『ソーシャリー・エンゲイジド・アート入門』(フィルムアート社) より筆者作成 (pp.50-51)

そこに拘泥することにはあまり意味があるとも思えない。そのことはSEAに関心を持つアーティストや関係者自身が自覚しているように見える。

　国家と市民、演劇と社会、差別、人口減少・少子高齢化等々さまざまな主題と方法論を掲げ試行錯誤する、清水美帆、高山明、藤井光、岩井成昭他による考察と実践の報告はこのことをわれわれに教えてくれる（アート＆ソサイエティ研究センターSEA研究会 2019）。

　とはいえ、これらのアーティストがエルゲラの理念や理論をどれだけ意識しているか、SEAに対する関心の強弱は別にして、いずれも参加や相互行為（インタラクション）あるいは介入（インターベンション）という社会的過程に関わる要素をその実践の中に抱えていることが同報告集から読み取れる[20]。

　また、彼ら彼女らの実践は、対象や主題、方法論はさまざまだが、いずれも「コミュニティ」――それは、具体的な地域社会だけでなく社会における「共同体的なもの」あるいは抽象化された〈社会〉でもある――を意識し、あるいは暗に前提にしていることも読み取ることができる。このことは、「市民社会的関心」と言い換えることができるかもしれない。今日のアートが――そのすべてではないにしても――より良い地域や社会を目指し諸々の課題に目を向けているという現実はこのことを端的に示している。またこうした関心は、究極的には（社会的論理としては）社会参加と民主主義の問題につながっていることも改めて指摘しておきたい。鷲田めるろの議論でも見たように、目に見える「政治」だけが〈政治〉なのではない。日常性やコミュニティの中にも関係性の力学としての〈政治〉はあり、それは参加や協働という普通の人間同士の間の相互作用の中にあると考えることができる。今日のアートはそうしたことを露わにしたり気づかせたりするという作用も持っている。

　「アートと社会」という抽象的で漠然とした問題設定は、作品や実践という具体性の中で意味の重さを持つようになる。SEAが存在感を増すことでこうした問題枠組みはより鮮明になってきている。このことは、アート／アーティストにとって〈社会〉とは何なのかがその作品と実践において問われているということでもあるだろう。

註：

★1 「地域／コミュニティのアート」という素朴な意味で自覚的にその呼称の下で展開されている事例も少なくない（第2章参照）が、1960年代後半に英国に現れ70年代にカウンターカルチャー的な存在として展開した「コミュニティ・アート運動」については以下参照。ビショップ 2016：255-296。なお、本稿ではそれぞれ引用元の表記に従って「コミュニティデザイン」「コミュニティ・アート」とする。

★2 最近では、企業の経営戦略においても「CSR（corporate social responsibility；企業の社会的責任）からCSVへの転換」が唱えられているという（電通美術回路 2019：107）。

★3 「オープンデザイン」は、「参加」と「共創」と切り離せないコンセプトだが、既にさまざまな実践例があり、プロダクトデザインの分野だけでなくより広い分野にわたる展開の可能性が期待されている（アベル他 2013）。

★4 山崎は「ファインアートから参加型アートへ」という潮流を日本の産業構造の「ものづくりからことづくりへ」のシフトと重ねて見てもいる（山崎 2016：298）。

★5 1995年は「ボランティア元年」とも言われたが、それはある程度の広がりはあったにしても、どちらかというとある時期までは西日本の圏域に限られる傾向（西高東低！）があったことは否めない。東日本、特に東北においてはやはり東日本大震災・原子力発電所事故（2011年）の影響は大きい。

★6 「かえっこ」については以下の公式サイト参照。https://kaekko.exblog.jp/7566607/

★7 野中祐美子は大手ファーストフードのおまけのおもちゃを要素として造型されたインスタレーション作品《Happy Paradies》について、藤の代表作「かえっこ」とその活動のシステムとしての表現kaekkoの解析を通じて読み解いている（野中 2017）。野中はそこでKaekkoという実践について二つの特徴を挙げている。「一つは、地域社会や子供たちと藤が関わりをもつということ。もう一つは、OS（オペレーティング・システム）だけが配布され、さまざまな活動（アプリケーション）が発生するというプロジェクトであること。そしてこの一連のプロジェクトの中には当然アートピース（芸術作品）と呼ばれるものは存在せず、このプロジェクトの作品性は、OSとして提案された、モノでもコトでもない「仕組み」そのものを美術作品としていることにある」（同：94）。

★8 山崎は、ここでは直接「ソーシャリー・エンゲイジド・アート」に言及していないが、その主唱者パブロ・エルゲラが示している「多層的な参加の構造」についての議論がこの問題を考える上で参考になる（後述）。

★9 山崎は、以前からあったアートマネジメントの概念が、90年代以降それまでの商業的な役割から市民活動の企業支援の文脈でも重視されるようになり美術系の大学でも講座が開かれるようになっていることを指摘している（山崎 2016：283）。

★10 ここでは「形式的参加」および「実質的参加」とあるが、原著ではそれぞれ Degrees of tokenism、Degrees of citizen power という表現である（図表4-4参照）。各々「表面的な参加に留まる段階」、「市民権力（市民の力）が発揮されている段階」と理解できる（Arnstein 1969：217）。アーンスタインの住民参加の議論については、以下も参照。阿部他 1999：

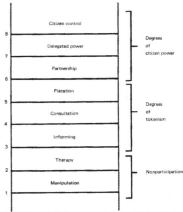

FIGURE 2 *Eight Rungs on a Ladder of Citizen Partici-pation*

図表4-4 アーンスタインの住民参加の梯子
Arnstein, Sherry, R (1969) "A Ladder of Citizen Participation" *Journal of the American Planning Association*：p.217

206。こちらの訳語では、①操作 ②治療 ③情報提供 ④協議 ⑤懐柔 ⑥提携 ⑦権限委任 ⑧自主管理となっている（こちらでは上位段階 3）の「実質的参加」は「市民権力」）。上野幸子もまたコミュニティデザインに関してこの図式を参照している（上野 2018）。

★11 山崎は以下でもコミュニティデザインと参加型アートの相同性について言及している。「参加型アートの自発性と共犯性」（十和田市現代美術館 2020：152-156）。また、コミュニティデザインについては、これと通底する動向として、「地域総合プランナー」や「コミュニティ・アーキテクト」といった総合的、クロスオーバー的な視点や発想を重視しようという動きがある（広井 2011：135-137）。

★12 ビショップは「アーンスタインの梯子」と明示はしていないが、市民参加のあり方についての指標としてこの図式を示している。

★13 山崎はワークショップという形式の誕生の経緯とそれが日本において「まちづくり」という発想と運動の誕生と軌を一にしていることを指摘し、それと同時に、この手法が硬直化していくことの陥穽についても述べている（山崎 2016：69-99）

★14 鷲田清一は、やはり最近急速に拡大しているワークショップという「共同作業をつうじての対話の試み」とそこにおけるアーティストの深い関与に関心を寄せ、アートとノン・アート（非アート）の境界（の不分明化）の問題について考察している（鷲田 2016：151-176）。

★15 川口らは、現代社会における「展示」の意味と「展示」の場としてのミュージアム（博物館/美術館）のあり方を問うている（川口 2009）。

★16 鷲田めるろはスーザン・ソンタグの「ファシスト美学」に言及し、「ファシスト美学が「悪」というレッテルを貼って隔離できてしまうようなものではなく、善悪を決められないような、より深い人間の心性に根ざしたものであり、だからこそ、慎重に扱わなければならないと考えている」（鷲田 2009：245）として、ファシズムの複雑性の看過とそのことによる思考停止への警戒を促している。

★17 藤田直哉と星野太は「地域アート」隆盛の背後にはアーティストらの「関係性の美学」（N. ブリオー）への強い関心が見られることを指摘し、理念の理解が不十分なまま多くのアートプロジェクトが生まれている状況に疑問を呈している。「コミュニケーション」が生まれていること（地域の人々と「つながる」ことや「一緒にやること」）に短絡的に結びつけられたいわば欺瞞的な「リレーショナル・アート」は藤田らの「地域アート」批判の論点の一つである（藤田，星野 2016）。

★18 星野太は「「対話」「参加」「協働」「コミュニティ」といった、社会的な含みをもつさまざまな形容を伴った「アート」の台頭」に注目し、「論者によって「参加型芸術（participatory art）」や「対話型芸術（dialogical art）」といったさまざまな名称で呼ばれる」ものを「もっとも包括的な名称として、さしあたり「ソーシャル・プラクティス」という名称を採用する」（星野 2018：122）としている。註19参照。

★19 確認のため、ソーシャリー・エンゲイジド・アート（SEA）の概要を主導者であるP・エルゲラに従いつつ筆者なりにごく簡単に示しておきたい。エルゲラによれば、アメリカにおけるそれは「ハプニング」やフェミニズム理論、教育学等々の中から先駆的事例が生まれた1960年代に起源を持つ。今日では「ソーシャル・プラクティス」と呼ばれることも多く、その理論化の過程は急速に進んでいるがそれぞれ実現させる手法についてはなお「月並みな議論しか行われていない」という（エルゲラ 2015：14）。エルゲラ自身は、ブリオーの「関係性の美学」への疑問も示しており、SEAの動向をブリオーの議論に回収してよいのかという点については保留しておきたい。また、エルゲラのキャリアと基本的な姿勢についても注意したい。彼は「教育と芸術のプロセスの類似」への関心からこの実践を始めており、この教育学の視点は極めて重要なポイントである。さまざまな教育実践の試みは「プロセス重視の協働型アート・プラクティス」にも理想的な枠組みを提供している（同：15）。一方で、エルゲラは、「ソーシャル・プラクティス」という語が誤解を招く可能性があるが、あくまで作品制作つまりアートとの関連性に重きがあることを強調している。「ソーシャリー・エンゲイジド・アートは、芸術として認められながらも、社会学、政治学など関連する分野との間に位置している。そして、居心地の悪いポジションこそソーシャリー・エンゲイジド・アートがまさに位置すべき場所なのである」（同：33）という記述は特に重要だろう。エルゲラはこの中心にあるのは「社会的相互行為」

だとしている（同：38）。

★20 同報告書の制作者は、元となったラウンドトークを企画した立場から「SEAにはさまざまな理解があり、自らの活動をSEAと認識していないアーティストもいます。私たちは、このトーク・シリーズに招聘したアーティストの方々を「SEAアーティスト」とカテゴライズしているのではありません」（アート&ソサイエティ研究センター SEA研究会 2019：3）としている。

同書に収められた実践事例の一つを簡単に紹介したい。岩井成昭は、全国的に見て極めて高水準の人口減少・過疎、少子高齢化という厳しい状況にある秋田を「課題先進地域」という呼称を逆手に取って「辺境芸術」という形で主題化し、組織的なアートプロジェクトを展開した。その一つ《人口減少×アート》（2015）はNHK秋田放送局と共同で進められたが、岩井はリサーチを重ね、統廃合で閉校した県内の小中学校に残されたトロフィーやカップを収集しそれを巨大なオブジェクトとして構成した『喝采の記憶』、県内各地の産婦人科やクリニックを訪れ出産予定の女性たちへのインタビューを通して新生児の命名に込めた人々の思いを形象化した『未来への命名』の2作品を制作している（岩井 2019）。同プロジェクトは、作品の制作過程で多くの人々を巻き込みローカルメディアと連携するなど、アートの「社会化」に関して極めて意識的である点でも興味深い。この過程を追った、作品の「メイキング」（メタ視点による記述）とでもいうべき番組『人口減少×アート〜過去・未来の輝き〜』（NHK秋田放送局（25分）2015年12月4日放映）も制作されており、社会関係の構築の過程そのものも作品の一部となっている。「コミュニティに向き合うアート」の一つの形がここに見られる。岩井はまた、移民や移住あるいは多国籍化を主題にして地域を焦点化したアート活動も続けている。東京都足立区などを拠点に、アートを通じて、日本に暮らす在留外国人と出会うきっかけづくりを企図した「イミグレーション・ミュージアム・東京（IMM東京）」の約10年にわたる活動はその一つである（岩井 2021）。

写真4-6
『喝采の記憶』（奥）：「廃校」に残された栄光の記録
『未来への命名』（手前）：生まれてくる子どもの名に何を託すか
NHK秋田放送局ロビー（2015）

第 5 章

地域社会と文化資源のゆくえ
—文化と経済の間

はじめに

　産業構造の高度化（脱工業化および情報・サービス産業化）を既に達成し、消費化・情報化を一定程度実現してそれなりの文化的成熟を迎えているわれわれの社会においては、文化と経済の関係も大きく変わりつつある。本章では、こうした文化と経済の「間」の問題について考えてみたい。

　文化芸術、特にアートプロジェクトのような新しい形態に「まちおこし」や「商店街再生」「人流創出」などのいわゆる「地域活性化」を期待する動きが各地で見られるようになっている。この背景には、地域において文化芸術を一つの（特に価値創造の）「資源」と見る見方の広がりがある。その影響に濃淡はあるものの、こうした「創造経済」の視点は、今世紀に入って確実に強まっていると言ってよいだろう[*1]。

　近年のアートプロジェクトの隆盛はそれとして、当然ながら文化芸術はそうした現代的なものに限定されるわけではない。少し視野を広げ、従来の保守的・伝統的なイメージで捉えられてきた文物も含め大きな意味での文化芸術と地域との関係について考えてみることにしたい。

　本章では、まず筆者が体験した文化財調査（円空仏調査）を振り返ることを通して、文化財の地域資源化の可能性について考察する。地域における文化資源の意味について事例を通して検討したい。次いで、改めて文化を資源として捉えることの意味について考察すると共に、近年進行している「文化芸術の経済化」の動向に目を向け、その可能性と課題について考えてみたい。

第1節　地域資源としての文化財
——秋田の円空仏をめぐって

　江戸時代の遊行僧円空（1632～95）は、全国をめぐり各地に「円空仏」と呼ばれる質朴な木造仏を数多く残した。円空は、これまで一部の同好の士や美術関係者の間では強く愛好される存在ではあったものの、専門研究者やア

カデミズムにおいては特別高い評価を得てきたわけではない。民間在野の研究家の成果が徐々に知られるようになり、何度かのブームを経て認知度も上がってきた。最近は専門家が言及する機会も多くなってきている。近年、さまざまな視点から円空と円空仏に対する一般的な関心も高まっており、作品が残された地域でも改めてその価値と意義に視線が向けられるようになっている。

　2016年夏、一美術史研究者による円空仏調査が行われ、秋田に居住する筆者は縁あってこれに関わる機会を持った。この経験は筆者にとって、文化的資源としての文化財に目を向け、文化と地域社会の関係性について改めて考える機会ともなった。

　円空の造像の旅は、それ自体が一つの「行」——ぎょう——宗教行為であると同時に、現代的な視点で見れば、訪れた場所で「作品」を制作しそこに残していくという「滞在制作」にも似た芸術行為のようにも見えてくる。従来とは異なる視点で、これを捉えることでどんなことが見えてくるだろうか。本節では、調査を振り返りながら、円空と円空仏をめぐる状況を通して、地域社会と文化資源の可能性について考えてみたい[2]。

1. 円空と円空仏

円空への関心——「ブーム」から認知される存在へ

　円空は生涯に12万の造仏を発願したというが、その実作総数はなお未確認で、彼の出生地美濃国（現在の岐阜県）周辺を中心に、今日まで5,300体余が確認されている（長谷川 2012）[3]。身長2メートルを超える像から極小のミニチュアのような像までその形態もさまざまで造型スタイルもきわめて多様である。

　円空については、没後、伴蒿蹊『近世畸人伝』(1790刊)(伴 2005)で中江藤樹、貝原益軒、池大雅ら錚々たる面々と共に取り上げられるなど、以前からその存在と功績を知られる人ではあったものの、謎めいた部分も多く、必ずしも時代を超えて一貫した評価を得てきたわけではない。明治以降で言えば、特に橋本平八、柳宗悦らの言及と評価に目が留まるが、1960年代に入る頃の土屋常義の著書（土屋 1960）に端を発する最初の「円空ブーム」が多くの人に知られる一つの契機になった[4]。その後も円空に焦点を当てたドラマの

制作（1988年放映『円空』（NHK、脚本早坂暁））などを機に度々注目が集まるようになった。残された1,600首の歌から歌詠みとしても知られるようになり、近年、円空仏の鑿跡も残る大胆質朴かつ抽象的とも言える造形、その特徴である「微笑み」の魅力はもちろん、円空自身の波乱に富んだ人生と思想といった多面的な要素に惹かれる人々はさらに増えている。円空はその作品と共に、現在では、同じく後年の遊行僧・仏師である木喰（1718～1810）と並んで根強い人気を集めていると言ってよいだろう★5。全国規模の「円空展」も数年おきに開催されており★6、社会的な浸透度も増している。最近も、出版、放送等メディアでも取り上げられることが増え、2009年にはやはりNHKで特集番組『円空』が制作放映され、また人気漫画家井上雄彦の影響もあってか（井上 2015）、若い世代にも関心が広がっている。一方、円空研究に関しては、円空学会が1971（昭和46）年に設立されており（現在会員は約170名（2019年1月現在）＊同学会HPによる）、専門の枠を超えた研究活動も盛んである。

　「美術」的な評価という点で見ると事情は多少複雑である★7。円空仏は、初期と後期で大きな様式の変化はあるが、その極めて「個性的な」造形から、奈良・平安期や鎌倉期の「洗練された」仏像を美の規範と考える人々からある時期までは評価の対象となることも少なかった。そうした中、時代を超え現代芸術の美学にも通じる円空仏の美術的／美術史的意義を高く評価する動きが生まれている。

　美術史家野村幸弘（岐阜大学教授・イタリア美術史）は、時代を超えグローバルな視点で円空を評価するべきだと主張している。野村は「今から50年ほど前に、当時、岐阜大学教授であった土屋常義が、円空仏の芸術性を「発見」して以来、円空学会が精力的な調査・研究活動を開始し、地元の郷土史家だけでなく、円空に関心をよせる歴史家、宗教史家、民俗史家、芸術家らが今なお多数いて、円空仏を愛好する人々もあとをたたない」とした上で、仏教思想や修験道との関わりで見られることが多かった円空を「世界の美術史、彫刻史の中に」置いてその「美術的意義」を評価することについては「ここ50年のことで、ずいぶん遅かった」と指摘している。また、「こうして世界の美術、彫刻史のなかにおいてみると、円空がリアリズム以後の新たな表現をいち早く世界に先駆けて生み出していたという事実をわれわれはもっと強

調しなければならないと思う」と述べ、円空仏をピカソやブランクーシ、ジャコメッティら現代アートの造形と対照化するなどして新しい視点で評価する意義と必要性を強調している（野村 2012）。

円空仏が1,600余確認されている円空の出生地岐阜では、こうした動向を踏まえ、行政も地域の文化資源としてこれを評価して、地域振興に結びつける取り組みを進めている。岐阜県では「円空大賞」を創設し（1999年制定。ほぼ隔年で「円空を彷彿とさせる芸術家」を表彰）★8、その意義と知名度のアピールに努めている。また、円空終焉の地とされる同県関市では、円空の博物館「円空館」（2003年開館）を作り、展示や冊子発行などを通じて、円空の存在とその精神を広く海外へ発信する試みを続けている（関市，関市教育委員会 2002）。

円空仏調査とその概要

美術史的観点から円空仏を高く評価する野村は、現代的かつグローバルな視点での研究を企図し（野村 2015；野村 2016）、円空仏造型の様式の変化を辿り、国内外の研究者の利用と研究発展を目的とした円空仏の作品データベースを作成する全国調査プロジェクトを進めている（2020年3月末）★9。縁があって、筆者はこの調査（以下「円空仏調査」）の一部（秋田における調査）に関わることになり、これを通じて地域文化と文化資源について多くのことを学ぶ機会を得た。ひとまず、この調査の概要を紹介することにしたい。

円空は出生地から遠く離れた東北、北海道にも足を運び、秋田（当時の出羽国）にも1年ほど滞在して仏像を残した。秋田ではこれまで12の円空仏が確認されている（2015年2月現在）（小島 2015）。

既に一定程度の知見がある岐阜周辺は別にして、秋田県は今回の全国調査の最初の対象地となった。北東北（秋田・青森）および北海道エリアは、円空が30歳代半ばに訪れたと考えられ、初期作品が多数残されていることが知られている。この調査によって、円空の巡歴の行程とその間の作品様式の変化について何らかの知見が得られることが期待された（野村 2017）★10。

この秋田県での調査は、大仙市、由利本荘市、秋田市、男鹿市、能代市などの12か所を対象地としてまず2016年8月下旬行われた★11。詳細は割愛す

写真5-1 円空仏撮影の様子 大泉寺（由利本荘市）にて

るが、この調査を通じて、十一面観音（立像）および観音、薬師如来、阿弥陀如来（いずれも坐像）全11体の確認および撮影が行われた。同調査については、地元紙でも報道され、地域における「秋田の円空仏」についての関心を一定程度呼び起こすこととなった★12。筆者はこの県内調査に同行し、各所の円空仏を確認すると共にその所在・管理の状況についてもある程度知ることができた。

　本節では、以下、美術的／美術史的な研究内容には特に立ち入らず、円空仏と地域社会という論点に重きを置いて論述することにしたい。

2. 秋田の円空仏

秋田における円空仏研究

　専門家に限らず円空と円空仏に関心を持つ人は多く、全国的に愛好家、在野の研究者も少なくない。秋田でも、郷土史研究者、文化財保護行政の関係者らによる資料収集や調査等を通して県内外で研究交流も行われていた。そうした研究の蓄積もあり、当地における円空仏の確認も少しずつ進んできた。秋田県文化財保護協会の発行誌を中心に知見の積み重ねの過程を辿ることができる（藤田 1971；藤田 1972；藤田 1984；藤田 1992）。

　秋田の円空仏については2010年に市井の研究者によって長年の調査研究の成果が『秋田と円空仏』という冊子にまとめられており、その後確認された情報を元に改訂版も出されている（鷺谷 2014）。こうした資料は、今回の調査においても概要把握に大いに役立った。当然ながら、こうした地元研究者の貢献を見逃すことはできない。円空に関して鑑識眼を備え、鑑定までできる専門家は地方にはそうはいないが、それぞれの地域で円空に関心を持つ人々が権威ある専門家とつながることで確認が進み、知見が積み重ねられて

きたことも事実である。秋田においても、こうした経緯で2010年に県内12体目の円空仏が専門家（円空学会理事）によって確認されている（永木2010）。その後もこうした確認作業は続いている（「完成度高い初期像」『秋田魁新報』2013年5月13日）。

　円空についてはまだわからないことが数多くある。その足取りについても、円空35歳の時1666（寛文6）年に蝦夷地（北海道）に渡ったことが文献史料から確認されており（小島2015）、秋田に滞在したのもこの前後であると推測されている（藤田秀司は1668（寛文8）年と推測している（藤田1992））。円空が秋田・青森・北海道をめぐったことは確かでも、その行程や造像の状況などの詳細はなお諸論がある。

　2015年2月現在、円空仏は北海道で51、青森県で18、秋田県で12確認されており（山形県・宮城県は各1）、東北では青森と秋田に集中している（小島2015）。県内で未確認の円空仏が新たに発見されることも期待されているが、円空の足取りの解明についても当該地域の人々が果たす役割は大きいだろう。

　円空同様、全国各地をめぐり多くの紀行や素描を書き記しながら、秋田で後半生を過ごしその生を終えた江戸後期の旅行家・博物学者の菅江真澄（1754〜1829）は、円空に強い関心を持っていたことが知られている（菅江1966；田口1998）★13。菅江は、1788（天明8）年蝦夷地松前に渡り、4年あまり松前城下に滞在して、その間円空仏を訪ね歩いている。菅江は、秋田だけでなく北海道、青森と多数の円空仏を見て歩いたが、確かな目を備えていたと考えられる彼の記録は貴重である。菅江の記録によって円空の行跡が確認されてもいるが（藤田1971；藤田1992）、秋田に両者をつなぐ縁があることは興味深い。こうした手がかりにさらに新発見が重なれば、先述した円空の足取りについての議論に新たな展開が見られる可能性がある。実際、この調査を元に新しい見解（「東北における円空の初制作地は青森ではなく秋田ではないか」）が示され（野村2019）、研究者らの関心を呼んでいる★14。

地域における円空仏の状況

　調査で訪問した地域における円空仏の状況について見ておきたい。

秋田県内で確認されている円空仏12体のうち8体は寺・神社に、3体は資料館等の文化施設に、1体は私邸に所蔵されている。訪問した11か所の状況はさまざまである。当然ながら、円空仏はまずもって「仏」の像であり、宗教的な特別の存在である。いくつかは寺や神社で定位置に置かれ、信仰・拝観の対象とされてきた。「御本尊」として、あるいは神社に所蔵されているものは「御神体」として普段は目にできないものもある。ある神社に安置されていた像は、訪問がたまたま年1回の祭祀の時期の公開日に当たったため対面することができた。とはいえ、撮影は可能でも「御神体」である以上、画像の一般公開は認められないということだった。この一方で、個人宅に保蔵され、身近な「お宝」として親しく開放的に多くの人の目に触れられてきたものもある。

　円空仏がその土地に存在する経緯もさまざまである。像そのものの大きさによるところ（移動の困難あるいは容易さ）もあるが、円空がその地に滞在しそこで制作されたものもあれば、地域の外から流入したものもある。それらの経緯や由来も明らかであるとは限らない。中には骨董市でたまたま目に留まり、それと知らずに買い求めた後に専門家の確認によって円空仏と分かったという例もある（藤田 1972；鷲谷 2014）。

　小さい像では、ベニガラが塗られたり、顔かたちに鑿を入れるなどの加工が施され、改変されているものも何点かあった。これは多くの場合、悪戯の類の悪意というよりも、仏像美の「規範」からすれば独特で一見稚拙に見える円空仏の造形を「良くしてやろう」という「善意」によるものという。それなりに知識のある者が仏師に「修正」を依頼したり、あるいは自ら手を加えたことによると推察される（野村談）。このように、現存する円空仏には、所蔵者との「関係性」の履歴も刻み込まれている。

地域の人々の関心
　一方、地域の人々は円空仏に対してどの程度関心を持っているのか。地域により実情は異なっている。もちろん像がそこに存在する経緯はさまざまであり事情は単純ではないが、比較的大きな立像で古くからそこにあり、由来もある程度明確なもの（市や県の文化財指定を受けているものなど）はやはり地元の人にもよく知られ愛着も持たれているという印象を受ける（十一面観音像（男

鹿市・赤神神社))。これに対し、小さな円空仏は、移動履歴があるなど必ずしも当地に長くとどまったわけではないという背景もあるのか、所有者や教育委員会などの関係者に話を聞く限り、その存在もほとんど知られておらず、多くの地域住民は関心を持つことすらないという状況のようである。私有された「お宝」の性格が強いものはやはり知られにくい（このことは知られることで盗難の可能性が高まることに対する警戒ということもあるだろう）。また、像の存在が比較的知られている地域でも、若い世代から関心を向けられることは少なくなっているようだ。

　調査を終え改めて振り返ってみて、興味深かったのは、教育委員会関係者ら文化財保護の現場の担当者の受け止めである。何人かから今回の調査協力を通じて、これまでと違った視点で地元の文化財を見ることで「刺激を受けた」「勉強になった」という感想を聞くことができた（由利本荘市、男鹿市の文化行政の関係者など）。円空仏と常に共にある住職や宮司のような直接的な関係者（所有・管理者）と日頃の接し方も異なる、いわば間接的な関与者たらざるをえない立場のせいかもしれないが、普段実物を目にする機会が意外に少ない教育文化関係者も、調査に立ち会う中で改めて円空仏そのものだけでなく文化財について、その意味や価値に気付き再確認する機会となったようだ。

文化財の保存・管理の問題

　秋田の円空仏は12点とはいえ、全国規模の円空展に何度も出品されたものも何点かあり、既にその所在地などの関係情報等についても知られている。円空仏を見たいと全国からファンが訪れている。それほど頻繁ではないにしても、中には首都圏からツアーのような形でバスで現地に乗り付けてきた例もあるという（大仙市）。

　赤神神社（男鹿市）は、一木造りで前期円空作の中でも評価の高い十一面観音立像（県指定重要文化財）を所蔵している。秋田で最もよく知られる円空仏の一つで、年1回の一般公開を心待ちにしている人も多く、毎年県内外から多くの参拝客が訪れている[15]。

　一方で、円空仏調査は、筆者にとって文化財保護をめぐる厳しい状況を知る機会ともなった。

写真5-2（左）赤神神社（男鹿市）十一面観音像
写真5-3（右）同像拡大

写真5-4　宗福寺（大館市）
十一面観音像
（以上3点、写真提供：野村幸弘）

　赤神神社の本山高道宮司からは、円空仏のことだけではなく、これが納められている五社堂（国指定重要文化財）・内厨子（同）という歴史ある建造物★16とその広大な環境全体の維持管理の困難な状況についても調査時と事後に話を聞くことができた。

　円空仏は五社堂の客人権現堂に安置されている。秋田県の文化財指定を受けているとはいえ、行政上の一定の支援がある大規模な改修事業は別にして、通常の施設・環境の維持管理に関しては公的な財政的支援に頼ることができない。神社を支える地域の氏子も少子高齢化の進展によって縮小し、祭事日常業務全般に厳しさが増しているという。円空仏のような文化財そのものへの関心はあっても、保存環境やそれを運営維持していくことの困難についてはマスコミをはじめ一般市民にあまり理解されてはいない。その言葉から、宮司の無念さがうかがわれた。文化財、文化遺産を護っていくことの難しさや厳しさはもっと知られる必要がある。地域における文化財の保存・活用については、後述するように国の動きはあるが、状況は切迫していることを感じざるをえなかった。

3. 文化資源と地域的固有性

文化資源と地域アイデンティティ

　円空仏調査を通じて、文化資源と地域の関係性について考えさせられることが多々あった。一個別事例にも一般化しうる要素がある。ここでは特に文化と地域的固有性の問題に目を向けたい。

　われわれが訪問した赤神神社は、2016年の夏、記念すべき年を迎えた。この年は五社堂建立800年に当たるとされ、7月下旬これを記念する祭りが行われた。これに際して、祭りを盛り上げ地域活性化につなげようと人々が集い地元男鹿市民を中心に「赤神神社五社堂八百年祭実行委員会」が組織された。この組織が中心となって、本来の祭祀の挙行だけではなく、時期を変え数か月にわたって、「自然＆文化財を巡るGEOツアー」、パネルディスカッションやこれを記念する演劇（「八百年の霊夢を解き明かせ」劇団EN-TEN）など多くの関連行事が催された。多くのボランティアの参加によって支えられたこの一連の企画は、同神社の歴史的文化的な豊かさとこの地域（男鹿）のアイデンティティ——地域の誇り(シビック・プライド)を確認する良い機会になったようだ★17。こうした動きは文化資源の（再）発見を通じた地域文化の（再）創造と言えるかもしれない。

　円空仏は、神社の起源とは直接の関係はない。しかし両者はこの場所でいわば象徴的な統合を遂げて地域の人々から一体のものとして愛される存在になっている。こうした文化的アイテムは、それが存在する場所と切り離しがたく結びつく傾向がある。

　円空仏は、宗教的な対象であるばかりでなく、美術作品（「鑑賞」の対象）として、また「文化財」（保護・保全の対象としての）としても捉えられている。さらに歴史学や民俗学あるいは文化史のような多方面からの眼差しも向けられるようになってきている。こうした状況は今に始まったことではなく、明治以降の150年ほどのことである★18。このような異なる眼差しの対象になることで、円空仏の魅力はさらに高まっているとも言える。

　この眼差しの変化は、文化資源の理解と認識にも反映する。特に円空仏は、生活文化、民俗文化等々の文脈に置いて見ると、宗教的対象たる仏像にとど

まらない要素を孕む存在であり、そこに多くの人々が関心を寄せる魅力がある★19。

　円空と円空仏のように、（その出生地や識者の間などの）一部では知られているにしても、長い間人々の目に留まることなく、何らかの契機で改めて注目が集まるという事例は、地域を問わず特別珍しいものではないだろう。評価という点では尺度が相対的たらざるをえない文化芸術の領域では、作家、画家、音楽家あるいは文物（文化的アイテム）等々、時を経て何らかの文脈を得てその価値が見いだされるということがままある。

　筆者の生活圏の秋田でも比較的最近の例で思い当たるものがある。秋田出身の芸術家である池田修三（版画家）、土方巽（舞踏家）★20は、全国的に活躍した当時は地元でも知られる存在ではあったものの、その死と共に一時期半ば忘れられた存在となった。しかし、数10年の時間を経て地域を超えた熱心な愛好者・研究者の活動やメディアで取り上げられたことをきっかけに改めて注目が集まり再評価が進んだ。経緯はそれぞれ異なるが、この「再発見」は一過性の「ブーム」に終わらず、二人の存在は新たに見いだされた地域の文化資源として力となっている★21。

　再発見・再評価という事例は少なくないとはいえ、何であれまずその存在に気づくこと、そしてその価値を認識することはそう容易いことではない。そこに何らかの契機がない限り意識されなかった対象が意識されることはまずない。また、評価の文脈やタイミングも重要だろう。何であれ「郷土の誇り」として安定した評価がある人物文物ばかりではない。「地方」の人間にとっては、価値の評価軸は東京に代表される「中央」の文化に依存する傾向がある。「中央」への憧れと共にある種の引け目や複雑な感情が意識下に介在することも無視できない★22。ここには価値を認めることの難しさがつきまとうことも確かなのである。

　こうしたことは文化芸術の分野に限らない。地域の人々の視野に入らない隠れた存在を見つけ出すことは意外に難しい。地域活性化の議論やコミュニティ論などでしばしば言われるように、地域の隠れた素材や価値の発見者が外来者であったり「常識的な」ものの見方をしない人であることは珍しくない。いわゆる「よそ者・馬鹿者・若者」の視点の重要性は繰り返される必要がある。

要はそうした発見のチャンスに敏感であることなのかもしれない。

地域文化と「外部」—— 異なる土地と人の間の交流・交感

　円空は美濃国の人である。出羽秋田の人々からすれば紛れもない異郷人＝マレビトであろう。訪れた時点では、単なる「よそ者」でもこのように長い時間を隔ててその存在の意味が浮かび上がってくるということがある。

　秋田の地に視点を置くと、円空との因縁が深い菅江真澄もこの意味で円空自身と重なる存在として見えてくる。三河（現在の愛知県東部）に生まれた菅江は、名古屋周辺に遊学した後、信濃を経て出羽・陸奥・蝦夷と現在の東北・北海道を中心に各地を旅して歩いた。菅江は出羽秋田に長く滞在して域内各地をめぐり興味深い絵図や文章をこの地に数多く残している。菅江については柳田國男の評価をはじめとして、近年地誌や博物学はじめその民俗学的な業績にも改めて光が当てられ、彼が地域内外に与えた影響についても認識が深まりつつある[★23]。

　円空や菅江の場合のように、「外来者」が土地の人々に残していった有形無形のものが持つ力に改めて目を向けることで見えてくるものがある。秋田における「外来者の系譜」とでも言うべきものがある。平賀源内あるいは藤田嗣治、ブルーノ・タウト[★24]なども挙げられるだろう。彼らとその地の間に生じたものは、おそらく作品化されたり記録として残されたものばかりではない。土壌や空気のようなものとして地域の文化的経験の一部になっているのではないだろうか。

　地域の外からその地に入り、そこに滞在して作品を制作する円空の姿は、少々突飛な思い付きかもしれないが、現代アートにおける「アーティスト・イン・レジデンス」のようにも見えてくる（必ずしも歓迎されたわけではない「招かれざる客」であったとしても）。もちろんそこには祈りや修行としての造像という宗教性を抜きに語れない要素があるにしても、制作者が土地の人と関わり、その土地に作品を残すという行為という点は変わらない。表面的な意味でだけではない。円空は、作品のみならずその人となり（人間性）をも記憶として滞在地域に残していったと言われている[★25]。過去・現在の時空を超えてその制作行為と作品からわれわれは何かしら得ることができるだろう。

地域文化には、経済活動と同様、地域外との交通・交流という要素が多分に含まれる。地域を超えた人・モノ・コトあるいは情報の交通＝コミュニケーションは、時代によって程度の違いはあれ地域に何ものかをもたらしてきた。移動や交通は人に気づきを与え新しい価値を見いだす契機でもある。その土地に関わりが生じた人・モノ・コトは、忘れられない限り時間を経て一つの歴史となる。その価値を知り、それを大切に育むことでその価値は高まる。そこから地域に対する自負や愛着、誇りといった集合意識（一体感）も生まれてくるだろう。

　文化というものを形の定まったものではなく常に生成変化のうちにあるものと捉えるとすれば、そこには起源や端緒はあるにしても、長い目で見れば内発的／外発的という区別に拘泥することにはさほど意味はないのかもしれない。地域文化を「外部」との関係性の中で捉えることでさまざまなことが見えてくる。

　条件さえ整えば、文化財は地域にとっての文化資源となりうるし、そこから何らかの価値や利益を生む文化的な資本として成長していく可能性を持っている。いずれにせよ、文化を育てていくのはその地域で生きる人々である。この意味で、文化とは地域的履歴でもある。

　「地域の文化資源」あるいは「地域資源としての文化」という視点を通して地域と文化の未来を展望することができるのではないだろうか。円空仏の存在は、われわれにそうした問題を考える契機を与えてくれているように思われる。

第2節 地域社会と文化資源
——文化の資源化と文化遺産

　近年、文化を「資源」として捉える考え方が広がっている。「文化財」はまさにその主要な対象である。

　「文化財」という語は、「文化財保護法」（1950制定）で概念化されたもので、「人間が文化的発展を遂げる中で形成した、有形・無形の文化的遺産」を意味する（小林 2018：261）。建築物、絵画、彫刻のようなわかりやすいものだけでなく、その対象は極めて広範にわたっている。同法によれば、歴史上、芸術上、学術上、観賞上等の観点から価値の高い有形文化財、無形文化財、

民俗文化財、記念物、文化的景観、伝統的建造物群の6種類が、指定等（指定、認定、選定等）の有無にかかわらず「文化財」に該当する[26]。

　文化政策は基本的にこの理解の上に立って進められてきたが、近年この認識とこれをめぐる状況に大きな変化が生じている。文化財を「文化資源」として位置づける考え方がこのことと関わっている。

　文化財という語は、cultural propertyの意として通常用いられているが、「財」という語に経済学的なニュアンスを読み取るのは不自然なことではない。文化財の、文字通り財goodsとしての性格は、実際、公共財、準公共財、価値財等の概念と結びつき、先の法文上の定義を超えた内容を含むものでもある（同：261）。この点に注目すれば、この語自体の中に文化の経済（学）化の契機を読み取ることもできる。小林真理は、文化芸術振興基本法（2001年制定。2017年同法改正後は文化芸術基本法）によって定義と対象が広がった政策用語としての「文化芸術」と同様、「文化資源」という語が近年の文化政策において広く用いられるようになっていることを指摘している。本節ではこのことを踏まえ、この語＝概念の広がりが何を意味するのか、また、地域社会と文化の間に何が起こっているのか考えてみたい。

1. 文化の資源化

保存から活用へ——文化財の地域資源化

　最近、「文化資源」や「文化遺産」という言葉は、文化政策の文脈だけでなくさまざまな場面で使われるものになっている。

　近年、有形無形あるいは指定・未指定を問わず、文化財を一つの資源として捉え、単に「保存」の対象ということだけではなく、「活用」していこうという動き（文化庁「地域における文化財の総合的な保存・活用」等（https://www.bunka.go.jp/seisaku/bunkashingikai/bunkazai/kikaku/h29/10/pdf/1396837_01.pdf）が強まっている。改正文化財保護法の施行（2019年4月）もこの流れを強めている。

　過疎化・少子高齢化の進行、経済構造の変容そしてグローバル化の拡大は、中央地方を問わず諸政策の見直しを迫っているが、文化政策においてもそれは例外ではない。例えば、地域構造の変化に伴う文化財の担い手不足の問

題にも目が向けられるなど、実際に関連制度の見直しが進んでいる★27。地域社会と文化の問題を考える上で、最近の現状認識と文化行政の間の共振的な変化に注目しないわけにはいかないだろう★28。

　少し遡って地方における具体的な動きの一例を見てみよう。

　例えば、愛知県では、「愛知県文化財保護指針」（2016年策定）の中で、従来の文化財保護行政が「保存中心主義」に傾きがちだったとし、「社会の発展が減速し、成熟社会への移行が進む今日」「地域活性化の核として地域の文化財を幅広く活用し、「人づくり」や「地域づくり」に役立てようとする考え方が浸透しつつ」あり、その一方で後継者不足や価値への無理解によって文化財が危機的状況にあることを踏まえ、「総合的な文化財保護行政」を推進していく「必要性」の高まりを指摘している（愛知県教育委員会 2016）。同県では、こうした認識を元に、地域の独自性の復興を見定めながら、文化財の活用と地域の観光との結び付きなどを通して「文化財を活かした地域づくり」を進めようとしている。

　こうした動きは、一部地域に限ったものではない。伝統芸能や農山村文化など広義の文化資源に注目した「文化遺産を活かした地域活性化事業」（文化庁）★29などが全国各地で展開されている。

　この「文化財の保存から活用へ」という政策転換の道筋をたどってみよう。

　松田陽によれば、「文化財の保存から活用へ」という主張が顕著になってきたのは、日本遺産魅力推進事業（文化庁2015年度）の開始からだという（松田 2018：27）。「同事業は、日本のさまざまな地域の文化・伝統を語るストーリーを「日本遺産」として認定し、その過程を通して関連づけられた有形・無形の文化財群を総合的に整備・活用、また国内外に戦略的に発信していくことを目ざすもの」とされる（同：27）。

　これまで「文化政策研究の分野においては、文化財の「保護」は保存と活用の両方を指す、すなわち「保護＝保存と活用」であるというのが共通見解」（同：29）だった。この「活用」については、①「公開による活用」＝鑑賞、学術的な利用等と②「地域振興等への活用」＝地域振興、観光・産業振興、まちづくり、教育等があり、前者にとどまらず後者に踏み込むことが望ましいと、その方向性が示されている（同：29）。

松田は、この方向性に対する懸念や批判についても言及し、「文化財の価値の体系」の視点からこの問題を再考することを求めている。相異なる「利害集団」（地元住民、政治家、観光業者、学術専門家等）とこれと相関的な相異なる「価値体系」（学術的価値、社会的価値、政治的価値、経済的価値等）から適切な文化遺産マネジメントを講じるべき、というのが松田の主張である。

　「適切な文化遺産マネジメント」とは具体的にはどんなものなのか。例えば住民や行政、観光業者等の利害関係者（ステイクホルダー）の間で、学術的価値と経済的価値あるいは政治的価値をめぐる対立が生じることは十分考えられるし、実際そういう状況は昨今しばしば見られることも確かだろう。想定される利害対立に事前に備えたり、場合によっては関係者の間に介入したりすることも必要になる。こうした利害調整こそマネジメントの核心になるわけだが、われわれは少なくとも単純な保存と活用の二元論にとどまるわけにはいかないだろう。

　文化資源の活用への社会的要請が強まる中、博物館・美術館等文化施設のスタッフは、予算や人材などの限られた資源の中でより多くを求められるようになっている。こうした背景もあって、文化財に関わる役割をボランティアが担う動きも強まっている[30]。安直なボランティア依存に走るべきではないが、その役割を担いうる文化的水準を有しそれが地域の文化環境の保持に結びつくなら、それは望ましい方向性ではあるだろう。いずれにせよ、地域の文化資源を守り維持する制度や環境づくりに対する社会的関心が今後も高まることが期待される。

　地域社会における文化（文化財）の地域資源化は現実に進行している。地域を問わず文化財活用の流れが定着しつつある中[31]、このことが何をもたらすのか、その行方をしっかり見守る必要がある。

広がる「文化芸術」、広がる「文化資源」――「文化経済戦略」と文化芸術の経済化

　文化政策や地域と文化の問題を考える上で「文化資源」という語は欠かせないものになっている。見てきたように、この語の使用の背景には文化（文化財）の「活用」を主眼とした政策転換がある（小林 2018：264-267）[32]。

　「文化芸術」という語も同様の文脈で考える必要がある。

文化芸術振興基本法（2001）では、「文化芸術」について「芸術、メディア芸術、伝統芸能、芸能、生活文化、国民娯楽、出版物、文化財、地域における文化芸術」と明記されている。しかし、法文には、個別にさまざまな記述（カテゴリ化）が見られる。「芸術」の条文第8条には「文学、音楽、美術、写真、演劇、舞踊その他の芸術（次条に規定するメディア芸術を除く）」とあり、「伝統芸能」には「雅楽、能楽、文楽、歌舞伎その他の我が国古来の伝統的な芸能」とある（同）。ちなみに「メディア芸術」については「映画、漫画、アニメーション及びコンピュータその他の電子機器等を利用した芸術」と説明されている（9条）。これはそのまま「基本法」（2017）にも引き継がれている。

　改めて、対象となる文物やジャンルの多様さには驚かされるものがある。もっとも、実際、「文化振興や文化行政は既存の芸術文化と結びついて語られてきた」（同：270）し、過去には茶道や華道のような「生活文化」の「芸術文化」への転換（包摂）のケースもある。

　「文化」や「芸術」の範疇を両者を接続することでより広げ、それぞれの対象として考えにくかったものも融通無碍に包摂する語として「文化芸術」という語は機能する。西洋から移入された「芸術」概念は、（「芸術家」と異なる存在としての）「職人」や実用性と結びつくことの多かった「工芸（陶芸、漆工等）」や浮世絵などの伝統的日本文化と折り合いがよくなかったことは知られるところだろう。このことは「日本美術」概念の形成史（佐藤1996）が教えてくれている。そうした伝統文化一般と現代日本のまんが、アニメーション、ゲーム等の（いわば新芸術としての）「メディア芸術」は、同じ枠組みに収まりきらなかったが、特に今世紀に入って「ポップカルチャー」の文脈でこれを捉え、「クール・ジャパン」という看板の下で包括的に認識されるようになってきた。このことが融通無碍な「文化芸術」という術語＝概念の形成の後押しになったことは確かだろう[★33]。また、20世紀以降の「芸術概念の溶解」と「新しい潮流」の相次ぐ誕生（山本2019）という現実を踏まえれば、こうした寛容な（ゆるい）定義は実際的でもある。この間進んだ、デザイン、映像、広告などの「クリエイティブ」領域と既存ジャンルとのオーバーラップ（相互乗り入れ？）もこの背景としては見逃せない。このことは文化芸術（の概念と実態）の量的質的（外延的内包的）拡大と相即的でもある。

ポップカルチャー（ポピュラー文化）が牽引する形で世界市場で通用する日本発の表現の「コンテンツ」化（商品化）が進んだが、こうした「日本文化のグローバル化」が近年の「文化の産業化・経済化」政策と結びついていることは間違いない★34。

　「創造経済」はさまざまな形で社会実装化されている。地域の発展に寄与する文化という視点は、文化活動を経済成長と社会的結束（社会的包摂）を促すものと捉える考え方と結びついて、今世紀に入り、脱工業化の道筋でその先を模索する先進諸国の間で共通の土台となっている（経済協力開発機構2014）。ロンドン五輪（2012）との連動などでも多くの成果を上げたとされる英国における総合的な文化政策「クール・ブリタニア」（「クール・ジャパン」のお手本）は、その代表的事例の一つだろう。文化の「産業化」は今や世界的な潮流でもある★35。

　こうした流れに掉さすように日本においても政策が進められている。東京2020オリンピック・パラリンピックを見越し、「文化芸術基本法」（2017）成立を承けて、「文化芸術立国」を目指すというかけ声の下、内閣官房、文化庁によりこの「文化経済戦略」が策定された（2017年12月27日）。文化芸術を核とした総合的政策の推進が謳われ、文化芸術を「国家の成長」や地域の「活性化」につなげようと既にさまざまな事業が進められている★36。インバウンド観光の成長、アート市場の拡大など野心的な目標が掲げられており、文化政策全般の方向性がここに表れていると言ってよい★37。

　こうした方向性については、この動きが強まる前から平田オリザらによって具体的な構想の形で示されている（平田2001）。文化芸術を「ソフトパワー」として認識し、これを「国の力」にするだけではなく、地方に活力をもたらすものとして活用しようという動きはさまざまな分野に広がり、まさに官民挙げて強まっているといってよいだろう（青柳2015）。しかしながら、こうした文化芸術の「産業化」あるいは「経済化」の動きに対しては、各界各層で期待が高まる一方で、現場に強い懸念や警戒の声があることも見過ごすべきではない★38。

2. 価値としての文化——「文化資源」と「文化遺産」

文化遺産と「遺産化」の視点

　文化に価値を認めるとすれば、そこには「資源」だけでなく「遺産」という性格を見いだすこともできる。「文化資源」と「文化遺産」は内容的に重なる部分があるとはいえ、両者はやはり区別しておく必要があるだろう。

　「文化遺産」については、一般的には「文化財」とほぼ同じ意味で用いられることが多く、その内容も大部分でそれと重なる。文化審議会（2001年文部科学省内に設置）[39]でこれに関わる議論はなされているが、基本的に「特に文化的価値が高く後世に残すべき（有形無形の）対象」を指すと考えてよいだろう。この語は、一般的には国際連合教育科学文化機関（ユネスコ）の「世界遺産条約（1972）」の文脈で受け止められているが、1992年日本がユネスコと同条約を締結し、1993年には法隆寺、姫路城などが初めて「世界遺産」に登録されたことでこの概念は国内でも広がりを見せ始めた[40]。

　世界遺産への登録の種類としては「文化遺産」「自然遺産」「複合遺産」「危機にさらされている世界遺産」（危機遺産）があり、優れた価値を持つ建築物や遺跡が「文化遺産」に該当するが、日本においてもこれまで文化行政の中になかった概念も取り入れる必要が生じてきた。「負の遺産」や「文化的景観」といった概念・カテゴリもそういう流れの中で「文化」を構成するものとして取り込まれてきたと考えてよい（木村，森久 2020；中村 2019）。

　今日、フランス語で「文化遺産」の意味で用いられている patrimoine は、もともと「世襲財産」を意味するが、歴史的経緯の中で概念的な変容を遂げ、私的な所有物ではない公共的な領域に属する価値あるものという意で用いられるようになっている（荻野 2002；泉　2013）[41]。フランス文化圏以外では語用としてはこの文脈に引きずられる面もあるが、世界的（グローバル）な視野で文化とその価値が捉えられるようになっている現在、この概念の意義が高まっていることは間違いない。

　ここでは、「遺産化」特に「地域文化の遺産化」の議論を取り上げておきたい。新しい研究領域としても発展しつつある（木村，森久 2020）が、今日進む「文化財の保存・保護から活用へ」という流れの中で注目しておきたい論点

の一つである。

　社会学的視角から文化遺産の問題に焦点を当てた荻野昌弘は、地域文化の遺産化について次のような議論をしている（「文化遺産への社会学的アプローチ」（荻野 2002：1-33））。

　荻野によれば、文化遺産概念の原点には「モノによる百科全書」である博物館を作ろうという「博物館学的欲望」がある。そこには「世界の二重化」つまり「文化的隔たりの自覚」と「異文化の拒否と異質な世界への関心」があるという。荻野は、西欧と非西欧の間の関係の中でこれを捉えるだけでなく、一般化してこれを「地域文化の遺産化」の問題として見据え、国際的な研究の中で共同研究者と共に「ルーブル美術館から原爆ドームまで」としてエコミュージアムや古墳・古代遺跡、産業遺産★42 等フランスと日本の各地の事例を取り上げている★43。実際、多様な対象が文化遺産として注目されるようになっている。最近では「ダークツーリズム」が注目される機会も増えてきたが、単に美しい、歴史的由緒がある等の視点だけではなく、日本語では「負の遺産」という語で語られるような、戦争や災害あるいは産業衰退の跡地も文化遺産の重要な要素である。

遺産化という契機──集合的記憶の再生

　「遺産化」とは、単にモノを残すことだけではなく、さまざまな形で集合的記憶を発掘し再生することでもある。そしてそれは単に過去を回顧することではない。アンリ・ピエール・ジュディは、産業遺産のエコミュージアムの事例を扱いながら、新たな文化遺産概念について「歴史的モニュメントは過去を示すにすぎないのに対して、文化遺産（patrimoine）はそれを将来に結びつけるという考え方」だと説明している（「地域の集合的記憶──フランス」（荻野 2002：155））。「遺産化」は、記憶の再生を通してその地域の未来を展望することでもある。事例を紹介する中でジュディは、モノや建物だけではなく人々の考え方や行動様式も研究の対象になること、そして遺産の保存、研究、展示について、大半が産業労働者である当該地域住民の協力が重要であったことに言及している（同：163-164）。

　日本においてもさまざまな形で「遺産」が見いだされ数多くの多様な博物

館や展示企画が生まれている★44。こういった流れの中で、何らかの対象を「遺産化」する過程について、荻野は、地域文化の遺産化の形態はそれを主導する行為者によって異なる様相を帯びるとして2つのケースを挙げている。①直接地域とは関係のない研究者や学芸員、展示業者などが遺産化に専門家としてかかわるケース、②自治体や地域住民が積極的に遺産を構築していくケースである。前者の事例として琵琶湖博物館、後者の事例として秋田県小坂町の劇場康楽館が挙げられている（同：23）★45。どちらが望ましいかということではなく、「原住民」と外部の専門家の関係について、そこに「協力関係が結ばれる場合もあれば、齟齬、対立が起こる場合もある」（同：25）として、関係性の構築（信頼関係と言い換えてもいいだろう）が重要であることを示唆している。実際これは、地域社会と文化資源のあり方を考える上で見過ごしてはならない点だろう。文化遺産は実体として既にそこにあるのではなく、そこにある何ものかが「遺すべき価値のあるもの」として認識され関係者にそれが共有されることを通じて「遺産」となる、つまりこうした集合的認識という契機を通じて遺産化されるのである。

　荻野らの研究では、観光と資本主義の関係から文化遺産を捉え、「商品としての文化遺産」という視角も示されているが（同：263-282）、現在進められている文化の資源化・経済化の問題につながる論点もそこに見いだすことができる。遺産は商品にもなる。この傾向は今後も強まることになりそうだが、遺産の商品化がもたらす正の効果だけでなく負の効果についてもわれわれは想像力を働かす必要があるだろう。

3. 文化の価値と評価

文化資源／文化遺産の死角──誰がその価値を認めるのか

　文化資源あるいは文化遺産といっても始めからそれが自明のものとしてそこにあるわけではない。これまで目に留まらなかった有形無形のものにも価値が認められ、極端に言えば、あらゆるものが文化的な価値のあるものとして捉えられるかのような状況が生まれている。しかし、もちろん、話はそう単純ではない。

　地域の人々にとって、もともとそこにあったものだけでなく、仮にそれが外

から持ち込まれたものであっても、その由来や経緯・履歴を知ること、美しさを味わうといった経験を通じて、その価値を共有することができるはずである。しかし、われわれはしばしば、経済合理性、便利さ、快適さ、新しさ（新奇性）などに囚われ、そこから外れる古いもの、廃れたものに対して無関心でありがちである。先に見た円空仏も何らかの契機があったからこそそこに意味や価値が見いだされることになったと言える。しかしながら、文化的価値として対象化されない、この視覚からこぼれ落ちるものもある。評価されなければ、それはただの事物にすぎない。ここには文化的価値を誰がどのように評価するのかという問題がある。

消失するモダニズム建築

　最近の「モダニズム建築」の存廃をめぐる各地の動向はこのことを考える上で示唆的である。2010年代以降、耐震性・安全性の問題などから老朽化した建造物、特に明治期以降の近代建築の解体が急増し、その扱いをめぐってさまざまな立場から議論が巻き起こっている。建造物も有形文化財の対象の一つであり、文化資源の「保存から活用へ」の転換を謳う文化政策の方向性からすればちぐはぐな動きとも言えるが、ここには厳しい現実がある。

　例えば、明治後期から昭和初期、日本近代化の先進地であった大阪〜神戸間の地域で育まれた「阪神間モダニズム」を象徴する建築物、旧阪急梅田駅コンコース（1929造　＊以下同じ）、西宮回生病院（1937）、旧宝塚ホテル棟（1926）等が、2000年代に入って相次いで解体されている。近代化遺産に指定され評価の高かった六甲山ホテル旧館（1929）も一時解体の方針が定まり話題になった[46]。東京でも、最近で言えば、惜しまれながら解体が決まった旧相互無尽会社（神保町ビル別館）（1929）の例がある。

　日本では一般的に「（明治以前の）古いものなら価値があるかもしれないが、「近代」以降のものには「歴史的」価値はない」と考えられる傾向があり、戦後の建築の状況はさらに厳しいものがある。谷口吉郎（1904〜1979）らが関わり「日本モダニズム建築の傑作」と言われた「ホテルオークラ東京本館」（1962）も2018年に解体され、その後高層ビルに生まれ変わった。芦原義信（1918〜2003）の代表作とされる「ソニービル」（1966）の他、「塩野義製薬中

写真5-5 解体工事途中の中銀カプセルタワービル
（2022年5月初旬）

央研究所本館」（坂倉準三、1961）、「みずほ銀行本店（旧日本興業銀行本店）」（村野藤吾、1974）等、戦後建築された著名な建物の解体の事例は数知れない。ちなみに丹下健三（1913〜2005）の「赤坂プリンスホテル」（1982）などは評価も高かったがやはり取り壊されている。実働期間は30年足らずで、立地上、スクラップ・アンド・ビルドの都市政策、開発の圧力が強いにしても大都市圏の建造物の短命は際立っている。

　こうした事例で最近とりわけ注目が集まったのは、「都市と建築物の新陳代謝」をコンセプトに「メタボリズム」を提唱した黒川紀章（1934〜2007）の代表的建築である中銀カプセルタワービル（1972）だろう（2022年4月解体工事開始）。建築当初の意図を考えれば皮肉な結果と言わざるをえない。

　地価や資産価値の問題が特に大きい大都市圏だけでなく、地方でも同様のことが起こっている。徳島県鳴門市では、増田友也（1914〜1981）による市民会館（1961）・市役所本庁舎（1963）の取り壊しをめぐって議論が沸騰したが、結局、解体の方針が出された（市民会館は2021年解体）。他にも増田による建築がありそれらも含め評価の高い作品群であるだけに、残せば、同地域は近代建築の「聖地」になるという声も上がった。専門家を中心に保存を求める声も小さくなかったが、経済性や防災対策の点から全市的な判断が下された★47。

　著名建築家の評価の高い作品であっても消失を免れなかった例は他にもある。やはりメタボリズムの代表的建築家として知られる菊竹清訓（1928〜2011）の建築も、保存を求める声が上がった出雲大社の旧社務所「庁の舎」（1963）や都城市民会館（1966）をはじめ、ほとんど解体され現存するものは

少なくなっている。前者は、世界文化遺産の登録や保全にも携わる専門家集団でユネスコ諮問機関の国際記念物遺跡会議（イコモス）が保全を求める声明を出したが、当初の予定は覆らなかった。

このように、近代建築は全般に残すことは難しくなっており、まして戦後の建築物は、専門家の反対があっても解体されるケースが増えている。こうした事例には大都市、地方を問わず事欠かない★48。こうしたこともあって、ここ数年間に一気に進んだ「名建築」の相次ぐ消失にその価値を惜しむ人々は危機感を強めている。

この背景としてまず、戦後、特に高度成長期の全国的な建築ブームの中で各地で数多くの商業ビルディングや公共施設等々が建設され、そこからほぼ半世紀たってコンクリートの耐用年限の問題等、耐久性や用途変更などの理由で改修や建て替えの必要が一気に顕在化してきたということがある。ここに、近年、特に阪神・淡路大震災以降、社会的要請が強まっている耐震化と維持・改修経費等の財政的負担の問題が大きくのしかかってきている。もちろん、安全性の問題を無視することは許されない。ここに大きなジレンマがあることは確かだろう。

近代建築は産業化と都市化の歴史過程の中で生まれたものであり、そこでは「芸術」の観点は希薄で、基本的に実用性と経済性が重視されてきた。一般市民にとって当たり前にそこにあるものとして捉えられてきた建造物が、美的価値や文化的価値という視点で認識される機会はそれほど多くない。それ

写真5-6
鳴門市撫養町南浜の鳴門市市民会館（左）と市役所本庁舎（右）。市民会館は2021年にすでに取り壊されている
（写真提供：鳴門市）

らが日常的に目にしている特殊・特別でないものであれば、時間経過による外観の劣化や実用性の低下は、その建築物に対する否定的なイメージにしか結びつかないのも自然なことかもしれない。

　最近の建造物の存廃をめぐる状況を見ると、多くの場合、地元と外部（海外を含め）の専門家の間でその価値評価に大きなギャップがあるように感じられる。加速化する近代建築の消滅に危機感を持った国内外の建築家による「日本におけるモダニズム建築の保存活用に対しての声明」（国際建築家連合・日本建築家協会2010年7月29日）が出され★49、モダニズム建築の記録・保存を行う国際組織DOCOMOMOとその日本支部の活動も活発化しているが、その影響力は必ずしも大きいものではない★50。

　建築物の価値を理解することは、専門家以外の者にとって難しいところがある。建築の専門家が「戦後日本を代表する建築家」であるとか世界的に著名であるということを強調しても、それが地元の一般市民に響くとは限らない。地元の人々が価値を学んだり知ったりする機会は重要だし、よく利用されるとか親しまれているといったわかりやすい要因も大きな意味を持っている。地域内外の評価のギャップを埋めるためにはこうした点の克服がポイントになると思われる。

　戦後のモダニズム建築も、歴史は浅いが、戦後日本の社会や文化を反映した創造物である。そこには自由や民主主義という当時は新しかった価値観が形象化されているとも言える★51。とはいえ、概して、見慣れたものに特別の価値を見いだすのは難しい。「遺産化」にもこうした死角があることは否めない。

地域の魅力の再発見——建築文化の遺産化

　厳しい現実はあるが、しばらく前から、時代的郷愁や雰囲気のある「カフェ」人気などから古民家や街角の「レトロ建築」への関心も高まり、公共的名建築だけでなく、地域文化の視点から建築一般（その環境も含め）の価値に注目する動きが広がってきていることにも目を向けたい★52。

　建築はしばしばその土地の歴史や文化と切り離せない存在となりうる。建築物がそれ自体の魅力を発するだけでなく、その地域の魅力になるということもある。

香川県には、丹下健三による県庁舎（1958）、安藤忠雄（1941～）の豊島美術館（2010）をはじめ、谷口吉生（1937～）、山本忠司（1923～1998）の作品など多くのユニークな建築があり、戦前期の有形文化財指定建造物なども含め豊かな建築文化の地として知られる。建築もまた地域の文化資源であることをこの地はよく示している。

　瀬戸内海は、日本で最初の国立公園となった場所の一つである。豊かな自然、気候風土や歴史と結びついたこの地の地域文化は、今では世界から注目される存在になった瀬戸内国際芸術祭を生み出す土壌でもあった★53。実際、同芸術祭の魅力は、アート作品だけでなくこの地域に点在するさまざまな建築物であることも見過ごすことはできない。

　香川だけでなく、四国、瀬戸内海地域は名建築と言われるものが数多くあり、建築文化の視点で広範囲に地域全体を見つめ直す動きもある。山本忠司が仲間と共にその理念を提示した瀬戸内海建築憲章(1979)がそのベースになっている。この憲章は「瀬戸内海の環境を守り、瀬戸内海を構成する地域での環境と人間とのかかわりを理解し、媒介としての建築を大切にする。（後略）」と環境保全と環境・人間・建築の協和を謳い、このエリアの人々の文化的な一体感を醸成してもいる。豊かな建築群を瀬戸内海に面する諸県の広域的な文化資源として活用し地域振興の一つの軸にしようという動きもある★54。

　20世紀近代建築を代表する建築家ル・コルビュジエ（1887～1965）のモダニズム建築17件が、2016年世界文化遺産に一括登録された。東京上野の国立西洋美術館もこれに含まれるということで話題を呼んだが、これを機に日本でも「遺産」としての近代建築に改めて注目が集まっている。先に見たように、厳しい状況があるとはいえ、建築に関心を持つ一般市民も増え、その文化的地位は相対的に高まりつつあることも確かである。最近は、建築を見て歩き楽しむ「アーキツーリズム」（建築ツーリズム）にも関心が集まり、各地でこれらを観光資源化する動きも広がってきている。

　建造物と言ってもビルや建物だけではない。2020年12月に長崎県にある大村湾に架かるアーチ橋西海橋（1955）が、戦後の土木施設として初めて重要文化財に指定された。現在も多くの人々に利用されている現役の橋が歴史遺産となったのである★55。

日常生活の中にも文化財はある。遺産化には死角もあるが、人々の視野も少しずつ広がっている。文化庁も「近現代建造物の保存と活用の在り方について」（2018年7月24日）指針を示し★56、近現代の建造物の保全をテーマに講習会を行うなど、社会的な関心の喚起にも力を入れている。

「再生」の視点——「死んだ」事物から「生きた」資源へ

　建造物は空間を占有する。単に残す（保存する）ことだけが自己目的化するとすれば、維持コスト等の負の要素にばかり目が行き、そこに多くの支持は得られにくいだろう。資源＝利用価値のあるものとしてそれを生かす（活用する）形が目に見えれば周囲の評価も変わってくる。「死んだ」事物から「生きた」資源への転換。まさに保存から活用へという視点が一つの鍵となることは確かだろう。

　実際、欧米では、テート・モダン（ロンドン、2000年オープン）のように廃墟となった発電所が美術館にリニューアルされたケースなど、豊富な事例があ

写真5-7
テート・モダン
（出典：Wikimedia Commons）

写真5-8
横浜赤レンガ倉庫
（出典：Wikimedia Commons）

る。日本における同様の事例としては、横浜赤レンガ倉庫がよく知られるところだろう★57。このように、建物を用途変更して保存活用する方法（コンバージョン）も含め、保存と活用のあり方は一つではない。ただこうした動きが鈍いのも事実で、現在問題になっている建造物についても、保存の費用もさして高額ではなく、「かつての日本経済の勢いがあれば十分賄える」という声もある。公共施設か民間所有かなど対象の背景も異なるので単純化はできないが、日本経済、地域経済の衰退や自治体財政の悪化がここに影を落としていることも確かだろう。その意味で、この問題は創造経済の原点ともつながる課題でもある。もちろん注目すべきなのは「モダニズム建築」だけではあるまい。また、「近代」や「モダニズム」だけが尊重すべき価値ということではないだろう。特定領域に限らないことだが、多様な価値に正当かつ公正に（フェアに）光を当てることが――それは決して容易いことではないが――重要なのではないか。ともあれ、文化資源あるいは文化遺産の問題を改めて文化と経済の関係性、また文化経済の視点からどう考えるか、われわれはこれらの問題にどう向き合うか問われている。

身近になるリノベーション、コンバージョン

　一方で、自然環境に対する意識の変化（「環境意識」の高まり）と同様、今も見たように、社会環境に対するわれわれのものの見方も少しずつ変わっている。木造建築が主流であった日本において「古くなったら新しいものに建て替える」という考え方は長く疑われることなく続いてきたが、都市再生やまちづくりの文脈で「リノベーション」という言葉が一般化し、事例で示した「コンバージョン」（用途変更を伴うリノベーション）という考え方が日本でも浸透してきている。古いものをただ残すのではなく「今・ここ」に活かすというコンセプトはわれわれにとっても身近なものになりつつある★58。実際、空き家、廃店舗、廃ビル、廃校等の（再）利用（地域資源化）の事例は、規模の大小にかかわらず、このところ至る所で見られるようになった。こうした状況ではアートの存在感も増している。実際、空間のあり方を変えること――例えば、そのすべてではないが、アートと無縁と考えられてきたものをアート空間に転じること――は、アートの得意とするところでもある★59。

近年、社会的公共的な事業について、その担い手は「公」か「私」かという単純な二分法に囚われない考え方と手法も広がっている。建造物の保全とその後の利活用に関してもハード面だけでなくソフト面についても、公民連携（PPP、PFI等）という手法など、資金調達や事業運営のあり方の模索も続いている。成功例も失敗例もありその当否については当然議論はあるが、さまざまな実践が各地で積み重ねられる中、選択肢が広がっていることは確かだろう。

　われわれはどうしてもこうした問題を素朴な意味での「経済」（お金の問題）として論じがちだが、重要なのは、短期的な利害得失に過度に囚われることなく、長期的な視野で、地域社会と地域文化の問題を考えることである。両者の接触界面には広義の「経済」（文化経済、創造経済等）の問題が横たわっていること、広義の文化と経済の間には一筋縄ではいかない関係があることに自覚的であるべきだろう[60]。

　しかし、そうした手法の問題以上に重要なのは、その対象が何であれ、その価値に気づくこと＝価値を見いだすことである（そのまま・ありのままの価値か、そこに手を加えたりするかという問題はあるが）。価値を認め、評価することの難しさは、やはりこうした問題を考える上での一つの壁とも言える。

4.「文化」とどう向き合うか──文化と経済の「間」

文化資本という視点

　文化的価値の認識（評価）はどのようにして可能になるのか。文化資源・文化遺産という視点をいったん離れ、「文化資本」という概念についてここで触れておきたい。字面は似通っているもののこれらの語＝概念は、議論の背景も枠組みも異なり、同じ水準で論じることは困難だが、やはりこの文脈で取り上げておくべきだろう。文化資本は、術語としては文化経済学の領域でも用いられるがここでは社会学的な議論に沿って紹介したい。

　社会と文化の関係を深く掘り下げて、独自の社会学を構築したピエール・ブルデュー（1930〜2002）は、社会秩序と文化的秩序の関係性の問題を「権力」と「正統性」の視点から捉え、文化資本（capital culturel, cultural capital）という概念を開発した[61]。彼によれば、これには3つの様態がある（Bourdieu

1979)。

①客体化された文化資本
②身体化された文化資本
③制度化された文化資本

　①は、可視化された、モノとしての文化である。絵画、彫刻、書物、建造物のような、まさに実体・実在としての文化であり、一般に文化的な財（goods）と考えられる対象である。その意味で経済学的な対象として扱うことも可能である。しかし、文化というものを考える上で極めて示唆的なのは、②と③の視点である。②はいわば知識や教養、理解力あるいは技能、センスといった人に身につけられた、その人自身の存在と分離できない文化である。③は文化を価値として評価し、社会的に認知、象徴化あるいは形式化された形態のことである。学歴や資格あるいは称号・肩書などを考えればよい。②③の要素がなければ、文化は「生きた」ものにはなりえない。実際、文化的対象を理解し、愉しみ、価値付けるといった人間の知的、情動的作用を含めた行為が文化を文化たらしめる。

　この考え方に従えば、文化財はその価値を理解し、社会化する（「権威づけ」もその一つ）契機があって始めて意味を持つ。文化資本の議論はこれにとどまらないが、この概念を通して文化芸術に関わる諸事象についてさまざまな観点から考えることができるだろう[62]。例えば、何かに気づくこと、何かの価値を認めること、それは一定水準の身体化された文化資本によって可能になる。ある文化的対象と身体化された文化資本の「出会い」がなければ、そこに文化的享受（知的・美的な興奮あるいは歓び）は生まれない。

　有形でも無形でもある文化の実相を可視化し客観化することは意外に難しい。文化資源あるいは文化遺産について考えるとき、文化資本という視点でこれを捉え直すことによって文化の現れ方の多様性と捉え難さ——文化という対象の動態性と不可視性——についても目を向けることができるだろう。文化と経済の問題は、それを捉える視点によって違ったものとして見えてくる。

　ブルデューは、階層的な格差や文化的な葛藤の問題を現代社会の表層と

深層を相関的に捉えることを通して鋭く分析した（ブルデュー 1990）。その議論から学ぶべきことは多い。

文化とどう向き合うか——価値と評価の問題と文化芸術の経済化

　見てきたように、「文化」は、「資源」「遺産」「資本」等々の"価値"や"豊かさ"を示唆する術語＝概念と結びつけて語られるようになっている。それは「文化の経済（学）化」というべき認識と結びついている。ここにあるのは文化と経済の「間」の問題であると言ってもよいだろう。

　われわれは、有形無形の文化とどう向き合うべきかを問われるようになっているが、それは価値をどう捉えるかという問題でもある。この問題は、経済的価値（貨幣的価値）の論理と切り離せないが、そこにすべてが還元されると考えるのは単純に過ぎるだろう[63]。文化芸術がこの視点（収益性等の経済的尺度）でのみ語られることになれば、そのことがもたらす評価（基準）の単純化や一面化といった負の影響は決して小さくはないだろう。われわれは文化芸術を経済と直結させる「短絡」的思考に注意を払う必要がある。

　仏像、絵画、建築あるいは伝統芸能等々、何であれ文化的対象の価値を社会的に評価することは容易いことではない。文化的対象の価値は自明ではない。実際、市場や専門家の権威の外にある者がこうした価値を直接に確認することは極めて難しい。しかし、こうした対象は、基本的に誰に対しても開かれた存在であるはずである。資源や遺産となりうるものを発見するということは、価値に関わるさまざまな問題を社会的に再認するということでもある[64]。

　文化の問題を——いわゆる地域文化の問題を含め——地域において考えるとき、そこで専門家の果たす役割は大きいが、地域の人々自身が当事者としてできるだけそこに関わることは本来自然なことだし実際そうあるべきだろう。いわばシティズンシップ（市民権）の理念は文化芸術においても重要だろう。その意義の重みは今日より強まっている（第8章で後述）。このことは、また、文化に向き合う主体の「見る眼」が問われているということでもある。その「眼」はどこでどのように養われるのか。「眼」を養うためには（広義の）教育は不可欠だろう。学校教育は極めて重要だがこのことはそれによってのみ可能になるわけではない。社会教育の重要性に改めて光が当てられるべきだろう。家

庭環境や広義の地域の環境（人的物的な諸条件）もまた大きな役割を果たすはずである。これは文化資本（の形成）の問題でもある。

　例えば、円空仏は一つの（客体化された）文化資本として捉えることができるが、そのためにはそれを価値ある対象として認める主体の（身体化された）文化資本（見る眼）が前提条件となる。地域文化とは、こうした、人、もの、環境の総体のことではないのか。

　われわれはここしばらくの間に立て続けに地震や津波、豪雨など大きな自然災害を経験し、当たり前だった日常性が突然奪われることの辛さを知った。また、産業化や人口構造の変化は——災害に比べればゆるやかかもしれないが——確実にわれわれの物的心的環境を変えてきた。われわれはこの間失われたものの大切さ貴重さに改めて気付き始めている。

　そうした理由ばかりではないだろうが、このところ、文化財のような特別な文物だけでなく、時代を問わず、庶民の生活用具（農具や日用雑貨、玩具等）のような日常的でありふれたアイテムにも人々の関心が集まるようになっている。時代とともに移り変わる食やファッション、大衆音楽や芸能なども同様である。人々の「生」に関わるものはすべて保存や展示に値する価値を持つと考えられるようになってきた。実際、これまで見てきたように、テーマ（人類学的、民族学・民俗学的主題等）によって博物館・美術館等の公共空間でもそうした人々の暮らしに根ざしたアイテムが展示対象になることは普通のことになってきた。これらは社会的認知の対象になる（例えば「コレクション」化される）ことで一定の意味を持ち地域資源や文化資源ともなりうる。実際、かつては文化芸術の対象として扱われなかった文物・アイテムを保存し活用する「アーカイヴ」の重要性についても関心が高まっている[65]。このような、「地域」自体を一つの文化的総体として捉え、また文化そのものを厚みのある複合的な総体として受けとめようとする姿勢は、人々の間に濃淡はあれ、広がっているように思われる[66]。

　地域の文化資源あるいは文化遺産を見いだしそれを活用することは、一朝一夕でできることではない。このことを考えるとき、われわれは、地域において「長い目で文化を育てる」ということの難しさとその重要性にたどり着くように思われる。文化の形成にとって重要な要素はさまざまある。これまで多くの場

合、家庭や学校がその場になってきたが、それらを包摂する地域の存在は現在大きくなってきているように思われる。もちろんこれらに強い影響力を持つ国（中央政府）の役割は大きいが、単に地方自治体ということではない、むしろ非限定的な意味での（公私を超えたものとしての）「地域」—— 知的文化的な環境としての「地域」が文化形成の主体としてより重みを増してきている[67]。そのことはこれまで見てきた事例からも読み取ることができるように思う。

註：

★1　創造経済については既に先の章でも触れているが、地域経済に対する文化の影響と可能性について包括的に論じたものとして経済協力開発機構 2014 参照。この問題に関する「先進」国における全般的な関心の高さがうかがえる。

★2　本章第1節は、筆者の論考（小松田 2017）に依拠して論述したものである。

★3　当該地で制作されたものおよび移入を含めた円空仏の数は、愛知県が最も多く 3,227、次いで岐阜県が 1,613、以下北海道 49 などとなる（2012 年 12 月現在。長谷川 2012 による）。確認されている円空仏約 5,300 のうち大半が愛知、岐阜地域に集中していることがわかる。

★4　昭和初期、日本美術院で活躍した彫刻家橋本平八（1897～1935）は円空を高く評価し、自身もその影響を受けた作品を発表している。野村 2016 および山本 2015 参照。

★5　飛鳥時代に始まる日本の仏像の歴史の中で、量的質的な拡大・発展期であった奈良、平安、鎌倉期に比して江戸期に対する関心は高くない。そもそも現在でも、日本彫刻の国宝・重要文化財指定件数で見ると（2011 年 11 月現在）そのほとんどが平安・鎌倉期のもので、南北朝以降特に江戸期以降のものはごくわずかにすぎない（奥建夫「文化財の価値とその保存」（渡邊 2013：61））。その江戸期において円空と木喰の像は最もポピュラーな存在であることは確かだろう。しかしその評価と位置づけはなお定まっているとは言えないようだ。例えば、山本勉は「円空の仏像の体軀のとらえかたなどには和様の伝統に基本的にしたがっている一面があるのだが、それにしても機知に富んだ斬新な感覚は、やはり伝統的な仏像の展開のなかで考えるのはむずかしい。諸芸術のジャンルを超え江戸時代の近代性などを考える場に検討をゆだねたい」（山本 2015：201）としている。

★6　規模の大きいものとしては、東京国立博物館 140 周年特別展「飛騨の円空—千光寺とその周辺の足跡—」（2013 年 1 月～4 月）などがある。規模の小さい展覧会は全国各地で毎年のように開催されている。最近では、「古典×現代 2020―時空を超える日本のアート」（於：国立新美術館 2020 年 6 月 24 日～8 月 24 日）で、円空作品の他、曾我蕭白、尾形乾山ら前時代の美術と菅木志雄、鴻池朋子らの現代作品が「日本のアート」として提示された。海外への紹介も行われている。ロスチャイルド館（パリ）における「深みへ—日本の美意識を求めて—」展（2018 年 7 月 14 日～8 月 21 日「ジャポニスム 2018」プロジェクト）では、日本の現代アート作家の作品の他、縄文土器、白隠、仙厓、葛飾北斎らと共に円空の仏像が展示された。このように新たな視点で円空仏に光が当たる機会も増えている。

★7　かつては人々が信仰の対象として仏像と接することはあったがこれを美的対象とする考え方は、基本的に明治初期の西洋的「美術」の導入と制度化が進んでからのことと考えられる。碧海寿広によれば、「「美術」という観点から仏像を語り、鑑賞する習慣」は「明治以前には、決定的に欠けて」いた（碧海 2018：20-21）。宗教・美術の問題としての文化財の制度化の問題については、特に小川 1991 が参考になる。

★8　岐阜県は、円空大賞を「土着の伝統に根ざしながら独創的な芸術を創造している芸術家を顕彰し、表彰する」ものとしている。1999年に創設され、2022年1月現在11回を数える。以下を参照。岐阜県公式ホームページ（https://www.pref.gifu.lg.jp/kyoiku/bunka/bunka-geijutsu/bunka-sozo/enku/taisho.html）。10回まで記載されている。

★9　日本学術振興会科学研究費助成事業基盤研究（C）「円空彫刻の全作品カタログの作成」（2016年度～2022年度）研究代表者・野村幸弘。

★10　野村は、谷口順三、梅原猛らの先行研究に拠りながら、自身は基本的に3つの様式区分（芸術形成期・芸術探究期・芸術深化期）をした上に制作地による変化を考慮し5つに分けて円空の造仏の様式変化を辿っている。これに従えば、東北・北海道における制作は、形成期の後半、探求期への展開へのつなぎ目に当たる（野村2017）。

★11　この調査研究は、円空仏の所在地を訪れ、当の仏像を撮影して、詳細な画像分析に堪える映像データベースを作成することを目的としている。

写真5-9「円空仏データベース化
岐阜大教授らが目指す」
『北鹿新聞』2016年8月24日版（提供：北鹿新聞社）

　　秋田県での調査自体は、2016年8月下旬3日間にわたって行われた（8月21日～23日　翌年補足調査）。筆者は、県内の関係資料の収集と訪問先との連絡調整など、調査のコーディネートをする形でこれに関わった。事前に、県内で確認されている12体の円空仏について関係者に問い合わせ、その所在と拝観および撮影の許諾を確認すると共に、調査趣旨の説明および訪問のスケジュール調整などを行った。これに先立ち、まず県立博物館および県の文化財保護室（教育庁生涯学習課）に情報提供を依頼し、その助言を得ながら、円空仏の所在が確認されている自治体の教育委員会に状況を尋ねるという形を取った。
　　各市の担当者は、調査の意義について理解し、ほとんどの場合、円空仏の所有者とスムーズにつながることができた。所有者・管理者も、快くわれわれを受け入れてくれ、短期間で効率的な調査が可能になった。12か所のうち調査拒否1件があったものの、11か所を訪れ、うち1か所（能代市）は諸事情で確認できなかったが（翌年再度訪問し撮影）、全部で10体を撮影することができた（うち1体は所有者の意向により画像は非公開）。

★12　「県内の「円空仏」11体調査　岐阜大野村教授研究発展へ当福寺訪問」『秋田魁新報』および「円空仏データベース化　岐阜大教授らが目指す　宗福寺（大館）の仏像を撮影　円空研究加速へ「初期の作と見られる」」『北鹿新聞』いずれも2016年8月24日版（写真5-9参照）。

★13　菅江の「外が浜づたい」「えみしのさへき」「えぞのてぶり」などには円空についての記述や、菅江自身が北海道で円空仏を拝観した記録が残されている（菅江1966）。また、北海道、青森、秋田で菅江が対面した可能性がある円空仏についての考察が残されている（田口1998）。

★14　調査結果を踏まえ円空の行程と作品制作に関する野村の見解が新聞紙上で紹介されている（「円空の東北、北海道旅路ルート新説　初制作地、青森でなく秋田」『岐阜新聞』2018年11月21日。この見解は、第48回円空学会（2018）で報告され論説（野村2019）となっている。野村は、東北・北海道地域に確認されている10体の十一面観音像の手・足・耳あるいは衣の裳等の部分の形態の

異同・変化の分析によってこれを学術的に明らかにしようとしている。野村によれば、従来の主たる説は2つある。五来重は、津軽半島から北海道へ渡り、下北半島に戻った（『円空佛 境涯と作品』淡交新社、1968、175〜198頁）とするのに対し、笠原幸雄は、その反対に下北半島から北海道へ、そして津軽半島へ帰った（「東北の円空仏」『円空研究』2、円空学会編、2004、83〜89頁）と主張している。ただし、秋田を最後の制作地とする点で、両説は共通している（野村2019）。

★15 例えば、以下の記事を参照。「赤神神社の円空仏、1日だけの公開に県内外から参拝客」『秋田魁新報』2019年6月8日。

★16 赤神神社の創建は9世紀に遡るとされ、五社堂は1216（建保4）年の造営、現在の堂は1710（宝永7）年建立と伝えられる。その歴史の古さから、なまはげの由来に関わる伝説、赤神黒神伝説縁の神社として地域の人々に親しまれている（http://www.fun-ms.com/akagami/ 参照）。1998年から4年かけて堂の大修理が行われ、2016年には「五社堂建立800年祭」が男鹿市観光協会などの支援で挙行されている。その際地域のボランティアの力が大いに発揮された。

★17 この一連の企画は、地域の人々にとって改めて地域の歴史や文化を知り、それらを身近な存在として感じると共に、さらに関心を深める契機になったようだ。『秋田魁新報』2016年7月12日〜15日等参照。

★18 本来宗教的対象であった仏像を美的対象とする視点は、廃仏毀釈の危機を経た後、明治初期の西洋的「美術」の導入を通して形成されたものであり、「文化財」という認識もこうした契機を経て広がったものであることは確認しておく必要がある（碧海2018）。

★19 円空仏は「地元の守り神」として崇敬されるだけでなく、川泳ぎの浮き輪代わりや子どもの遊びに使われたりしたといった言い伝えも各地に多くあり、自然崇拝や民間信仰と結びついた存在として、またそれ以上に地域で愛され親しまれた存在としてもしばしば語られる。地元で「円空さん」と呼ばれる身近な存在も少なくない（井上2015他）。円空仏という対象を通して、歴史や伝統と結びついた地域文化や民俗学的な視点なども浮かび上がってくる。このことは近年のアートプロジェクトの美的・社会的価値の問題とも重なり合う。この点は、熊倉他2015：33-34参照。ここには円空仏のような対象（文化的アイテム）をより広く文化資源として捉える契機が見いだせる。また、碧海が指摘するように（「仏像ブームと『見仏記』」（碧海2018：224-243））、特に1990年代以降人々の仏像との向き合い方も大きく変わってきている。女性が中心となった阿修羅像人気やそれを準備したとも言われるみうらじゅん・いとうせいこうによる仏像鑑賞のメジャー化に見られるような動きは興味深い（いとう他1993）。東京国立博物館「国宝阿修羅展」（2009）の入場者95万人を筆頭に、その後も密教や運慶などを主題にした30万〜60万前後の動員を呼ぶ仏像展が相次いだ。一連の盛況ぶりは「平成の仏像ブーム」と言われたが、その後の仏像人気の定着の様子を見ると、批判的な見方はあるにしても、カジュアルなしかしリスペクトのある仏像との接し方の文化が育っていると言えるのではないか。

★20 池田修三（1922〜2004）は象潟町（現にかほ市）生まれの木版画家。土方巽（1928〜1986）は秋田市生まれの舞踏家・振付家・演出家。いずれも近年秋田県内外で改めて注目され、再評価が進んでいる。

★21 池田修三は、1950年代末日本版画協会展や現代版画コンクール展で入賞するなどして活躍するも、しばらく空白期間があり1980年代に銀行や大企業の関連品のデザインに用いられ全国的によく知られるようになった。没後の2010年代に入って秋田県の県外向け広報誌『のんびり』で特集されたことを機により広い知名度を得て再評価が進んだ。同誌の県外出身の編集者（藤本智士）が池田の発掘に大きな役割を果たしたが、同誌は他にも地域の文化的アイテムの再発見・再評価にも寄与している。
土方巽の場合、もともと熱狂的な愛好者・支持者はいたものの、土方巽記念秋田舞踏会の設立（2013年）、没後30年（2016年）を機に土方自身と彼が創始したとされる「舞踏」（Butoh）に改めて注目が集まった。同郷で日本の近代舞踊に大きな足跡を残した石井漠（1886〜1962）もその先行者として召喚され、この地を通して現代ダンス文化に光が当てられることになった。相前後して県

内外でこうした動きも活発化、舞踊・舞踏を中心としたさまざまなプロジェクトや芸術関連事業が立ち上がり、文化芸術を通じた地域活性化の機運が高まっている。2015年、「石井漠・土方巽記念国際ダンスフェスティバル『踊る。秋田』」が起動し、ここから国際的な文化交流も始まっている。「没後30年、土方巽に光」『朝日新聞（東北版）』2016年8月17日参照。また、2016年には、土方を被写体とした世界的にも著名な写真集『鎌鼬』（細江英公、1969、現代思潮社）の撮影地羽後町に地元NPOにより「鎌鼬美術館」が開館している。

★22 全国的／世界的知名度の高さは必ずしも地元での賞賛に結びつかない。単に知られていないということだけでなく、ある程度知られた上で否定的に受け止められている（無視や否認など）ケースも実はままある。（地元目線で見れば）秋田における土方もそのような評価しがたい存在だったようだ。安倍甲「土方巽「鎌鼬美術館」で　1枚の写真　目覚める記憶」『朝日新聞』（秋田県版）2020年12月6日参照。

★23 秋田県では、県立博物館内に菅江研究の拠点として1996年「菅江真澄資料センター」を設置している。同センターは、資料や記録を集積し、研究誌『真澄研究』の発行、菅江関連の企画展や事績の紹介などの活動を行っている。外来者でありながら破格の扱いと言ってよいだろう。菅江に対する地元の関心の強さと愛着の深さがここに表れている。

★24 平賀源内（1728～1780）は本草学者・地質学者・医師・発明家。安永年間、秋田に招かれて鉱山開発の指導に当たり、当地に蘭画の技法を伝えた。彼に学んだ秋田藩士小田野直武（1750～1780）は「秋田蘭画」と呼ばれる一派を築いた。藤田嗣治（1886～1968）は洋画家。戦前、資産家・コレクターの平野政吉（1895～1989）に招かれ秋田に滞在、『秋田の行事』（1937年制作）などの作品を当地に残した。作品は現在秋田県立美術館に収蔵・展示されている。ブルーノ・タウト（1880～1938）はドイツの建築家。桂離宮などの建築物や種々の造型に注目し「日本の美の発見者」として知られる。1933年来日し、その際、地元の版画家勝平得之（1904～1970）らの案内で秋田を視察している。建築や民具に関心を示し「秋田で見るべきものは建築である」等の感想を記録に残している（タウト2003：117-137）。これにイザベラ・バード（1831～1904）のような、秋田をはじめとして近代化に向かいつつある日本を訪れた旅行者の存在を加えてよいかもしれない（バード2000）。バードを通して当時の秋田を振り返る動きも最近起こっている。このように、ここに挙げた「外来者」たちが、秋田の地域社会・文化に直接間接（来訪後を含め）に与えた影響は小さくない。言うまでもなく、こうしたケースは秋田に限らずどの地域でもありえたしありうることだろう。文化はその地だけで生まれるものではなく、こうした交流・交感を通じて育まれるものでもある。改めて「外来者」「異邦人」あるいは「移動する者」の存在と視点から地域文化を捉え直すことの意義に注目してみたい。

★25 円空が火山噴火や、津波、豪雨と天変地異が相次いだ当時の蝦夷地・北海道へ渡ったのは「仏の教えにより人々の苦難を救済するため」であったという指摘がある（長谷川2012：58）。またそもそも、円空の旅は、彼自身が幼い頃に遭遇した水害の犠牲になった母親を供養する旅でもあったとも言われている。円空の造像の旅が、災害という不条理な受難受苦を癒し魂を救済する行為だったとすれば、それは地域の履歴ともつながり、時代を超えて同様の苦難を強いられた人々やその地域にとってまた一つの意味を持ってくる。

★26 文化財概念は、もともと明治近代国家による「国家的観念」の涵養という趣旨にその源があるが、そうした経緯についてはひとまず措く。こうした文化財、文化財保護の歴史については、垣内2007等参照。

★27 文化庁「文化財保護制度の見直しについて（2019年1月）」（https://www.bunka.go.jp/seisaku/bunkazai/pdf/r1414902_01.pdf）

★28 文化財を広く文化資源として捉え、地域とそこに暮らす人々との関係の中で考えようとする考え方（文化遺産学）も広がっている。「文化資源の概念は文化財の価値の普遍性を強調するのではなく、また、個別的に捉えるのでもなく、文化財及びこれに関わる人々とその行為の総体を文化資源として捉えるのである。この文化遺産学の提唱は、文化財を保存中心から広い意味での活用を重視し、

文化財を地域の資産とする認識を広げ、地域の文化或いは文化財行政にも一定の影響を与えることになっている」（渡邊 2013：6）。

★29　こうした動きは他の地域でも同様である（秋田県教育委員会 2016）。文化庁では、この方向性で「文化遺産を活用した地域活性化に係る取組への支援」なども進めている。以下参照。http://www.bunka.go.jp/seisaku/bunkazai/joseishien/chiiki_kasseika/　現在も「我が国の『たから』である地域の多様で豊かな文化遺産を活用した、伝統芸能・伝統行事の公開・後継者養成、古典に親しむ活動など、各地域の実情に応じた特色ある総合的な取組に対して補助金を交付することで、文化振興とともに地域活性化を推進することを目的としています。」としてこの政策は続いている。以下参照。「平成 31 年度地域文化財総合活用推進事業について」（https://www.bunka.go.jp/seisaku/bunkazai/joseishien/chiiki_kasseika/h31_sogokatsuyo/）

★30　森下元文「文化財行政とボランティア」（渡邊 2013：63-96）および柳澤愈「インタープリターの将来構想」（同：97-113）他参照。こうした文化財行政に市民として関わる「地域の文化と歴史を語り伝える伝達者」（同：97）の役割を「インタープリター」と呼び、その重要性を訴える動きが広がっている。

★31　2018 年 7 月、東京国立博物館など 4 館と 5 つの研究施設を設置している国立文化財機構は「文化財活用センター」を開設している。

★32　先にも若干見たが、全国各地でそういう事例は事欠かない。小林は、活用できそうな事象を文化資源と位置づけ、指定文化財にとらわれないモノや文書、伝承、記憶を関係自治体が主導して掘り起こし地域での文化理解を促進しようとしている事例として「文字文化誕生の地」という履歴に着目した奈良県の事例を挙げている（小林 2018：267）。

★33　従来「芸術」としてはほとんど顧みられなかった映画、まんが、アニメーション、ゲームは「メディア芸術」として保護や振興の対象になっており、「メディア芸術祭」の開始（1997～）、芸術選奨におけるメディア芸術部門の設置（2009）など制度化も進んでいる（暮沢 2009：170-171）。「純粋芸術」と「大衆芸術」のカテゴリ化図式には収まりの悪い「限界芸術」という視点も日本文化の特質の中から生まれたものと言えるかもしれない（鶴見 1976）。

★34　「コンテンツ促進法」（2004 年制定）が「価値中立的な言葉」としてのこの語の定着に一役買っている。「コンテンツ　文化＝経済の象徴」『朝日新聞』（地方版）2019 年 12 月 20 日参照。

★35　英国労働党政権のマニフェスト「クリエイティブ・ブリテン」に基づいた文化政策の紆余曲折、その功罪と帰結については、ヒューイソン 2017 参照。

★36　少し遡るが、総合的な視点から、2011 年 2 月に閣議決定された「文化芸術の振興に関する基本的な方針（第 3 次基本方針）」においては、重点施策として「文化芸術の次世代への確実な継承」、「文化芸術の地域振興、観光・産業振興等への活用」が定められている。以下参照。http://www.bunka.go.jp/seisaku/bunkazai/joseishien/chiiki_kasseika/pdf/h25_26_pamphlet.pdf

★37　「文化経済戦略」は、東京五輪を一つの目処として「2020 年までを文化政策推進重点期間」と位置づけ、「文化による国家ブランド戦略の構築と文化芸術産業の経済規模（文化 GDP）の拡大に向けた取組を推進していく必要がある。」と謳っている。また同戦略は、この背景として「経済社会の現状と文化芸術のシナジーの可能性」に言及し、「我が国の文化 GDP は、2015 年時点で 8.8 兆円（総 GDP 比約 1.8％）と欧米諸国に比べて低水準であるが、これを 2025 年までに 18 兆円（同比約 3％）に拡大することを目指しており、例えば、世界のアート市場規模が約 5 兆円と言われている中、我が国のアート市場規模は約 2,400 億円と極めて小規模であることから、今後これを成長させていく取組も重要である」（内閣官房，文化庁 2017：3）［注など一部省略］として、経済発展への寄与への大きな期待が示されている。

★38　クール・ジャパン政策を背景にした国や経済界を中心とする「稼ぐ」「儲ける」アートへの強い期待、文化芸術のマネタイズ圧力が何をもたらすのか、アート界ではこれに対する不安や反発の声も高まった。文化庁「アート市場の活性化に向けて」（2018.4.17）で示された方向性は、「先進的美術館（リーディングミュージアム）」構想に表れている。文化芸術の経済化とそれがもたらす状況への

複雑な思いがアートの「現場」にはある。これについては、以下参照。田中功起「これからの美術館を考える（終）先進美術館（リーディング・ミュージアム）構想が成功した、とする」(2019.4.30)（https://bijutsutecho.com/magazine/series/s13/18655)。ここには「稼ぐ文化財」（アトキンソン 2015）という発想から文化政策全体が「稼ぐ文化」への展開として位置づけられていく過程を見ることができる。この間の国の文化政策を包括的に振り返った議論として作田知樹「クール・ジャパン、稼ぐ文化、表現への圧力......安倍政権7年半の文化政策を振り返る」(2020.8.31)（https://bijutsutecho.com/magazine/insight/22614) が参考になる。

★39　文化庁「文化審議会について」https://www.bunka.go.jp/seisaku/bunkashingikai/about/

★40　1993年、日本で初めて「法隆寺地域の仏教建築物」と「姫路城」が文化遺産として、「白神山地」屋久島」が自然遺産として世界遺産に記載されている（森 2003：227）。

★41　ここには、フランス革命を大転換期とする国民国家的な文化政策の方向付けという背景がある（泉 2013）。文化遺産についての基本的視角についてはバブロン、シャステル 2019参照。この文脈で、仏語の patrimoine は英語の cultural heritage を意味すると考えてよい。

★42　産業遺産については、日本でも経済産業省が認定する文化遺産の分類として「近代化産業遺産」の制度がある（2007年より）。

★43　王宮（パレ・ロワイヤル）の回廊と円柱、18世紀から使用される塩水汲み上げポンプ、第一次世界大戦時の街道に設置される道標（フランス）、移民の歴史を伝えるエリス島移民博物館（アメリカ）、戦争記念館（韓国）、死体焼却炉（ドイツ）、足尾銅山跡、水俣歴史考証館のネコ実験小屋（日本）等々、世界各地の有形無形の「文化遺産」が紹介されている（荻野 2002）。

★44　後述（註65）するように、「コレクション」と「アーカイヴ」の考え方は、従来の範疇を超えさまざまな分野で広がっている。また、「文化」概念の拡張と共に「ミュージアム」概念も拡大しており、ポピュラー文化もその対象とする考え方も広がっている（石田他 2013）。何を「文化」としそれをいかに社会化するか。博物館の存在は「文化の民主化」の問題（後述）と切り離せない。最近、博物館の役割の「見直し」も進んでいる。「第25回 ICOM（国際博物館会議）京都大会 2019」では「博物館の再定義」をめぐって議論が白熱したという。以下参照。芦田彩葵「ICOM 博物館定義の再考」が示すもの──第25回 ICOM（国際博物館会議）京都大会 2019『artscape』2019年10月1日号（https://artscape.jp/report/topics/10157593_4278.html?fbclid=IwAR1Zq-9Dlft8P5HLwJ6anRjPdWEn_utOSdwZG6qGsJk9sbVzn3O5pQ4Bc6w)

★45　滋賀県立琵琶湖博物館（1996年開館）は、湖をテーマとした博物館としては全国最大規模。水環境悪化問題を主題とした展示なども行った。康楽館は、金・銀鉱山として繁栄した小坂鉱山の厚生施設として1910年開館。舞台演劇が衰退し、一時休止状態となったが、その後復活、2002年国の重要文化財に指定された。地域活性化も兼ねて町直轄経営の後、第三セクター方式で運営されている。これらの事例を含む分析として、以下参照。脇田健一「地域の集合的記憶－日本」（荻野 2002：183-212）。

★46　関西では他にも「ユニチカ記念館」(1900) のように、近代化遺産に指定された建築物でも解体が決まった例もある（その後保存運動が起こっている）。「大阪中央郵便局」(1939) は、モダニズム建築の代表作として保存運動が起こったものの結局解体されている。

★47　鳴門市は、「増田建築の宝庫」と言われており、市役所本庁舎のほか、体育館や集会所の機能を持つ市民会館、幼小中の学校群、文化会館などその数は19件に上る。増田は、24年間の活動期間（1957～81）に61件の建築作品を世に送り出したがその約3分の1が鳴門に集中しており、現存する増田建築の集積度でいえば、増田の活動拠点だった京都よりも高いという。以上、『徳島新聞』の連載「保存か解体か鳴門に残る増田建築」（全16回）(2018年6月13日～7月14日) による（インターネット上の閲覧）。

★48　秋田でも2016年に、白井晟一（1905～1983）設計による旧雄勝町役場（1956）の扱いをめぐって議論が起こった例がある（その後解体）。この件が筆者がこの問題に関心を持つきっかけとなった。

★49　http://www.jia.or.jp/news/press_release/2010/0729.pdf

★50 DOCOMOMO（ドコモモ：International Working Party for Documentation and Conservation of buildings, sites and neighborhoods of the Modern Movement）は、1988年に設立された近代建築の記録と保存を目的とする国際学術組織。DOCOMOMO Japan はその日本支部。ドコモモの国内登録件数は238（2021年3月現在）あるが、同潤会アパートメントハウスのように現存しないものも含まれる。同組織は、日本の近代建築の再評価のための活動を行うとともに、取り壊しが予定される近代建築について保存要望書を提出する等の保存活動に取り組んでいる。

★51 増田の建築を高く評価する松隈洋（ドコモモ日本支部代表）は「特に戦後のモダニズム建築は、民主主義社会を築こうとする戦後精神と共振し、それを体現するものだった。権威の象徴としての建築から人間のための建築へ、根本的な転換が図られた」と述べている（前掲『徳島新聞』連載第2回）。

★52 もちろんこれまで建物や景観の保全に対する関心が全く持たれなかったわけではない。地方における景観条例制定は1968年の金沢市の事例など1960年代末に遡ることができるが、その広がりは極めてゆっくりとしたものだった（例えば「東京都景観条例」制定は1997年）。強制力のない条例ではなく一定の実効性を持った法として「景観法」（2004年公布、2005年全面施行）が生まれるまでは長い時間を要した。「草の根」的な動きとしては1980年代に東京の地域雑誌『谷中・根津・千駄木』周辺から生まれた運動が知られる。トータルな意味での地域の景観と文化、歴史的建造物への社会的関心を高めた上野・泰楽堂や東京駅などの保存運動は今日の市民協働的な「保存・再生」活動の原点の一つと言ってよいだろう。東京の景観は、震災・戦災そして1964年の東京オリンピックを機に大きく変貌したと言われるが、失われてゆく景観と文化を哀惜し、種々の建造物の保存活動を1980年代から続けてきた森まゆみらの活動は、「世界遺産」概念の浸透と並行して、その後他の地域にも大きな影響を与えた。森2003参照。近年、「遺産」をめぐっては対象と評価の「多様化」も進んでいる。こうした世界遺産をめぐる光と陰を含む現状と課題については、中村2019参照。

★53 香川県における地域と建築の深い結びつきは、同県を中心として開催されている瀬戸内国際芸術祭の生成とも関係している。県庁舎建設など香川における建築文化の形成に大きく関わった建築家山本忠司、長く直島町長を務め地域社会と地域文化の形成にやはり大きな役割を果たした三宅親連（1909〜1999）、そして芸術祭立ち上げの中心的役割を担った企業ベネッセの前身・福武書店の創業者・福武哲彦社長の3人の関係と彼らが果たした役割は、この芸術祭を語るとき欠かせない要素である。このことについて、筆者は、2019年8月同芸術祭を訪れた際、現地で笠原良二（株式会社直島文化村／ベネッセハウス代表取締役）から興味深い話を聞くことができた。この地の地域的履歴と文化、芸術祭、ベネッセアートサイト等の関係性については、笠原2011参照。また、「現代アートの聖地」生成の過程を現場の目線で丁寧に記述した秋元2018は大変興味深い。

★54 瀬戸内海周辺地域7県（広島県・岡山県・兵庫県・山口県・香川県・愛媛県・徳島県）に建つ歴史的建造物や近・現代建築を、日本語・英語で紹介する非営利のウェブサイトがある。せとうちアーキツーリズム振興委員会「せとうちアーキツーリズム（SETOUCHI｜ARCHI-TOURISM）」（https://setouchi-architourism.com/about/）。建築と現代アートの結びつきという点では伊藤豊雄（1941〜）による今治市伊東豊雄建築ミュージアム（2011）の事例も興味深い。瀬戸内一帯には、他にも、建築物としても魅力のある岡山の大原美術館、高松のイサムノグチ庭園美術館、丸亀の猪熊弦一郎現代美術館等が点在し、地域的履歴に裏打ちされた文化的磁場が地帯（ゾーン）として形成されている。原研哉は、瀬戸内国際芸術祭を訪れた経験を踏まえ、当地の文化資源を生かす「情報デザインとしての国立公園」というコンセプトに言及している（原2011：153-162）が、この地域はこうした新たな発想を生み出す文化的交流の好循環の場となっている。

★55 竹内義治「戦後の土木施設、歴史遺産に」『日本経済新聞』2021年4月4日参照。ちなみに、戦後建築で国の重要文化財の指定を受けているのは、2006年に同時に指定された丹下健三の「広島平和記念資料館」（1955）と村野藤吾の「世界平和記念聖堂」（1954）など数件のみだったが、それ以後増え西海橋を含め8件となっている（2020年末時点）。

★56 https://www.bunka.go.jp/seisaku/bunkazai/hokoku/pdf/r1407465_01.pdf参照。

★57　1900年代初頭の建造物だが、改修を経て2002年商業・展示スペースに生まれ変わった。2007年には近代産業遺産（経済産業省）に認定され、横浜のランドマーク的存在になっている。

★58　自動車工場が巨大消費施設に生まれ変わった「リンゴット」（イタリア、トリノ）の例、百貨店が図書館に転用された「ニューヨーク・パブリック・ライブラリー」の例など欧米には豊富な事例がある。一般的には近年のコンバージョンはオルセー美術館（1900年建設の駅舎を1986年美術館に改修転用）の成功を機に1990年以降に広がったとされるが、それ以前にも多くの先駆的な事例があるという（小林他 2008；小林他 2013）。建築文化は新築だけでなくこうしたコンバージョン建築にも現れている。

★59　1980年代ロフト文化の時代に、食糧ビルをアート空間に転換した事例（佐賀町エキジビット・スペース（その後取り壊された））は、まさに日本におけるリノベーションあるいはコンバージョンの先駆けだろう（陣内、高橋 2019：378）。

★60　先に見たテート・モダンは、ジェントリフィケーション（地域の高級化）と都市再開発の「成功例」としても知られる。まさにリノベーションがもたらす経済効果の好例でもあるが、一方で地価の高騰やそれによる地域住民の排除等、その負の効果についても見ないわけにはいかないだろう。スミス2014参照。

★61　文化資本は、文化経済学や経営においてブルデューのそれとはかなり異なる拡張された概念として用いられることが増えているが、概念理解の問題についてはここでは特に議論しない。福原、文化資本研究会1999；スロスビー 2002；ヒューイソン 2017等参照。日本では、同概念の浸透に関しては、社会学の直接的影響というより、内田樹や平田オリザの論考の影響が大きいと考えられる。同概念が企業経営やメセナ等文化政策の「現場」で用いられるようになった経緯については伊藤2018が参考になる。

★62　社会と文化の関係を統合的に捉える視点として文化資本概念は極めて重要である。筆者は、同概念のアメリカ文化社会学における受容と展開を通してその意義について考察したことがある。小松田1998参照。

★63　もちろん芸術を経済的価値で測ることに意味はあるし、それどころかそれに無関心であることが文化芸術の社会的意義を無視することにもつながることについてわれわれはもっと自覚的であるべきだろう。「たとえばボストン美術館やギメ美術館における東洋や日本の美術の名品を例にとっても、日本や東洋が「芸術」や「文化財」という概念を理解できなかったため、売却という合法的な手続きを経て譲渡したものである」（松宮 2003：258）。浮世絵の大量「流出」に至ってはもっと酷い（陶磁器輸出の際の梱包材として用いられた）が、いずれにせよその価値に対する無理解が後で取り返しのつかない事態を招くことになったことは記憶にとどめておくべきだろう。とはいえ、後述するように価値論は多くの難しい問題を孕んでいることにも注意したい。

★64　次元の異なる諸価値をどのように整合的に捉えるべきか。ここには極めて厄介な問題（価値論（axiology））がある。そもそも「価値がある」とはどういうことか。また人によってその捉え方が異なること（価値の相対性や多様性の問題）等の解決しがたい問題は、現実的には社会的に折り合いをつけるしかない。このことは、例えば、世界遺産の登録をめぐってしばしば論議の対象になっている「顕著な普遍的価値」（OUV: Outstanding Universal Value）の問題に端的に表れている（中村2019：15-25）。文脈は異なるが、文化資本概念もまたこの意味で扱いが難しい。一つの論点として価値・選択の判断の困難（文化的非対称性の問題）がある（アビング 2007）が、ここでは問題の指摘にとどめておく。

★65　窪山洋子はあるプロジェクトに参加したことから、普通に暮らす人々の撮影した地域の写真や家族写真、オーラルヒストリーのような無形の資源の存在の大切さを実感したと述べ、その契機を東日本大震災に見ている（窪山 2016）。被災地におけるこうしたアーカイヴを作る活動については佐藤他 2018参照。アーカイヴ化の対象の拡張は文化概念の拡張でもある。最近さまざまな主題の私設公設「ミュージアム」を目にすることも増えている。従来専門家の視野に入らず文化的対象とは見られることが少なかった日常的なアイテムを収集・展示することへの関心（「博物館学的欲望」?）

が形になっている事例として「油谷コレクション」（秋田市）がある（「非営利活動法人油谷これくしょん」運営）。江戸時代から近過去までの農具や民具、雑貨・日用品、レコードや雑誌、玩具、自販機、商品ラベルなど多種多様で雑多な品々（油谷満夫所蔵約50万点のうち秋田市に寄贈された約20万点）が旧市立小学校校舎に保存・展示されている（油谷 2013；雨にぬれても 2020）。

★66　これは特に新しい視点ではない。人々の生活・営みを総体的に捉える視点として柳宗悦の「民藝」（民衆的工芸）論や宮澤賢治の「農民芸術」論がある。両者を包摂した鶴見俊輔の「限界芸術」論はやはり参照すべきものの一つだろう（鶴見 1976）。このことについて示唆を得る機会があった。軸原ヨウスケ、中村裕太らによる企画展「アウト・オブ・民藝｜秋田雪橇編 タウトと勝平」（秋田市 2020年1月〜5月）では、上記「油谷コレクション」のリサーチもこれに併せて行われた。筆者も企画の一部に参加したが、「民藝」の視点を通して生活文化と美術・工芸の関係性についてだけでなく、生活、労働、宗教、それらに関連する文物等諸要素の総体としての文化について改めて考える機会となった。軸原，中村 2019参照。

★67　こうした点については、本書で見てきたように、地域的履歴としての地域文化あるいはコミュニティに蓄積された広義の「資本」の問題として考えることができる。第3章第2節参照。

第 6 章

震災とアート
──「3.11」から見えてくるもの

はじめに

　特殊日本的な状況と言えるかもしれないが、地域とアートの関係について考えるとき、自然災害と復興・再生という論点は欠かせないものの一つになっている。

　アートはこれまでも戦争や自然災害のような人間にとって苛酷な事象や状況とそこで傷ついた人々に強い関心と深い共感とを向けてきた。また、それだけでなくアートはそうした状況からの復興・再生の問題にも真剣に向き合ってきた。1995年の阪神・淡路大震災の経験が、改めて文化芸術の存在理由や社会的意義について多くの人々に気付きを与えるきっかけになったことについては既に多くの論及がある（吉澤 2011；中川 2016；大澤 2018 他）。2011年3月11日の東日本大震災および福島第一原子力発電所事故（以下「3.11」）が地域とアートにもたらした影響もまた見過ごすことはできないだろう。

　本章では、特に東北の状況に焦点を当てて震災とアートをめぐるいくつかの問題について考えたい。

　阪神・淡路大震災と東日本大震災は災害の様態においても地域社会に与えた影響の質においても異なる部分が多い。後者に関しては、地震だけではなく津波があり原発事故がある。当然ながら、被災状況の違いや原発事故との関わり方の違いによって、震災や事故そのものの受け止め方や「復旧」と「復興」の語に対する反応も異なる。どちらの言葉も誰にとっても肯定的ということは必ずしもなく、特に後者には違和感や反発を感じる被災者も少なくない。

　災害から10年以上を経た今も状況は複雑である。とはいえ、時間を置いて振り返ることの意味は決して小さくないだろう[*1]。

　数多くのアーティストが3.11に関心を寄せ、実際さまざまな形で被災地・被災者に関与した。その一方で、3.11が生み出したアートがありアーティストがいる。アートと震災、「復興」をめぐる動きについては、必ずしもポジティヴに語り得るものばかりではないにしても、こうした状況下でアートに何ができるか／できないかが多くの人々を巻き込んで真摯に問われたことは確かだろう。この震災は、地域とアートをめぐる課題と可能性を映し出す契機ともなった。

本章では、それらについて何点か取り上げ、見ていくことにしたい。

第1節 震災・復興・アート

1.「文化復興」── 文化芸術に何ができるか

文化による復興の試み

　東日本大震災に見舞われた地域では、状況によって形は異なるが、公私さまざまの「復旧」「復興」に向けた動きが立ち上がった（ここには上で述べたように人によって受け止め方の違いがある）。何より生活インフラ、産業基盤等ハード面の復旧が優先されたことは言うまでもない。一方で、社会生活のソフト面とも言える日常生活の再建にも大きな関心が集まった。文化芸術を生活再建・地域再建の力にしようという試みも数多くなされている。文化芸術関係者が活動するにあたって、「自己満足」「もっと必要なものがある」等の批判を浴びながらも、文化芸術にできること・必要なことを模索する中で生み出されたものは大きな意味を持っている。

　震災直後のアーティストの動きもあったが[2]、震災を機に地域の復興・振興を願っていくつかの芸術祭も立ち上がった[3]。こうして、直接的であれ間接的であれ文化芸術が地域に与える影響についての認識はこの間徐々に広がってきた。この過程で地域と文化芸術の関係を改めて問い直し再検証する作業も進んでいる。

　地域における文化芸術の役割を問う試みの一つを見てみよう。

　「特定非営利活動法人いわてアートサポートセンター」は、「文化復興による10年計画」を構想し、これにつなげるべく、被災地（久慈市、宮古市、釜石市など沿岸12市町村）居住者、他所への避難者を対象に「文化芸術活動に興味を持つ市民意識調査」（約400名回答者130余名）を行っている。この結果と分析、それを踏まえた提言がまとめられている（いわてアートサポートセンター 2015）。

　そこでは、例えば「祭り芸能」［ママ］の復活、子どもたちの文化芸術体験、

宮城県石巻エリアで開催されたアート・音楽・食の総合芸術祭　Reborn-Art Festival 2017

写真6-1　宮永愛子『海は森からうまれる』

写真6-2　岩井優『ダンパリウム』

写真6-3 小林武史 × WOW × デイジーバルーン『D・E・A・U』

写真6-4 名和晃平『White Deer (Oshika)』

文化施設・生涯学習施設のあり方、文化振興において市民協働とNPOが果たす役割、地域文化・芸術について等がトピックとして取り上げられ、今後の地域社会と文化のあり方についての（今後10年の）展望が示されている。その内容は多岐にわたるが、この災害を通じて地域と文化芸術の関係に改めて焦点が当てられることで、地域にとっても文化芸術に関わる側にとっても、この経験が両者の結びつきの重要性を再発見する契機となったことがうかがえる。

この「提言書」で、外岡秀俊（ジャーナリスト・作家）は次のように述べている。「「3.11文化復興フォーラム」に参加して、確信したことがひとつある。[改行] 大きな災害からの復興の「核」は「コミュニティ」であり、その修復と再生には「文化」が大きな役割 [を] 果たす。一言で言えば、復興の「核」となるのは、「文化」にほかならない、ということだった」（同：40）。

一方で、外岡は、同じ災害としてたびたび重ねられて語られる阪神・淡路大震災と東日本大震災との違いについても言及している。被害が20数キロの「震災の帯」に集中していた「阪神」と南北500キロ以上の距離が広がっている「東日本」ということ、少子高齢化・過疎化、医療網の弱体化等の時代環境の問題などを挙げ、被災者の「孤独」に寄り添うことなど「阪神」から学ぶべき教訓はあるとはいえ、「東日本」の復旧・復興において文化が果たす役割はより大きいと述べている。都市的な環境と比べれば、伝統文化と生活の関係が深い東北では、文化芸術の質的差異や機能的な差異はやはり大きいだろう。地域が広いだけに、コミュニティの個性も多様性に富んでいる。そこでは祭りや芸能は地域のアイデンティティと切り離せないものでもある★4。

しばらく前からコミュニティ（地域社会）は大きく変容しており、実際地縁的・血縁的な共同体から自由であろうとしてきた人々も少なくない。しかしこの危機はその意義を召喚する契機にもなった。そしてまたそこでアート（より広く文化芸術）の役割が問い直されたのである。

2019年の提言書では、学びの場の不足や分野的な偏り、指導者の不足、事業への参加者の固定化など、厳しい環境が報告されているが、一方で演劇、音楽演奏、舞踊等の活動が地域で実働していることが紹介されている。同書は、文化芸術が被災の復旧・復興に直接的に役立つということではないが、

それが確かに人々の心の支えになっていることを示している（いわてアートサポートセンター 2019）。

地域における公立文化施設とアートNPOの役割

　文化芸術活動と地域の関係について改めて振り返ってみよう。

　大澤寅雄は、2つの震災が文化と社会に与えたインパクトと両者の関係性の変化について、公立文化施設とアートNPOに焦点を当てて論じている（大澤 2018）。

　阪神・淡路大震災（1995）と特定非営利活動促進法（1998施行）がNPOの活動が活発化する一つの端緒である。1995年は、被災地に全国から駆け付けたボランティア活動が注目されたことから「ボランティア元年」とも言われたのは知られるところだろう。この直後から、以前から文化と社会の新しい関係を模索しながらそれぞれ点在していた組織づくりが一気に具体的な形を取るようになってくる。促進法の施行はそれらの組織が「アートNPO」として活動を活発化させる契機となった。大澤は、アートNPOによるネットワークが2003年から整い始めたことを指摘し、全国のこうした連携がいわば創発的な効果を生み、各地の文化的実践に果たした役割に言及している。例えば「廃校利用」「創造都市」「ソーシャル・インクルージョン（社会包摂）」に関しても社会一般に普及するより早くから議論され、先駆的な実践例が紹介されていたという（同：271-273）。

　文化と社会の新しい関係を探究する機運が一定程度醸成されていたとはいえ、3.11は、アートNPOが次の段階に移行する大きな契機となった。大澤は、諸団体は「わたしたちに何ができるのか」を真摯に問い、より活動の幅を広げ質を高めたことに注目を促している（同：275-278）[★5]。アートの力をいかに社会に役立てるか──アートにおける「社会実装」の視点が「標準化」してくるのもこの頃からと考えられる。

文化的コモンズの意義

　地域の再生・復興を見据えて多くの調査研究も行われるようになってくる。文化芸術の領域でも、先にも見たように実態を把握するため多くの調査研究

が実施されている。地域の文化拠点としての公立文化施設についても、被災後その重要性に改めて光が当てられた。地震と津波で大きな被害を受けた施設は、短期的にだけでなく中長期的にも機能しない状態が強いられるケースも少なくなかった。この状況下、これらの施設の目的や必要性が改めて問われることにもなった（大澤 2018：277）[★6]。

　大澤は、自身が関与した調査を踏まえ、地域と文化政策をめぐる重要な論点として「文化的コモンズ」に言及している（同：277）。

　「文化的コモンズ」は、財団法人（現一般社団法人）地域創造が東日本大震災・原発事故後の地域の文化状況を把握し災後の地域における文化芸術のあり方を展望することを目的として実施した、被災地を中心とした調査研究の報告書（地域創造 2014）[★7]の中で提言した概念で、「地域の共同体の誰もが自由に参加できる入会地のような文化的営みの総体」を意味している。また、これを承けた継続的な調査研究の報告書（地域創造 2016）[★8]では、文化的コモンズの重要性を改めて示すと共にその形成の担い手であり、人々と地域、文化芸術を多様な方法で結ぶ「コーディネーター」が不可欠であることに言及している。これに焦点を合わせた調査も被災地外も含む東北で行われ（アーツグラウンド東北 2017）、これらを契機として人的交流も活発化している。

　「文化的コモンズ」の発想は、諸々の領域で近年進む市民参加や「新しい公共」等の理念と相即するものだが、これは言うまでもなく、3.11の災害以前から深刻化する少子高齢化、人口減少、地域経済の衰退、中央・地方財政の縮小等の危機的状況と切り離せない。国、地方自治体、公立文化施設、NPO、民間企業、教育・研究機関等々、多様なアクターの相互連携というだけでなく、絵画・彫刻・音楽など従来芸術と考えられてきたもののほかメディアアート、伝統芸能、生活文化、娯楽等の多様なジャンルを越境させ関連させる視点がここには示されており、美術館・博物館、劇場、音楽ホールといったハコモノ施設の空間と制度的枠組みを超えて、さらには専門家と非専門家（素人）の境界を超え、性別や世代を超えた「参加」と「協働」の視点を強く意識した構想と言えるだろう。

「地域の再構築」への視点

　「コモンズ」（共有資産）という考え方は、環境や経済学の領域で以前から注目されているが、その可能性に対する関心がこのところ高まっている。公共財という考え方とも親近性のあるこの着想は、文化の領域にとどまらず、少子高齢化が進行し社会サービスの効率化と充実が期待される地域コミュニティにとっても重要なものになるだろう。この視点でさまざまな資源をネットワーク化したり共有化したりすることで、社会的サービスの効率性や利便性を高める試みは今後一層拡大すると考えられる。

　このことは現在進められている医療・福祉を核とした「地域包括ケア」システムの構築とも相通じるところがある。「コモンズの形成＝関係者と諸資源のネットワーク化」と考えれば、ここには分野領域を超えた相同性も見いだせる。文化も医療・ケアも「生活の質」を高める機能を持っている。また、経済的、精神的、身体的に困難な状況にある人々を支援するという点でどちらも社会的包摂の機能も持っている。医療とアートは社会的機能において実は極めて近接してもいる。

　地域の再構築が求められているのは「被災地」だけではない。また「被災者」の困難な状況は、重層的な意味で、その人たちだけの問題ではない。人口減少、少子高齢化とそれに関連した地域資源の縮小という要素を考えれば、実はどの地域も同様の危機を迎えているという見方もできる。被災地／被災者の課題は決して特殊ではなく一般性を持っている。われわれは一見特殊な文化政策の中に地域社会一般に敷衍できる要素があることを認めることができるだろう。

2. 「震災と復興」から見えてくること

コミュニティの再生——アートプロジェクトの役割とは

　ここで「被災地」におけるアートプロジェクトの事例に注目してみよう。3.11の「被災地」で地元の人間として生活しそこで「復興」の事業に関わった「当事者」である小松理虔の『新復興論』（小松 2018）を（そのごく一部になるが）取り上げたい。

　小松は「3.11」後、自身の出身地福島県いわき市に拠点を置きながら、「ロー

カルアクティビスト」として地域の食や医療、福祉などさまざまな分野の活動に携わり発言を続けている。彼の著作は「復興論」と銘打ってはいるが、そこでは彼自身が関係した「地域」におけるアートプロジェクトが重要な位置を占めていることが読み取れる。

　小松は、この中で、あるグループが企画した福島第一原発を「観光地化」しようという「ダークツーリズム」の「炎上騒ぎ」とそこで行き交う「批評やアートの暴力性」に対する反発を見ながら、地域づくりと思想と批評が自身の中で結びついた経験について語っている。福島をめぐる状況の混沌を「思想と批評」を通じてブレイクスルーできないかという思いが彼のその後の活動の起点となっていることが理解できる。

　小松はまた、「地域づくり」を主軸にしながら「福島藝術計画×Art support Tohoku-Tokyo」など多くのアートプロジェクトにも関わり、そこで体験した違和感や希望や失望といった複雑な思いを率直に語っている。彼自身こうしたプロジェクトに関わることで、「全国の地域アートの近未来を先取りできるかもしれない」「自分の今後の活動の肥やしにしたり少し離れた立場から批評的に分析できるかもしれない」という期待を持ってこうした活動に参加したという（同：327）。

　小松は、この活動の中で、福島県内で開催されているアートプロジェクト（特に自治体助成のもの）は「コミュニティ」や「子ども」という言葉が頻出することに気が付く。彼はそれは「人と人をつなげる手段としてのアート」が推奨されたからなのだろうと推測する。「特に福島では、地震や津波の被災だけでなく、原発事故によって多くの人たちが移住や避難を迫られたため、「コミュニティの再生」は大きなテーマになっている」。こうしたことを背景にして「コミュニティの再構築の役割を期待されているのがアートプロジェクト」なのである（同：328）。自治体として「［潤沢な復興予算で］様々な文化事業を提供しよう」とか「あわよくば、それらの課題を改善させようという狙い」を小松はそこに読み取って、こう述べる。

　「しかし、そこにこそ問題があると私は考えている。人々の心を癒そうとするあまり、アートが持つべき批評性が去勢され、あくまで業務としてプロジェクトが進められることになるからだ。そこには、いわき回廊美術館にあるような

担い手たちの情念がない。本来アートにあるようなマジョリティとマイノリティの逆転もない。バカバカしさや意味のなさもない。そこには、困っている人が、困り続けたままで、何かに搾取され、動員されている構図しかないのである」（同：328）。

「現場」からの「地域アート」論——地域アートの倫理

ここには「現場」の人間ならではのきわめて本質的な「地域アート」論がある。それは同時に「地域アート」批判でもあるだろう。

小松はまた、このプロジェクトに関わる中で「課題先進地区」は東京にも関わりがあるという視点で報告書を作成するうち、「アートは何をなし得るのか」と書きながら、「これはアートプロジェクトではなくて「コミュニティデザイン」なのではないか」と考えるようになる。アートを推進する側にいるなら「アートが必要とされている」と言い続けないといけないのではないか。課題解決のプロセスに近づいていくことをしなければ、アートの意義を知ってもらい予算をとることもできない。しかしアートにはアートにしかできないことをやるべきではないか。小松はそうしたジレンマを吐露している（小松 2018：330-331）。小松はまた、これと関連して「愛郷心と紐づけた「官民一体」の動き」に対する違和感について言及している。彼は「復興」の御旗を掲げた「愛郷心搾取」に地域の人々が無自覚になることについて強い警戒感を覚えずにはいられないのである（同：332-333）。

小松は、このように、文化事業が行政と急接近するときに、アートはその批評性が「去勢」される恐れがあり、短期的・定量的な評価に収まってしまうのではないかという危惧を示している。

小松はアートの可能性に期待する一方でその限界についても言及し、自分が求める「地域アート」について次のように語っている。

　　私が求めている地域アートとは、時間的・空間的な外部の視座を私たちに挿入してくれるものである。現代に死者の声を届けることによって「今ここ」のリアリティから私たちを解放するとともに、喪失感を癒し、そしてまた同時に、死者や外部の声を通じて、今私たちが生きる社会の課題を

提示するものでもある。莫大な経済効果をもたらすわけでもなく、課題を解決するわけでもないが、私たち現場に生きる人間が、数百年後の未来を考える思想をつかむための、その端緒となるような体験を、マレビトたる彼らに提示してもらいたいと思っている。アーティストとは、やはり課題を提示する人たちだ。課題を解決するのはアーティストではない。私たちの仕事である。（同：334）[強調筆者]

　小松は、マレビトとしてのアーティストの役割と共にその限界についてこのように端的に述べている。地域における主体とは誰か。誰であるべきか。これはまさに地域とアートをめぐる「倫理」の問題にほかならない。
　このことを踏まえ、小松は「地域アートのひとつの理想型」としてカオス*ラウンジの「市街劇『小名浜竜宮』」を挙げている（同：335-358）。彼はこれについて詳細に説明解説しているが、この企画は小名浜地域各地の会場を巡り歩くツアー演劇のような鑑賞経験が味わえる複合的要素から成っている。いくつかの小伝説を含む浦島伝説といわき各地に祀られている八代龍王を題材にしたという点で地域性の強い作品でもある。小松は、この作品の鑑賞だけでなく、そこにさまざまな気づきをもたらす鑑賞ツアーを含めて評価し、この作品を通していわきの文化の奥深さが「龍の物語」として立ち上がってくることへの感動を語っている。
　最近はアートプロジェクトも観客動員数や費用対効果等の厳しい定量的評価にさらされる。莫大な予算が投じられるケースもありそれはある意味当然なことだろう。しかし、定量性に過度に傾斜した評価に対する彼自身の疑問が示すように、評価がのっぺりした公平性にのみ依存することもまた問題だろう。小松は、単に評価というより批評——何らかの視点を重視する姿勢と言い換えてもいいかもしれない——に対する強い信頼がある。小松のこうした議論は、一般に「地域アート」と呼ばれるさまざまな実践活動を、その文脈を踏まえて「批評」したものと見ることができる。
　小松の「復興」に対する考え方もこうしたものの見方と無縁ではない。小松にとって「地域づくり」とは単に「何かを残す」ことではない。小松は「地域に眠る文化や歴史を掘り起こすこと。それはすなわち「死者の声を聞く」こ

写真6-5
市街劇「小名浜竜宮」
作：藤城嘘

写真6-6
市街劇「小名浜竜宮」
作：パルコキノシタ

（以上2点、撮影：中川
周、写真提供：カオス*
ラウンジ）

と」だと言い、そしてその「先に地域の未来があるべきだ」（同：358）と主張
する。正の要素だけでなく負の要素（原発もその一つだろう）も含めた地域の
履歴（物語性としての歴史）を踏まえ、長い時間軸で「地域」を捉え、自分た
ちの未来を構築していくこと。そこに小松なりの地域の構想、それと切り離せ
ない形での「復興」論があるのだろう。地域の構想とアートを重ね合わせて
考える視点がここにはある。

　「地域アート」とも呼ばれ批判にさらされることも多かったアートプロジェク
トの現在を考える上で大きな示唆をここから得ることができる。

第2節 「アートと社会」をめぐる問い
—— 震災の現場から考える

「巻き込み」から生まれるもの

震災は、アートと地域の関係性にも大きな問いを投げかけた。それはまた、より大きな意味でアートと社会の関係を捉え直すことをわれわれに求めることにもなった。

せんだいメディアテーク★9の館長も務め、東北に縁のある哲学者の鷲田清一は、東日本大震災の経験を通して「アートと〈社会〉」について論じている（鷲田 2016）。

鷲田は、著書の中で震災を通して現われたさまざまなアート作品を通して、「アートに潜む《社会性》」に焦点を当て「アートにはなぜ、とりたててアートに関心があるわけではない人びとまで巻き込んでそこになにかある出来事を出来させる力があるのか」（同：11）と問うている。この根源的な問いは、「震災とアート」という問題設定と切り離しがたく結びついている。鷲田は川俣正の「アートが社会的に何の役にも立たないことにおいてのみ、社会に役立つ」という言葉を何度か引き、「［社会との関係における］アートの逆説的なふるまいの内実が、抜き差しならないかたちでアーティストたち自身によって問われたのが、このたびの東日本大震災だった」（同：19）と述べている。こうして、鷲田は3.11を通して立ち上がってきたアート／アーティストの活動・表現と向き合うことでこの問いに答えようとしている。

鷲田は、小森はるか（1989〜）、瀬尾夏美（1988〜）という2人の若いアーティストの行動（結果的には「表現」）に強い関心を示し、「巻き込み」としての表現ということについて考察している。

芸術を学ぶ学生として、またボランティアとして災害の現場を訪れ、当初その事実や状況を「表現すること」を躊躇していた2人が、その地でそこで暮らす人々と関わり合いながら、地域の外部の人々にそのことを伝える困難を自覚し、しかしその事実の「報告」や「記録」を「表現」に転換しなければならないと意識化する過程を鷲田は「みずからを何かに巻き込んでゆくこと」（同：63）つまり「巻き込み」（インヴォルヴメント）として記述している。2人は単に

震災・津波という出来事に（事後的にだが）遭遇しただけでなく、そこに移り住み被災した人々とその生活に長期間深く関わることになった。居住地の移動など状況的変化はありながら2人と地域との関係性はその後も続いた。「復旧・復興」の過程を間近で見ながら、自然環境や風景の変化あるいは人々の心情の変化と共に変わらぬものを受け止めること。この2人が抱えたさまざまな関係性と時間経過そのものが彼女らの表現の母胎となっている。

　当初「報告者」であった小森／瀬尾は、自らの表現としてそれぞれ写真・映像あるいはドローイングと言葉を通してこの「巻き込み」を「形」にし続けている[10]。

「わからなさ」に寄り添うアート

　鷲田は、小森／瀬尾の他にも、志賀理江子（写真家）、畠山直哉（写真家）ら、3.11を通じて「社会」と「抜き差しならない」関係を結んでしまったアーティストたちを取り上げ、その表現の中にアートの可能性を探ろうとしている。そこで鷲田は、川俣正や白川昌生ら[11]を引きつつ、「アートと社会」という問題設定に対する基本的な違和感を示している。

　手探りで思考する鷲田の論旨を正確にたどることは難しいが、この設定はアート／非アートの境界を設けることで、特定の表現を「アート」として対象化し、そのことによって表現行為そのものを資本主義経済、市場等々の現代社会のシステムの内に回収させてしまう図式・論理として理解できるだろう。この構図の下では、アーティストも時に「わかりやすい」アートを提示するという形でこのシステムの維持に加担してしまう。

　こうした違和感を抱えながら、鷲田はこの問題設定とは無縁なところで立ち上がる《社会性》を浮き彫りにしようとしている（同：123-150）。ここで鷲田は小森／瀬尾ら3.11の体験から何事かを発見したアーティストがいわば「素手で」現実に向き合おうとする姿勢に共感を寄せていると言ってよいだろう。

　鷲田は志賀の個人史的履歴と作品の生成過程をたどりながら、彼女の「芸術に社会性があるのではなく、芸術が根を張る場所が社会だ」（同：116）という言葉を引いている[12]。自然があり暮らしがあり歴史があった地域は単なる対象ではなく、そこに生きる人々が根ざす社会にほかならない。生（生命や生

活)を直視することでそこに立ち上がるものとしてのアート。それが根源的な《社会性》と多様性を孕んでいることに鷲田は眼を向けている★13。

震災が生んだ「表現」

鷲田はこうした考察を踏まえ、アートの可能性の論理を教育やケアへと敷衍している。例えば、志賀が写真と向き合い、地域と向き合うことを通して結局「わからなさ」というものに向き合うようになっていく姿に焦点を合わせながら、「ケアの思考」と「アートの思考」に通底するものについて鷲田は次のように述べている。

「このように、政治的な判断においても、看護・介護の現場でも、芸術制作の過程でも、見えていないこと、わからないことがそのコアにあって、その見えていないこと、わからないことに、わからないままいかに正確に対処するかということが問題なのである。そういう思考と感覚のはたらかせ方をしなければならないのがわたしたちのリアルな社会であるのに、人びとはそれと逆方向に殺到し、わかりやすい観念、わかりやすい説明を求める。一筋縄ではいかないもの、世界が見えないものに取り囲まれて、苛立ちや焦り、不満や違和感で息が詰まりそうになると、その鬱ぎを突破するために、みずからが置かれている状況を分かりやすい論理にくるんでしまおうとする。[後略]」(同：107)★14

安直な理解に帰着するような「わかりやすさ」に抗い、「わからなさ」を引き受けること。そういう状況に進んで身を置くことにケア／アートの思考の核心がある。鷲田の言説をそのように理解することができるのではないか★15。

鷲田は、個々の制作事例の背景と当事者の意図や状況に目を配りながら、作家と作品に向き合い、それに関する「厚い」記述を通して、こうした論理を抽出している。作家／作品と地域との個別具体的な関係性を踏まえた鷲田の言説は、われわれに大きな示唆を与えてくれるように思う。

切実な状況から生まれる切実なアート。鷲田は、震災という特異な状況下で、作家の（単なる）自己表現を超えたアートに出会い、あるいはそれが生成する「現場」に居合わせることでアートの意義を捉え直すことになった。しかしそれはアートの普遍性を再認することでもあったのではないか。鷲田のアート論は、ここでの議論に尽きるものではないが、ここから多くのことが学べる

ように思う。

このように、震災の現場ではアートに対する深く鋭い問いが生まれ成長している。

アートの／への問い、地域の／への問い

本章では東日本大震災に文化芸術はどう向き合ったのかを見てきた。文化芸術がこの災禍に見舞われた地域と人々に対してさまざまな形を通して何らかの役割を果たしたことは確かである。われわれは、その直接的で即時的な貢献だけではなく、間接的で遅効的な働きにも目を向けるべきだろう。「アート」としてそこに生まれたものの豊かさ、敷衍すれば、アートの豊かさとは「わけのわからなさ」を許容する懐の深さであり、またそれを糧として人々に発見や気づきの機会を与えるところにあるのかもしれない。震災はそのことを教えてくれた。そしてまた、この経験は、文化芸術／アートを豊かにすることにもなったように思われる。

震災は、アートに何ができるかという問いだけでなく、アートと地域の関係のあり方を問い、そしてアートとは何かという問いもわれわれに投げかけた。この問いを通して、われわれは、地域はアートが生まれ成長する場でもあるということに改めて気づかされたし、地域とアートの関係性についても、双方が成長し関係を深めていく可能性について考えさせられることになった。「社会とアートの共進化の可能性」もまたここで問われている。

註：

★1　被災地における「復興」「再生」をめぐる複雑な状況について多角的な視点から記述分析したものとして、吉野, 加藤 2019 参照。

★2　震災当時、仙南芸術文化センター（えずこホール、宮城県）といわき芸術文化交流館アリオス（福島県）はともに避難所として利用され、震災直後から藤浩志との活動に取り組んでいる（佐藤 2018）。

★3　郷土芸能に焦点を当て三陸沿岸地域（青森・岩手・宮城）各地を開催地とする「三陸国際芸術祭」（2014～2017、2019～）、宮城県石巻エリアで開催される「アート・音楽・食の総合芸術祭 Reborn-Art Festival」（2017から隔年開催）などがある。

★4　是永幹夫は、3.11後、厳しい生活が続く中、避難所に地元の民俗芸能団体が駆け付けたという事例を紹介し、文化庁事業の一環として「復興と絆―伝統芸能と地域」を「たざわこ芸術村」で実施

した際、「民俗芸能の底力」や「コミュニティに果たす役割」を改めて教えられたと述懐している。そこではじゃんがら念仏踊（いわき市）、虎舞（大槌町）、雄勝法印神楽（石巻市）など被災地の芸能が披露された。是永は、その事業の一つであった山折哲雄（宗教学）と赤坂憲雄（民俗学）の特別対談の一部を引いている。山折は「私は今度の災害を契機に、伝統芸能とか民族芸能とか言われている芸能の見直しを迫られたような気がしたんですね。」として芸術性で芸能を2つに分ける考え方を批判し芸能の豊かさを称揚している（是永 2014）。

★5　倉林靖は震災直後からの震災とアートをめぐる状況を報告し、当時を振り返りながら「アートに何が可能か」「コミュニティとアート」という視点で震災とアートの関係について真摯に問うている（倉林 2013）。倉林の「今日におけるアートの役割に関する理論的背景」（同：152-159）も災害の現場感覚から生まれたアート論として興味深い。同書では救災・支援の具体的な事例も紹介されている。震災の前年2010年6月にグランドオープンしていたアーツ千代田3331は、同施設が千代田区の災害避難所に指定されていたこともあって、発災直後から避難者らの受け入れを始めた。文化施設の多面的機能を示した事例とも言えるかもしれない。この経緯もあって、同施設は3月16日オープンミーティング「今、私達に出来ること！」、4月2〜3日「いまわたしになにができるのか？──3331から考える」などの討論の場ともなり、これが「東日本大震災復興支援「Arts Action 3331」プロジェクト」へと発展した。さらにそこから復興支援のプラットフォーム「わわプロジェクト」も生まれることになる。このことは3331という活動主体にとっても存在意義を確認する契機となったようだ。これ以降も、3331はたびたび現地報告会や支援活動を行うなど、震災の状況とその後の支援のあり方を模索する東京の一拠点として存在感を示してもいる。これについては、同じく倉林2013、支援プロジェクトについては、コマンドN 2012参照。

★6　佐藤李青は、宮城県の仙南芸術文化センター（えずこホール）、福島県のいわき芸術文化交流館アリオスなど被災地の文化施設の災害前の活動内容や各地の文化環境の検討を通して、3.11後のこうした文化施設の「ミッションの再定義」を試みている（佐藤 2018）。

★7　同調査は、公立文化施設の果たしてきた役割を見つめ直し、地域の文化芸術の課題と可能性を展望するという趣旨で行われたもので、岩手県陸前高田市、宮城県石巻市、福島県相馬市の被災地3地域、および阪神・淡路大震災を経験した神戸市長田区、芸能活動が地域に深く根付く沖縄県南城市の5地域の事例が対象となっている（地域創造 2014）。

★8　同報告書では、北海道富良野市、青森県八戸市、茨城県小美玉市、広島県尾道市、福岡県北九州市を中心に、多様なアクターによるパートナーシップ、公立文化施設の制度的枠組みを超えた協働・連携の試みなどが紹介されている（地域創造 2016）。

★9　せんだいメディアテーク（伊東豊雄設計、2001開館）は、図書館、イベントスペース、スタジオ等からなる公共施設だが、3.11を機に同年5月「3がつ11にちをわすれないためにセンター」を開設した。「市民、専門家、スタッフが協働し、映像、写真、音声、テキストなどさまざまなメディアの活用を通じて復旧・復興のプロセスを記録、発信していくプラットフォーム」である（佐藤，甲斐，北野 2018）。後述の志賀理江子「螺旋海岸」展は同館で開かれている（2012.11.7〜2013.1.14）。

★10　小森と瀬尾は、被災地に関わった美術学生として当初から「報告者」の役割を担っていた。2人はアーツ千代田3331で「東京の人へ、東北報告会」で何度か報告もしている（倉林 2013）。2人の作品は、周囲の評価を得ながら社会化され、財団等の助成も得て、巡回展「波のした、土のうえ」として2015年4月の陸前高田（2人にとって縁の深い場所でもある）を起点に、2年ほどかけて盛岡、神戸、仙台、福島、東京、尼崎、新潟と全国をめぐった。その後も広島、秋田など巡回展は続いた。この過程もまた「記録」が「表現」へと成長する過程だったと言えるかもしれない。同タイトルの2名共同制作の映像作品（2014年制作）もある。2人の表現は、共同制作の他さまざまな形を取ったが、代表的なものとして、小森はるか『息の跡』（2016年制作映像作品／93分）、瀬尾夏美（2019）『あわいゆくころ　陸前高田、震災後を生きる』（晶文社）などがある。例えば瀬尾のこの出版物は、巡回展その他で折に触れ展示公開された震災後7年間の「記録」であり「表現」である。

写真6-7 小森はるか+瀬尾夏美　　写真6-8 小森はるか『息の跡』　　写真6-9 瀬尾夏美
巡回展『波のした、土のうえ』　　（2016）　　　　　　　　　　　　『あわいゆくころ』（2019）

★11　川俣正（1953〜）と白川昌生（1948〜）はいずれも自身アーティストであると同時に「アートと社会」
　　　に関して論争的な議論を展開している（川俣 2001；白川 2010）。
★12　志賀理江子（1980〜）は、震災前の2008年から名取市の海岸地域で暮らしながら地域の人々の
　　　生活を記録することと並行して制作活動を続けていた。それらの作品はまさに地域の中で生み出さ
　　　れた。

写真6-10 志賀理江子『螺旋海岸』
展示風景
写真提供：志賀理江子

★13　鷲田はこれに関連して別のところで E.レヴィナスの「根源的多様性」の思考に言及している（鷲田
　　　2016：243）。
★14　鷲田は、アートと非アートの間にある「ゆるさ」や「わからなさ」の中に、人と人の間の相互性や協
　　　働あるいは試行錯誤の創発性を見いだし、そこに教育とアート、ケアとアートの本質的な相同性（望
　　　ましい関係）をも見ようとしていると言えるかもしれない（鷲田 2016：151-176）。鷲田は、自ら仲間と
　　　「アートミーツケア学会」（2006設立）を立ち上げて活動しているが、その学会の名称の意図につい
　　　てこう述べている。「「アート・フォア・ケア」もしくは「ケア・フォア・アート」といった一方が他方を
　　　支援するかたちではなく「アートミーツケア」という、交叉点をイメージした命名にしたのも、アート
　　　とケアがそれぞれにみずからに与える規定とそれが現在直面している課題とを反省的に問いただす
　　　なかで、まるで森のなかを彷徨うかのように試行錯誤しているさなか、たまたまおなじ空き地で遭遇
　　　し、しばし協働の作業を遂行しつつ、それぞれに相手が格闘している問題をみずからの内にクリティ
　　　カルに採り入れることでさらなる位相転換を模索するということを意識して試みたからである（同：

154）。震災の現場は鷲田にとってもこのことを再認させる場であったということなのだろう。

★15 鷲田のアート論には、やはり医療、芸術、教育等の領域で注目されている「ネガティブ・ケイパビリ
ティ」（negative capability）という概念と通底するものがある（帚木 2017）。この「負の能力もしくは
陰性能力」は「どうにも答えの出ない、どうにも対処しようのない事態に耐える能力」あるいは「性
急に証明や理由を求めずに、不確実さや不思議さ、懐疑の中にいることができる能力」（同：3）を
意味する。

第7章

文化芸術の効用と
社会実装
——地域で活きるアート

はじめに

　地域とアートの親密化は、(一部では「地域アート」と呼ばれるような)地域アートプロジェクトの活発化 (量的質的拡大) という形で現れたが、このことは「文化芸術の力」への社会的関心の高まりと強い期待を意味していた。これは他方で、文化芸術の「効用」への注目であり、文化芸術を社会経済的な視点で、つまり効果や社会的インパクトの問題として見る見方の一般化でもあった。このことは同時に、異なる領域や分野と考えられていたものが統合的なものの見方で捉え直されるという認識の変化と並行している。社会、経済、政治、文化等 (の語あるいは概念) をそれぞれ独立した領域・分野と考える傾向はなお根強いものがあるが、それらは互いに関連し合っているという見方は、以前に比べると随分広がってきた。グローバル化に伴う地域経済における産業空洞化や人口減少・少子高齢化の進展を背景にした地域づくり、地域活性化 (地域再生)、さらには貧困、社会的孤立等のいわゆる社会的課題を前にしてアートが果たす総合的・包括的な機能や役割に対する期待は高まっている。本書でも「創造経済」については、たびたび触れてきたが、この論点を含め、文化芸術と地域社会との相互的な影響関係、そしてその課題と可能性について、改めていくつかの視点から考察してみることにしたい。

　文化芸術に効用を認める視点は、理念の現実化・具体化＝実装を志向する (ある美術専門誌はこのことについて「アートを社会に実装させる」という表現を用いている)。このことは地域の人々や行政等、アート／アーティストに期待する側だけの問題ではなく、アート／アーティストの側の姿勢とも関係する。また、このことはより大きな意味で文化芸術と社会の関係性の位相の転換としても考えられるだろう。後半では、各地で見られるこうした実践活動について文化芸術の社会実装という視点から考察してみたい。

第1節 文化芸術と地域経済

1. 文化芸術の社会経済的効用

高まる文化芸術への期待

文化芸術を社会経済的な視点で（効果や効用の問題として）見る見方は、ここ10年ほどで大きく広がってきた。

文化施設の地域経済に与える影響や観光への波及効果などに注目しながら「文化・芸術がマクロ経済及びミクロ経済に対して一定の経済効果を持ち、経済の活性化に資することは明らか」（筒井 2011：115）であり、「公共事業が縮小し、また経済のグローバル化や電力等の生産要素の制約により工場の誘致も進まず、海外からの観光客も頭打ちになっている現在において、文化・芸術産業は今後の新たな成長産業として見直されている」（同：116）また、「文化資源こそ経済成長の源であり、新たな市場を生み出す源泉になり得る」（小林 2011）といった認識や見解、文化芸術の経済的効用に対する期待は、2010年前後から、企業人や国や自治体の政策関係者だけでなくより広い範囲の人々の間に急速に浸透したと見ることができる。この背景には、支出の規模もさることながら大きな収益を上げている「横浜トリエンナーレ」や「瀬戸内国際芸術祭」などの大型プロジェクトの「成功」事例があったことは既に触れた（第1章）。

現在も、美術館や劇場等の文化施設の整備、またハードだけではない人材育成やコンテンツの充実などソフトを重視した文化政策など各地で数多くの挑戦的事例が重ねられる中[1]、創造都市／創造経済論やその影響を受けた言説はますます影響力を増しているように見える。こうした期待が高まる一方で多くの課題もまた見えてきている。文化資源、文化遺産の視点については既に言及したが、改めて社会経済的な視点から文化芸術と地域の関係について見ていくことにしたい。

「地域のミュージアム化」の可能性──「公立地域アート」の課題と展望

　文化政策・文化事業というと、最近は芸術祭等、イベント的なものに注目が集まる傾向があるが、もちろん見るべきものはそうしたものに限られるわけではない。美術館やホールの建設ブームのあった一時期ほどの関心は向けられてはいないものの、公立文化施設の存在意義はなお大きいことも確かである。国地方を問わず、施設・環境の充実と共にその利用・運用を含めた総合的な文化政策が求められるようになっているが、そのことは文化芸術という対象が社会経済的な視点で考えられることが一般化し、地域づくりや地域経営と呼ぶに相応しいものになってきているということでもある。まずこの問題に関する議論を見てみよう。

　寺岡寛は、地域経済学の立場から地域経済の活性化のために公立美術館の果たすべき役割を問い、「地域のミュージアム化」という視点で、文化芸術と地域経済の発展的な関係を展望している（寺岡 2014a；寺岡 2016）。

　寺岡は、文化芸術に対する深い見識を踏まえ、最近の地域における文化芸術関連事業の活発化とアートプロジェクトの隆盛をめぐる各地の状況について論じ、課題と可能性を示している。寺岡は、成相肇が「キュレーション」と「企画中心主義」との結びつきに言及した議論（成相 2015）を引きながら次のように分析している。

　　成相が示唆する「公共性を担っていた美術館が、言葉とともに無数に拡散する事態」とは、現在では美術館の外において各地に開催されるようになった展覧会やいわゆるアートプロジェクトの興隆である。これらの地域アートは地方自治体が補助金などの下で企画・運営されていることも多いものの、ネーミングとしては公立地域アートとは呼ばれておらず、当初はアート展示の場などをめぐって住民との対立などもあったが、観光客の増加を通じた物品やサービスなどの消費増という経済的即効性が魅力的であることはいうまでもない。

　　だが、そうしたイベント型地域アートは、現在の各自治体の観光政策と同様に競合するなかでその効果は薄まる側面もすでにみられる。ただし、それまでのハード面≒ストック型を重視した企業誘致政策としての工業

222

団地建設と比べれば、予算規模はソフト面≒フロー型であり、政策当局か
　　らみれば財政負担が相対的に軽い政策である。これが各地で地域アート
　　イベントが急増した理由の一端である（寺岡 2016：17）。

　寺岡はまた、「美術館を飛び出し、地域をミュージアム化する美術館以外の
空間で展示する地域アートプロジェクトの興隆は、他方で室内空間を提供す
る公立美術館の役割と今後予想される大幅改築や立て替え［ママ］時に、公
立美術館の存在理由―必要性―の公共性の議論を浮上させる」（同：17）と
して、老朽化した施設の補修や建て替え費用の問題、美術館のコレクション
のあり方等、総合的な意味での公立美術館の存在理由が問われる事態につ
いて言及している。「公立美術館は誰のものか」という問いは、「県民や市民
のものという形式論理」に支配される傾向があるが、現実にその視点で問題
解決を図ることは難しい。寺岡は、これは企業経営論でいうところの「ガバナ
ンス」や「ステークホルダー」の問題だと指摘している（同：18）。
　こうした議論は、「公立地域アート」の隆盛の状況の下で社会問題化しつ
つある「公共性」をいかに具体化＝実装するかという問題として理解できる。
寺岡は「こうした多様化するアートの時代にあって、行政が文化政策の下で
美術館の企画・運営にあたるにはあまりにも予算や人材面での制約が大きい」
（同：20）として、文化政策単独でこうした問題を考えることの限界を指摘し、
創造都市や観光促進のための文化都市といった構想と結びつけた経済政策
の必要性を説く。グラスゴー市、トリノ市等、欧州の先行事例を引きながら、
単に観光客の増加を狙うようなあり方にとどまらない、既存諸産業のイノベー
ションに果たす役割への期待に言及している。研究開発型集約産業や高度
組立産業、ファッション型産業、情報・教育・医療サービス業等のいわゆる「知
識集約型産業」へのアートの貢献についての認識の高まりは、科学的知識や
工学的知識だけではないアート的なセンスといった感性的要素の重要性に対
する認識の深まりと並行している。アートがもたらす効果への期待がここに示
されている[2]。
　一方で、寺岡は、「日本文化」の「産業化」を強く意識した近年の「文化産
業立国」政策に言及し、今後の動向に懸念も表明している。地方財政悪化と

いう困難な状況下で、維持管理コストが決して小さいとは言えない美術館などの公立文化施設が曝される厳しい局面とこうした国の政策はいかに結びついていくのか。寺岡は、文化芸術が経済（市場や行財政）に飲み込まれかねない状況への危惧を示しながらも、改めて、両者の発展的な関係性が従来のあり方を超えた経済政策と文化政策の関係性の構築にかかっていることを指摘している（同：23-27）。

　地域と文化芸術の持続可能な関係とはいかなる形でありうるのか。広い意味で文化と経済が関係を強めている現在、この問題は地域社会と地域経済の持続可能性の問題と切り離せない。

まちづくり、地域経営の視点

　高度成長を経て、産業構造の高度化を経験してきたとはいえ、日本経済全体がそうであったように、これまでのわれわれの「経済」は製造業系の産業に大きく依存してきた。もちろん全体としてIT、ベンチャー等新しい産業は成長しているが、地方の地域経済は旧来の構造からなかなか抜け出すことができなかった。創造経済はその桎梏を脱する枠組みを示すものでもあるが、近年は、これに基づいたより柔軟な発想で狭義の経済を超えた「まちづくり」や「地域経営」の視点でこの課題に取り組む事例が各地で見られるようになっている。

　松永桂子は、仕事と暮らしについて新しい価値観を持った若い世代の意識および行動の変化に注目して、こうした社会層をアメリカで注目されている「クリエイティブ・クラス」と対照化しながら、地方における新しい動きに注意を促している（松永 2015）[3]。

　大都市圏に対する地方圏は、一般に経済的条件において不利を強いられ、特に製造業に関しては産業集積という点で前者に劣後する傾向がある。大都市は「規模の経済」において優位性を持っている。しかし、ベンチャー企業や新産業に関しては、地方にも条件によっては一定の優位性を持ちうる場合がある。それは大学や研究機関の存在である。松永は、「新分野の技術を事業化・産業化する場合、大学や研究機関の近くで起業する例が多くみられる」ことを指摘し、「知識資源を共有化できるという点で、「範囲の経済」が働いて

いる」ことの効果に注目する（同：163-5）。つまり「規模の経済」において不利な地方でも条件次第で「範囲の経済」で勝負することは可能なのである★4。

　松永は、「「価値創造」の場としての地域」という視点を示し、地場産業や農業、社会的企業など地域資源をベースに付加価値を生み出す可能性を展望する。それはこれまでの経済のあり方を象徴する「規模の経済」や「範囲の経済」と対比される「価値の経済」ということではないか、と松永は述べている（同：163-168）。

　こうした議論は、単に地域経済の活性化の問題というより、地域住民や地域外の人々を巻き込んだまちづくりや地域経営の問題として見るべきだろう。ここで言う「価値の経済」を生み出すのは、多様な人材や活発な情報のやり取りによって形成される総合的な知であり、それは端的に言えば地域文化にほかならない。文化と経済を別々の問題として論じることは、ここで見たような両者の関係性のダイナミズムを看過することになるだろう。

創造的人材の定住・交流の促進

　国政レベルでもこれに相関する動きがあった。

　2010年代、政策においても社会経済的な観点から文化芸術への関心が高まったが、その当時の政策課題と構想の方向性を示す総務省の報告書がある。

　「我が国が前例のない少子高齢化を伴う人口減少社会を迎える中で、活力ある定住自立圏を構築していくためには、定住人口のみならず、交流人口の増加に着目するとともに、一人ひとりが生み出す知的付加価値の向上を図る必要がある。」（総務省地域力創造グループ地域自立応援課 2012）として総務省は、「創造性」をキーワードに「創造的人材の定住・交流の促進」という構想を打ち出している。全国の先進事例を検討するこの調査報告書によれば、この構想は、C・ランドリー、R・フロリダらの「創造都市」「クリエイティブクラス」「創造産業」といった概念や政策を踏まえ、産業発展につながる創造性を促すものとしての文化芸術に注目するというものであり、そうした意味での文化芸術に関わる人々——「文化人、芸術家」という「創造的人材」が定住・交流する全国の事例の中に地域力創造に向けた条件を探ろうという試みである。

報告書では「定住自立圏構想の推進にあたっても、知的付加価値や創造性を生み出す「創造的人材」を惹きつけ、彼らが行きたい・住みたいと思うような地域づくりが必須の条件である」としているが、その「創造的人材を惹きつける地域の要素」として①人的資源、②地域資源、③コミュニケーションの場、④創造的活動の支援環境、⑤利便性・安心感を挙げ、芸術祭開催など文化活動の活発な地域の事例を検討している[★5]。

2. 地域イノベーションの拠点と地域の文化資本

芸術系大学への期待——教育研究機関の創造性

地域文化の育成を通じ地域社会の活性化や地域経済の発展を促そうという動きは、さまざまな形で生まれている。先にも見たように大学、研究機関と地域経済の連携に対する期待は高まっており、近年も各地の自治体による公立大学の設置が相次いだことは記憶に新しい（寺岡 2014b）。芸術系大学および芸術系の学部学科の新増設の動きもその一つである。「創造都市」論を背景に、大学を「地域イノベーションの拠点」として捉え、特に芸術系大学との地域連携に注目した本田洋一の研究を瞥見しておこう（本田 2016）。

「芸術系大学」とは「美術、音楽、工芸、デザイン、演劇、舞台芸術、芸能、映像、文芸」の分野に係る学部、学科を有するもので、その定義によれば全国に183校あり、そのうち東京都は19.7％を占めているという（文部科学省 2014）。2位以下も大阪府、愛知県、京都府といわゆる大都市圏への集積ぶりが見て取れる（同：18）。これらの領域が「創造経済」に資する役割への期待を考えればやはり人口集中地域が有利であるようにも見えてくる。経済資源だけでなく文化資源もまた偏在しているという事実は否めないが、近年の地方における芸術系大学等の新増設の動きと地域を超えた大学と連携の動きがあることがこうした状況を変えつつある（同：11-22）。

地域の文化資本——地域イノベーションの基盤

本田は、アートプロジェクトの地域振興効果に注目し、東京藝術大学と取手アートプロジェクト（1999〜）など芸術系大学と地域連携の事例等を取り上げながら、文化の創造性を地域イノベーションへとつなげる道筋を示している。

芸術系大学と地域（市民、地域産業、公共団体等）との協働を通した地域づくりについて豊富な事例を紹介しながら、本田はそれらを踏まえ、「地域の文化資本」の重要性を強調している。本田は、「学校空間」「伝統的町並み」「伝統文化」などを「文化資本」とし、「芸術系大学との連携を通じて、小中学校を地域の文化資本の中核として位置づけていく試みは、新たな地域創造の可能性と原動力を示すもの」（同：127）と述べ、ケイパビリティ論にもとづく人間福祉論（A・セン）に依拠しながら、文化の創造性を源泉とする地域イノベーションの議論を展開している。

　本田のいう文化資本とは、こうした地域イノベーションの基盤にほかならない。ここにはブルデューへの言及もあるが、基本的にスロスビーの文化経済学の議論として理解した方がよい★6。本田は、池上惇らを踏まえて、さらに広義の文化資本として「文化創造資本」という概念を示している。これは①知的・芸術的創造的活動、②知的・芸術的創造的活動の成果物、③歴史的資産、④知的・芸術的活動を育成、支援する機関、施設の「狭義の文化資本」と区別され、「自然資本、人工資本等についても、専門的人材と市民の協働によりその文化的価値が具現化され、文化的価値を蓄積、供給する資産として、人間発達と文化を活かした地域創造の基盤として働く場合にそれらを「広義の文化資本」」と呼ぶことを提案する。これは「人々の発達と創造を支援しその基盤となるという視点から把握された資本概念」として定義される（同：142）。

　本田はこれらの資本を地域経済・社会発展の基盤と考え、自然空間、歴史空間、都市施設等はアート創造の視点から文化創造資本として活用されると主張する（同：144）。その「マネジメント」の重要な拠点となるのが大学等の教育研究機関である。

　本田はこのように、独自の用語法で文化資本を再定義し、その持続的蓄積、拡大再生産の過程を「専門的人材×市民のケイパビリティ×文化創造資本」という図式として示している（同：141-149）。（拡張された）文化資本概念を地域経済論において展開した議論として参考になるだろう。

3. 社会的包摂と文化芸術

文化芸術は社会問題解決の"処方箋"か？ ── 文化政策としての社会的包摂

　文化芸術の社会的機能を考える上でこれに関わる大きな論点として社会的包摂（social inclusion）がある（以下、引用元の表記によって「社会包摂」の語も用いる）。狭義の経済的視点とは少し異なるが広義の社会経済的視点の一つとしてしばしば言及される。

　現在、日本でもかなり浸透した言葉ではあるが、その意味するところを確認しておこう。社会的包摂とは、貧困、失業、高齢、心身の障害など困難な条件の下に置かれ、社会やコミュニティから疎外された状態（社会的排除）にある社会的経済的弱者に社会参加を促す＝（再）包摂することであり、そのことを目的とする政策のあり方のことである（福原 2007）。

　20世紀末から欧州を中心にこうした理念と方向性は社会政策の中に取り込まれるようになってきているが、文化芸術またそれを介した文化政策は一般に社会的包摂の理念と親和性が高いと考えられてきた。「社会的排除／包摂の概念を唱道する英国をはじめとする欧州各国では、芸術・文化の享受や活動への参加を通じて、社会的排除をもたらすと考えられる雇用、教育、福祉などに関わる社会問題の緩和や解決を図る取組みが行われている」（天野 2010：23）。

　社会問題の「処方箋」としての文化芸術とでもいうべき視点がここにある。それは文化芸術を「道具化」し社会政策の手段とする見方ということでもある（天野 2010）が、こうした認識は必ずしも経済学者や社会政策系の論者に限られたものではない。医療・福祉や教育等さまざまな領域でこの機能は認められるが、文化芸術の現場ではこうした文化芸術の「有用性」や「効用」を強く意識するようになっている。

　本書でもたびたび取り上げてきたが、「社会（的）包摂」は、特にアートプロジェクトの関係者に強く意識されるようになっている。

　例えば、先述（第2章）の中村政人も「ゼロダテ」というアートプロジェクトの目的について、次のように述べている。「その［ゼロダテの］使命はいわゆる包摂的社会、すなわちさまざまな困難を抱える人を排除せずに包み込む社会

のあり方を問い、地域の生態系と相補う関係や、サステナビリティを保つための文化意識を高めることだ。つまり、ここで生活し、働くことが、街や地域環境を豊かにすることにつながると実感すること。それによって、この街で生きていく力が何かをつくり出していく力となる。それは、自分に自信が生まれ、少しずつ確かなものに成長すること、街の新陳代謝が街の成長を促すことにほかならない。個人の創造性と街の創造性がシンクロし続けるのである」(中村 2013：4)★7。社会的包摂は社会あるいは地域の人々の活力を高め創造性を生み出すという肯定的な認識がうかがえる。

「文化のための文化」から「社会的包摂に役立つ文化」へ？

社会的包摂の捉え方については、さまざまな立場がある。もちろんそれを皆が「効用」という側面だけで考えているわけではない。論者によって文化と経済の関係性をめぐる考え方にも違いがある。ここでは文化と経済の関係を俯瞰的に論じた議論を取り上げたい。

河島伸子は、「文化は人を幸せにするか」という問題について「社会包摂の文化政策」の視点から論じている (河島 2014)。

「文化を保護・育成・普及するための文化政策においては、「文化的に豊かな社会を形成することは、個人の幸福感増大に寄与する」と暗黙のうちに想定されてきた」(同：131) が果たしてそうなのか。河島は、主として欧州の状況に即してこの問題を文化政策の変容つまり「文化のための文化」から「社会的包摂に役立つ文化」へという認識の転換として議論している。

河島は、「文化的豊かさが個人の幸福感に貢献するという最終的効果について、文化政策の中で堂々と語られることは、実は意外に少ない」(同：132)とし、「個人の幸福」を「生活の質 (QOL)」として考えた場合でも、その影響は既存研究の知見からすると限定的だと述べる。

一方で、欧米の文化政策は、19世紀に工業で繁栄した主要都市の衰退が顕在化してきた1980年代頃から「文化のための文化」(卓越した文化の創造と普及) の路線を離れ「経済貢献する文化」を模索するようになったという。後者の文化政策は理論、実証の双方から疑問と批判が寄せられたが、経験知の蓄積と調査研究を通じて、文化芸術や観光といった領域における雇用や

消費のような経済的副次効果に対する認識も深まった。これは創造経済の考え方の生成でもあったのだが、ここから「社会包摂に役立つ文化」という考え方が力を持ってくるのである。この考え方は2000年前後にはより影響力を増すようになり、英国では政府が積極的にこの政策的方向性を取るようになった。

　河島は、「文化が社会包摂に役立つという論理の実証不足と、社会包摂を目的とした文化プロジェクトの企画・運営に必要な専門家と知識の不足という二つの問題点を指摘」している（同：140）。それらの問題は技術的に解決可能かもしれないが、より深刻な問題は、社会包摂を目指す／人を幸せにする文化政策が内包する矛盾である。それは、「文化とは誰のものか?」という問題にほかならない。「文化」とは普遍的価値を持つ正統文化のことなのか。河島は消費や社会階層の問題に言及しながら、文化の持つ差別的力について論及している★8。これは既に欧米で問題化し、日本でも議論になりつつある問題だが、河島は、このように、社会包摂を志向する文化政策になお残る理論的実証的課題を指摘しながらも、「インクルーシブな文化」の形成に希望を見ている。とはいえ、それは可能であったとしても「長期的・持続的な努力」を必要とするものである。河島は、「文化政策はやはり最終的には個人の心の豊かさ・幸福度に貢献すべきであることは否定できない」（同：144）と述べ、今日重要性を増している社会包摂を目指した文化政策の限界と「文化の内容を常に外に対して開いて」いかない限り個人の幸福感が増すことはない、としている★9。河島は、このように文化政策が抱える難しさを指摘している。

文化政策における社会的包摂

　現在、社会的包摂は、日本でも文化政策において重要な課題になっている。「ダイバーシティ(多様性)」を主要理念とする一つの国家的取り組みが始まっている。この取り組みに向けての文化庁の研究調査報告書（文化庁地域文化創生本部事務局総括・政策研究グループ 2019）に従って要点を見ておこう。

　「文化芸術基本法」（2017制定）では、事実上社会的包摂の理念が示されている（特に第2条）。ここにはそれまでの国民的な議論を踏まえ「あらゆる立場や状況にある人々が文化芸術を創造・享受できる環境」の整備を図ること

が、国や地方自治体の責務として書き込まれ、さらに「文化芸術の振興に関する基本的な方針（第3次基本方針）」(2011年2月閣議決定)、「障害者による文化芸術活動の推進に関する法律」(2018年6月) によって、居住地域や年齢、障害の有無、経済的状況等、地理的格差のみならず社会的に困難な状況への配慮を謳って、「子ども・若者や、高齢者、障害者、失業者、在留外国人等」のこれまで文化的享受において適切な配慮の対象となってこなかった存在に目を向ける施策が講じられることになった。報告書では「このように、文化芸術の創造・享受者の多様性や地域的な多様性を高めるための取り組みは、今後の望ましい社会像の実現のために積極的に取り組むべきことであるという認識が広がり、重要性を増している」と述べ、「このような背景を踏まえ、文化芸術を通じた共生社会を目指し、有効な施策を展開」することの必要性を強調している。

　同報告書では、先行事例として海外5か国（英米仏独韓）のそれぞれ異なる事情と施策を紹介しているが[★10]、そこでは「日本では2010年以降文化と社会包摂への関心が高まり、特に現在は障害者による文化芸術活動の取り組みが関心を集めている」という認識を示している。

　「ダイバーシティ（多様性）」と言ってもそこには異なる文脈がある。同報告書では、①「文化」として定義される範囲についての多様性、②年齢、障害の有無、経済的・地理的な状況等にかかわらず誰もが文化芸術にアクセスする権利を保障するという意味においての多様性、③グローバル化や商業主義による表現の画一化に対抗する意味での多様性等を挙げ、ここでは②を中心的課題としている。しかし、現実には各国の状況によりその重みは変わってくるだろう（報告書でもその点には触れている）。報告書ではこれを踏まえ、施策の意義について次のように述べている。

　「文化政策におけるダイバーシティ推進の意義は、大きく分けて2つの側面がある。ひとつは、文化芸術が持つ、人々の対話を促し交流を生み出すという役割を通じ、多様な人々が共に生きる社会を実現するという方向性である。もうひとつは、社会的・経済的に恵まれない状況や地理的条件等の様々な要因により文化的権利から排除されている層に対し、機会の均等を図り、誰もが文化芸術を享受し参加できる環境を作ることである。また、その推進にお

いては、文化セクターの担い手の多様性を高めることが重要である。」(同：iii)

　ここには文化芸術の社会的包摂の役割（機能）への期待とこれに注目した文化政策の普遍主義的と言っていい理念が端的に示されている。ここ数年社会的包摂に関わる研究や実践事例は各地で数多くみられるようになった（文化庁×九州大学共同研究チーム 2019；特定非営利活動法人こととふラボ 2020 他）。

第2節　アートの社会実装
——社会化するアート／アート化する社会

1. 包括的視点と総合戦略

「道具化」か「社会実装」か——「文化経済戦略」の意図

　文化芸術への社会的関心の高まりとそこに有用性や効用を求める傾向はもちろん無関係ではない。

　前にも見た国の「文化経済戦略」は文化芸術の「経済化」という意味では、「道具化」の要素が色濃いものではなかったか（内閣官房, 文化庁 2017）。「戦略」では、その実現のために「6つの視点」と「6つの重点戦略」が示されている。基本となる「6つの視点」には、「未来志向」「文化財」「地域の活性化」「社会包摂・多文化共生」「レガシー」といった語が並び、オリンピック・パラリンピック開催年「2020 年を契機とした文化レガシーの創出」が謳われている。推進すべき「6つの重点戦略」では、「文化芸術資源（文化財）」の保存と活用に強い関心が向けられる一方で、伝統的な文化芸術だけでなく現代アートも含めた多様な文化芸術活動への年代や障害の有無を超えた一般市民の参加を進め、創造的人材の育成およびこうした活動のマネジメントの担い手育成も視野に入れている★11。

　そもそも「文化芸術」が関係する領域は幅広いが、「戦略」でも、内閣官房、文化庁だけでなく、内閣府、観光庁、経済産業省、外務省、文部科学省、国土交通省、環境省、法務省とすべてと言っていい省庁が関係するものになっている。特に最後の重点戦略6にあるように、「文化・観光・産業等を一体として捉えた新たな政策を一層展開しやすくする」[強調筆者]ことが、この戦略

そのものの意図と言ってもいい。全体として「文化芸術を通して活力ある経済社会を形成する」ことが基本線であることがわかる。

文化芸術の総合的機能への期待

　文化芸術の多面的機能に価値を認めその総合的・包括的な社会貢献能力に対する期待は、国、財団・シンクタンク、NPO等の報告書によく現れている。

　年代は遡るが、例えば、「創造経済」への期待を背景に、文化芸術と地域活性化の関係に注目した財団法人地域創造の一連の報告（地域創造2012他）では、「安心・安全、福祉、教育、観光・商工振興、地域の環境、地域・コミュニティ」の6つの行政分野との関連で「写真の町」（北海道東山町）、「神山アーティスト・イン・レジデンス」（徳島県神山町）等、全国6か所の事例を取り上げて紹介、分析している。

　同様の文化芸術の社会的効果についての事例研究は、各界の関心の高まりを反映して、この間、特に2010年代一気に増え、現在まで相当数に及んでいる。ここでは、包括的な視点で豊富な事例が紹介されている野村総合研究所の報告書を見てみよう（野村総合研究所2015）。文化庁委託で作成された同報告書では、明確に「文化芸術による社会課題の解決」の視点を前面に出している。

　同報告書では、文化芸術が解決に貢献できると考えられる問題を大きく5つ（「経済・人口問題」「居住問題」「健康・福祉問題」「人権問題」「教育問題」）挙げた上で、これらすべての問題解決に資すると考えられる課題が「コミュニティの形成」であるとしてこれを最後に提示している（図表7-1参照）。文化芸術と社会の関係について包括的で俯瞰的な視点を示したものとしてこの整理を見ることができるだろう。

　5つの「問題」は、いくつかの下位問題にブレイクダウンされ、それに対応した「課題」が示されている。例えば、「経済・人口問題」の解決に関しては、「地域間競争の激化における都市・地域の埋没」という下位問題があり、それに対応した課題として「都市・地域のブランディング」が示される。そしてその課題の解決の事例として「ヨコハマトリエンナーレ」「静岡県舞台芸術センター（SPAC）」「サイトウ・キネン・フェスティバル松本」「アーカス・プロジェ

図表 7-1 社会課題の解決に貢献した主な事例

問題	課題		事例						
経済・人口 / 地域間競争の激化における都市・地域の埋没	都市・地域のブランディング		ヨコハマトリエンナーレ	静岡県舞台芸術センター（SPAC）	りゅーとぴあ（新潟市民文化会館）	サイトウ・キネン・フェスティバル松本			
			アーカスプロジェクト	国際児童・青少年演劇フェスティバルおきなわ	札幌国際短編映画祭	東川町国際写真フェスティバル	ゆうばり国際ファンタスティック映画祭	山形ドキュメンタリー映画祭	パシフィック・ミュージック・フェスティバル
産業の停滞	観光産業の振興	観光地への新たな魅力の付加	十和田市現代美術館	金沢21世紀美術館	別府現代芸術フェスティバル	六甲ミーツ・アート	アース・セレブレーション	富士山河口湖音楽祭	
		観光地としての魅力の新生	たざわこ芸術村	瀬戸内国際芸術祭	大地の芸術祭・越後妻有アートトリエンナーレ	中房総国際芸術祭いちはらアート×ミックス	富山県利賀の演劇によるまちおこし		
	産業（観光以外）の振興		美濃和紙あかりアート展	金山町建築コンクール					
	遊休物件の活用	廃校・休校の活用	にしすがも創造舎	京都芸術センター	アーツ千代田3331	アルテピアッツァ美唄	各種芸術祭での活用		
人口の減少・少子高齢化		その他の物件の活用	BankART1929	あいちトリエンナーレ	東山アーティスツ・プレイスメント・サービス				
	若者の転入の増加		直島町	神山町					
中心市街地の衰退	にぎわいの創出		鳥の劇場	八戸ポータルミュージアム「はっち」	天満天神繁昌亭				
居住 / 地域のイメージの悪化	負のイメージを持たれた場所のイメージアップ		舞洲工場	モエレ沼公園	ホスピテイル・プロジェクト				
治安の悪化	治安の回復・維持		黄金町バザール	豊島区の文化政策					
健康・福祉 / 過大なストレスの発生	心のケア		ARCT	JCDN	劇団四季（こころの劇場）	アーツプロジェクト			
高齢化・医療費の増大	健康の増進		北名古屋市歴史民俗資料館	田んぼ de ミュージカル委員会	さいたまゴールド・シアター	さくら苑			
人権 / 孤立感の拡大	個々の存在意義・アイデンティティの確認		南三陸きりこプロジェクト						
マイノリティの排他	社会的包摂	移住者・外国人	釜ヶ崎芸術大学	可児市文化創造センター					
		身体障害者・ひきこもり	アルス・ノヴァ	音遊びの会	otto & orabu	日本センチュリー交響楽団			
教育 / 表現力・コミュニケーションの不足	表現力・コミュニケーション力の育成		篠山チルドレンズミュージアム	コロガルパビリオン	芸術家と子どもたち				
すべての問題に係るもの	コミュニティの形成		いわき芸術文化交流館アリオス	かえっこ	こへび隊・こびび隊				

野村総合研究所「社会課題の解決に貢献する文化芸術活動の事例に関する調査研究報告書」（2015）p.7より作成

クト」「ゆうばり国際ファンタスティック映画祭」等ここでは11の具体的な活動が示されている。この「経済・人口問題」については、他に「産業の停滞」「人口の減少・少子高齢化」「中心市街地の衰退」の下位問題とそれらに対応する課題がやはり同様にあるが、先のものを含めて全部で37の事例が挙げられている。他の問題について対応する事例数を示すと、「居住」については5事例、「健康・福祉」は8事例、「人権」は7事例、「教育」は3事例、最後に「コミュニティの形成」については3事例である。この報告書では、全部で63の事例が紹介されている（この数字はあくまで項目数で、そこには複数の事例が含まれている）。これらの事例は、形態はもちろん財源も公私さまざまだが、継続的事業として成立しているものである。

　事例には、「大地の芸術祭」等の著名な芸術祭の他、イベント的なものだけでなく、美術館（十和田市現代美術館、金沢21世紀美術館等）、企業や自治体（たざわこ芸術村、直島町、神山町等）、場所・拠点（京都芸術センター、アーツ千代田3331、モエレ沼公園等）、美術以外のもの（山形ドキュメンタリー映画祭、パシフィック・ミュージック・フェスティバル、富山県利賀の演劇によるまちおこし等）、廃校の活用（各種芸術祭での活用）、また「コミュニティの形成」に関わる事例として「かえっこ」や「こへび隊・こえび隊」のようなアートプログラムやサポーターの組織化も事例として挙げられていて、多様かつ包括的な視点での現状報告となっている。

　以上のような、問題（と下位問題）、課題、事例という系統的な整理には、領域が重なるなど整合性の点でわかりにくいところはあるが、現在の日本には豊かなアート実践が存在し、地域や社会全体に浸透してきていることがこの報告書からよくわかる。

　先述したように、経済・人口、居住、健康・福祉等々の諸問題すべての解決に資するのが「コミュニティの形成」であるという認識がここに示されているが、一種の単純化であるにしても今、コミュニティにアートの力が求められていることは確かであり、ここにアートの社会実装の中心的課題があると見ることは妥当と言うべきだろう。

　改めて過去を振り返って俯瞰してみると、全体として、1970年代の革新自治体の文化政策への取り組みがもたらした文化振興の機運と1990年の芸術

文化振興基金設立という官民の動きが、こうした文化芸術による総合戦略という方向性に収斂したようにも見える。

2. 地域／コミュニティの課題とアートの社会実装

「地方消滅」への危機感とそれに対抗する動き

改めて、近年の文化芸術と社会・地域の関係をめぐる大きな文脈について確認しておきたい。

2012年に公表された国立社会保障・人口問題研究所（以下「国立人口研」）の人口動態に関する長期予測は、人々に大きな衝撃を与えた。1億2,700万余の人口は今後急速なテンポで減少、40年足らず先（2048年）には1億人を割るという「人口減少時代」の到来を告げるこの予測は、実態を知る者にとっては驚くような指摘ではなかったが、この動向を織り込んだ増田寛也・日本創生会議の「自治体消滅論」は、特に地方に住む人々の危機感を高めた[12]。首都圏への「一極集中」とそれと関連する地方の地域衰退という複合問題は以前から論議されていたが、それがこういう形で再燃したのである。

一方で、こうした議論に対する反発も生まれた。農村地域を多く抱える「地方」に対する厳しい見方に対し、拡大し続ける大都市圏の人口の限界的状況、自然環境への高い関心を背景にした労働文化・生活文化の変化等の大きなうねりに注目し、地方における地域社会の可能性を展望する議論も活発になった。農政学・農村政策学を専門とし農山村再生問題に取り組んできた小田切徳美（小田切 2009）らは、「自治体消滅論」「地方消滅論」に対して、都市部から農村地域への移住者の増加現象に見られる「田園回帰」という対抗軸を示して論陣を張り、この動向に関心を持つ人々を中心に、特に「農山村」（平地農村と比較して条件的に相対的に恵まれない地域）の可能性に期待する議論と実践に注目が集まることにもなった（小田切 2014）[13]。

とはいえ、かつては多くの人口を抱え日本の社会構造を支えていた地方、特に農山村の衰退ぶりに危機感を持つ人々が多いことも確かである。この要因にどう向き合うかが問われることは当然だろう。小田切は、農山村の課題として「三つの空洞化」を挙げている。すなわち①人の空洞化、②土地の空洞化、③むらの空洞化だが（小田切 2009；小田切 2014）、これは具体的にそれぞれ

農家世帯員数、経営耕地面積、農業集落数の減少を意味する。小田切はこれに加え「誇りの空洞化」についても言及し、それを「現象面での空洞化」とは異なる「本質的な空洞化」と述べ強い危機感を示している（小田切 2014：41-41）。また、働き手や住民の確保のためにと移住に期待するにしてもそこにはネックがある。小田切は、この難しさを認め、ここで農山村移住の三大問題「仕事・住宅・コミュニティ」についても指摘している（同：207-213）。

　農山村の危機的状況は深刻さを増す一方だが、とはいえ、これに抗い克服しようという動きが数多く生まれていることも事実である。小田切らは、農産物直売所、加工所、農家レストランなど所与の条件を活かした各地のさまざまな取り組みを紹介し分析しているが、ここには農山村に限定されない一般化しうる手法やアプローチも数多く見いだせる。上に見たような深刻な危機や課題は農山村に限らず都市も含めたコミュニティ全般にとっては基本的に変わるところがない。「限界集落」の問題はそのまま「限界コミュニティ」の問題なのである。

　農山村と都市では当然自然環境をはじめ環境条件は大きく異なるが、所与の条件の中に隠れた「地域資源」を見いだし、それを活かした多様な試みが生まれている。当初農山村固有の問題だと考えられた「限界集落」の問題は、「地域」ということで考えれば、都市にも生じており、ここで見た課題は、普遍的な問題であることに多くの人々は気づいている。

　各地でさまざまな取り組みが展開する中でアートが果たしている役割は決して小さくない。アートと地域の関わり方はもちろんさまざまである。直接的即時的な貢献として見ることもできれば、間接的で遅効的な形でそれが地域に影響を及ぼすような場合もある。そうした事例を――少し迂回しながら――いくつか見ていきたい。

1）地域おこし協力隊と関係人口

地域おこし協力隊への期待

　ここでは近年、各地の地域で存在感を増している地域おこし協力隊に注目してみたい。

　地域おこし協力隊とは、同事業を所管する総務省によれば、以下のような

存在である。「都市地域から過疎地域等の条件不利地域に住民票を異動し、生活の拠点を移した者を、地方公共団体が「地域おこし協力隊員」として委嘱。隊員は一定期間、地域に居住して、地域ブランドや地場産品の開発・販売・PR等の地域おこしの支援や、農林水産業への従事、住民の生活支援などの「地域協力活動」を行いながら、その地域への定住・定着を図る取組」である[14]。総務省調査によれば、2019年度は、隊員数5,349、実施自治体数1,071（都道府県数10、市町村数1,061）となっている[15]。同事業は、制度開始時（2009年度）の隊員数89人、団体数31だったが、その翌年、地域活性化の効果に注目が集まり、一気に隊員数257人、団体数90といずれも約3倍に拡大、以後全国各地に広く知られ定着していくことになった。

　同調査によれば、制度開始以降約10年間で任期終了した隊員（ここには1年未満の途中退任が含まれている）は計5,693人（13道府県186人、903市町村5,507人）。任期中の主たる活動は、畜産業、林業、漁業への従事が最も多く897人、次いで地域コミュニティ活動（地域行事、集落活動支援、住民活動支援等）885人、地域産品の生産・加工・開発などに関する活動534人と産業関連の活動が上位にあるが、地域の情報発信・PR、観光サービス、都市部からの移住・交流促進などのいわゆるソフト的な活動も多く、「文化・スポーツ振興に関する活動」も178人と他の活動に比べれば少なくない。

　任期終了後の動向として、一定の定住の傾向（任期終了直後約65％、調査時点現在約55％）が見られるが、これを高いとみるか低いと見るかは見方が分かれるところだろう[16]。任期終了直後、現在（調査時点2020年3月末日）共に、同一市町村内に定住した者のうちの約3分の1は起業しているという。「現在」の定住者2,561人のうち進路として最も多いのは、①就業（行政関係（自治体職員や議員等）、観光業、農林漁業（農業法人）等）で1,111人（全体比43.4％）だが、次いで②起業は894人（同34.9％）、③就農・就林等319人（同12.5％）となっている。

　この任期終了後定住した隊員の動向については興味深いことがある。起業・事業継承した者の内訳を見ると、①サービス業（古民家カフェ、農家レストラン等）155人、②美術家（工芸含む）、デザイナー、写真家、映像撮影者112人、③宿泊業（ゲストハウス、農家民宿等）107人となっており、協力隊員がアーティ

ストやクリエイターとして地元に定着するケースが少なくないことがわかる。

協力隊とアートプロジェクト

『地域創造』第43号（2017年度3月）では「地域おこし協力隊の可能性」を特集し、大分県竹田市の「竹田アートカルチャー」、新潟県十日町市の「大地の芸術祭」、熊本県菊池市の「菊池アートフェスティバル」を取り上げている。

「大地の芸術祭」で知られる十日町市では、総務省が制度を立ち上げた2009年から地域おこし協力隊を採用し、18年3月1日現在で任用者総数は60人、OB、OGの定着率は7割近いという。協力隊を希望する地区単位で募集。両者のマッチングのための「お見合い」の場を設定し、世話人を置くなど、地域との関係づくりを重視。起業するOB、OGも多く、芸術祭によって変わり始めた十日町市の新たな担い手として、地域に立脚した観光や地域ブランド産品などのコミュニティビジネスに取り組んでいるという。

実際、「アーティスト・イン・レジデンス須崎」（高知県須崎市）のようにアーティストが協力隊員として派遣地で創作活動を行うという事例もある。このケースでは、当地の空き家活用ミッションの情報を知りこれに魅力を感じた東京近郊在住の美術作家がこの事業に応募し採用、2013年活動を開始した。この協力隊員アーティスト川鍋達は市民と美術の関係が近いドイツで生活した経験もあり、地域資源を生かしたレジデンス事業を発案。これに呼応し協力する人々と協働しながら事業は継続的でより豊富な内容を持つアートプログラム「現代地方譚」として地域に定着することになったという。川鍋は任期後も同地でこの活動を継続している[17]。

協力隊の活動現場である自治体の多くは共通して、人口減少・過疎、高齢化といった問題に直面し、財政的にも困難を抱えている。こうした活動は、「「金」や「もの」ではなく、「人」と「気持ち（こころ）」に関わる政策分野」（椎川他 2015：39）であるという理解が関係者にはあるという。文化芸術、アートはとりわけ非経済（非貨幣）的な対象との関係において大きな力を発揮する。多くの場合それは観光や情報発信・PRといった活動（いわゆるクリエイティヴな分野の活動）で発揮されるケースが目立っている。各地の事例を見るとさまざまな分野を接続する役割をアーティストなどのアート関係者あるいは広義のクリエ

イターが果たしており、そこに多くの人々の期待があることが見て取れる★18。

地域で生きるということ──新しいライフスタイル?

「都会」のものと考えられていた「文化芸術」（特に現代アート）は、農山漁村でも魅力あるものになり力を持つことを多くのアートプロジェクトは示してきた。このことはアートと地域の関係の変化の過程と並行している。そしてこの変化はそれだけでなく、都市であれ農村であれ、「地域」で生きる人間の生き方の変化とも相即している。

この変化は新しい暮らし方＝ライフスタイルと結びついている。それは、例えば、仕事と遊びを分けない暮らし方であり、自給自足的な生活に足場を置きながら社会貢献や自分のやりたいことを並行して行う生き方であり、例えば「二（多）拠点居住」のように場所や住まい方（定住や都市的住環境等）にこだわらない生き方である。少々単純化した言い方になるが、これは高度産業社会の進展とグローバル経済が強いる苛酷で消耗的な労働生活から離脱し、それまでの都市的な生活様式とは異なる別の暮らし方を模索する動きと言ってよいだろう。もちろん豊かな自然や新しい環境に憧れや期待を持つというポジティヴな姿勢も含め、起業・自営など従来の（特に）雇用労働者とは違った生き方を、そのリスクも含めて受け入れ選択する人々が若い世代を中心に増えている。

一つの特定職で生活するのではなく複数の仕事で生計を立てる暮らし方を表現する「ナリワイ」や「小商い」あるいは「半農半X」といった言葉とコンセプトは、こうした新しいライフスタイルを模索する人々に浸透してきている★19。この傾向は、一時的・一過的なものではなく、一つの趨勢と呼びうるものだろう。こうした柔軟で非定型的なライフスタイルが広がっていることは間違いない。これを単純に「クリエイティブ志向」と総括することは難しいが、新しい生活文化、労働・仕事文化は、創造性を重視した経済＝創造経済／創造産業とも親和性があり、そうした動きと共振しながら都市だけではなく農村においても広がりを見せている★20。移住や移動など職住環境の変化を怖れない、むしろそれ自体を楽しむ人々が、都市と非都市（農山漁村）の間で生まれ、地域間の交流も活発化していることの背景にはこうした社会的文脈がある★21。

定住人口、交流人口、関係人口

　地域おこし協力隊への期待の中には、地域課題の解決という狙いだけでなく外来者の定住促進という政策的意図もあった。とはいえ、地域を超えた人の動きを作り出すことはそう簡単ではない。「田園回帰」の動きは、劇的変化をもたらしているとは言い難い。さまざまな手段を講じて地方・過疎地への定住・定着の促進を図る動きはあったが、成功事例は多くない。こうした中、最近では「関係人口」という視点への関心も高まっている。

　総務省でも「長期的な「定住人口」でも短期的な「交流人口」でもない、地域や地域の人々と多様に関わる者である「関係人口」に着目することが必要である」（総務省 2018：19）としてこの動きに期待を寄せている。

　「大地の芸術祭」の「こへび隊」、「瀬戸内国際芸術祭」の「こえび隊」といった、地域内外でさまざまな形で芸術祭の支援活動を行う人々の存在は、よく知られるところだが、両者の活動は今では総務省の地域活性化政策の中でこの「関係人口」に関する重要な事例として取り上げられている★22。

　こへび隊は、「世代・ジャンル・地域を越えた」自主的な組織で、メンバーは流動的だがこれまで約2,000人を超え、中高生から80歳代までの幅広い世代の人々が首都圏を中心に全国、海外から集まっているという（総務省「関係人口ポータルサイト」）。こえび隊も2010年から2019年までのべ約4,000人が芸術祭に参加したといい、会期中だけでなく会期外に関わる人もいる。女性の比率が高いことも知られている（女性73％（2019））（同サイトより）。どちらの「隊」も、作品作りに参加したり、作品管理に関わったり、芸術祭の案内役を担ったり、情報発信したり、と関与の内容もその関わり方の浅さ深さもさまざまな形がある。いずれも、開催地域の外の人たちが当の地域とその内外で関わるという点で、まさに「関係人口」というもののわかりやすい事例となっている。

　さて、「田園回帰」の動向が認められるにしても、実際、定住ということになると小田切の指摘にもあったようにさまざまなネックがあることは否めない。これまでの過疎・人口減少への対抗戦略は直接的な人口増加策「移住・定住」だったが、次に課題となったのは「交流・観光」である。しかし一時的な来訪を複数回・反復的な往来につなげることはやはり難しい。こうして「交流人口」

図表7-2 関係人口とは？

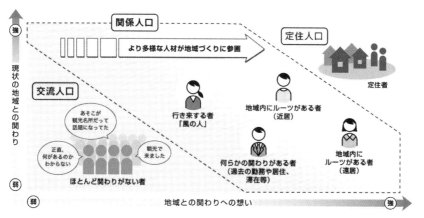

出典：総務省「関係人口ポータルサイト」

　と「定住人口」の間を目指す現実的な戦略として「関係人口」という考え方が生まれてきた。「関係人口」について田中輝美は「特定の地域に関心を持ち、関わるよそ者」という暫定的な定義を示している（田中（輝）2021：93）が、例えば、「食」を通したつながり（「信頼できる人が作ったおいしいもの・安全なものを食べたい」）はその代表事例だろう（田中（輝）2017）[23]。

　地域を超えた関係性（社会関係資本やネットワーク等）を創り出す契機は食に限らない。そうした多様な契機に人々の注目が集まっており、アートもその一つだが、実際、こうした実践や政策には、その発想や手法を直接間接にアートに学んだものが少なくないように見える。その試行錯誤は「アートの社会化」と「社会のアート化」の相即的な過程でもある。アートの力は、人口減少問題に対する直接的な問題解決というより、地域内外の交流・関与を生み出すことを通じて地域の自信や誇りを取り戻すこと、つまり「誇りの空洞化」の克服のような面にむしろよく表れている。もちろん「関係人口」を作り出すことは決して簡単なことではない。しかし「関係人口」を創出することの意味と効果はアートを通してこそ鮮明に見えてくるのではないか。

2）廃校再生

廃校の増加と地域社会

　人口減少、少子高齢化の進展はさまざまな形で地域社会に影響を与えているが、学校の統廃合や住民の転出の問題もその一つだろう。教育の場である学校が地域コミュニティの拠点としても重要な役割を果たしていることは言うまでもない。多くの人にとって小中高校の「廃校」は身近な問題となっている。以前からその問題に直面してきた農山村では早くから地域再生の問題として取り組みが行われているが（岸上 2015；波出石 2015）、文部科学省でもしばらく前から調査研究や関連プロジェクトを進めている。

　文部科学省の「～未来につなごう～「みんなの廃校」プロジェクト」サイト（https://www.mext.go.jp/a_menu/shotou/zyosei/1296809.htm）によれば、少子化に伴う児童生徒数の減少等により、全国で毎年約470校程度の廃校施設が生じているという。この貴重な財産を地域の実情やニーズを踏まえながら有効活用するべく、同省は、2010年9月に「～未来につなごう～「みんなの廃校」プロジェクト」を立ち上げ、施設情報の集約・発信や活用マッチングイベント、活用事例の紹介などの取り組みを行っている。

　文部科学省実施の「廃校施設等活用状況実態調査」と「余裕教室活用状況実態調査」によれば、2018年5月1日現在、2002年度から2017年度に発生した廃校（7,583）で施設が現存している6,580校のうち、4,905校（74.5％）が社会教育施設や社会体育施設等の公共施設のほか、体験交流施設や福祉施設などさまざまな用途で活用されているという。また、余裕教室（今後5年間以内に普通教室として使用されることがないと考えられる教室）も何らかの用途で高い水準（98.5％）で利用されていることが示されている。

　使用の内容については、「近年では地方公共団体と民間事業者とが連携し、創業支援のためのオフィスや地元特産品の加工会社の工場として廃校施設が活用されるなど、地域資源を活かし、地域経済の活性化につながるような活用も増えてきて」（前掲調査より）いるというから、厳しい環境の中、各地の試みは一定程度功を奏していると見ることができそうだ。

アートと廃校再生（1）――都市における事例

　こうした廃校の利活用にアートが果たしている役割は見逃せない。実際、アートプロジェクトとして最も知られているものの一つが「廃校再生」に関わるものではないだろうか。さまざまな形で「再生」を遂げた元「廃校」は現在、全国各地に多数ある。かつての廃校は、既存の公共施設以上に人を集め、拠点として機能しているものも少なくない。第2章でも取り上げた「アーツ千代田3331」は、そうした事例の代表と言ってよいだろう。

　『廃校再生ストーリーズ』（伊藤総研 2018）は、3331を含め、オフィス、ホテル、カフェ、博物館、酒蔵、水族館等々、全国各地の「廃校再生」の20事例を紹介している。それらの事例は、どこからどこまでがアートかコミュニティデザインか区別することは難しい（また、区別することにそれほど強い意味はない）が、いずれにせよアートが地域で何ができるかということの手本になっている。

　言うまでもないが、廃校再生とは単なるハードの問題ではなく、運営や組織化といったソフト面との連動なしには進行しない。3331はその点で興味深い。その経緯は次のようなものである。

　地域の関係者は、千代田区の「文化芸術基本条例」（2004策定）と連動して、地域の文化力を高める拠点の整備を進めようとしていた。区立小中学校の閉校とその再利用の構想がこれと重なり、その運営の担い手として名乗りを上げたのが中村政人たちのグループだった。彼らは、アートと地域住民を結びつけるという方向性の下、各種プロジェクトや滞在制作、アートフェアなどを多様な形で、また恒常的に実施することを通して、地域（千代田区）内外の活

写真7-1
3331 Arts Chiyoda 外観
（写真提供：3331 Arts Chiyoda）

244

写真7-2 コミュニティスペース
（写真提供：3331 Arts Chiyoda）

写真7-3 中学校の面影を残す壁画（2011.9）
（出典：Wikimedia Commons）

力を引き出すことに成功した。子ども向けの企画をはじめとして多様な企画を提供し、老若男女が集うようになって、開館時の2010年に約31万人だった来場者は、約90万人（2018）まで増加。この場所は、地域に欠かせない存在となっている（同：130-139）[24]。この施設が、地域の拠点化という本来の趣旨を損なうことなく、結果的に地域性（空間的限定）を超えた、世界中から注目される――文字通り世界的な――アートの拠点となったということは興味深い。リノベーションの意義については第5章でも触れたが、建築家の松村秀一が指摘するように、いわばアートによって「空間資源の可能性」（松村2018）が引き出されたのであり、まさに「公空間と私空間の間の共空間」として空間の「利用の構想力」が見事に具現化した事例と言えるだろう（松村2016）[25]。

アートと廃校再生（2）――農山村における事例

　少子化と人口減少は都市・農村を問わず進行しているが、廃校の利用（再生）の事例は、農山村に先行的に見られる。長い歴史を持つ「大地の芸術祭」は、そうした事例を数多く提供してきた。丹間康仁は、全国の廃校活用の事例を概観し、豪雪地帯として知られる新潟県の山間地が主会場である同芸術祭における「廃校プロジェクト」を紹介している（丹間2013）[26]。
　丹間は、真田小学校（十日町市）が鉢＆田島征三「絵本と木の実の美術館」に生まれ変わった事例、松之山町立三省小学校が宿泊施設を備えた交流施設「三省ハウス」として活用されているケースなどについて、その経緯や実情

を紹介し、最初は戸惑いのあったアートに地域住民がどのように向き合うようになったのか、またその過程でどのような変化があったかについて記述している★27。丹間は、昨今の廃校の「活用ありき」の発想に対して批判的眼差しを向けながらも、次のように述べている。

「たしかに、集落における学校の廃止が、高齢化と過疎化の行き着く先にある一つの現実であることに変わりない。しかし、その現実に直面した集落の住民が、廃校活用の過程に参加して、地域外の主体と関わりあう経験を通して、異質な価値観に触れる機会を得たことは事実である。その経験によって、自らの住み続けてきた地域やこれまで過ごしてきた人生に否定的な感情を抱くことなく、葛藤と交流の揺らぎを通して得た新たな視点から、自らの地域と人生の内在的な価値を見出していくという学びを培うことができるのではないかと考えられる」（同：27）。

丹間は、当初は「外発的」なものであっても、住民がその活動を通して学ぶことで、自分たちのものとしてその空間と地域の活力を取り戻す（再獲得する）ことができるという「学びの可能性」に注目し、「こうした学びを拓いていく展望があれば、一定のコストをかけてでも廃校活用を進めていく意義はある」（同）として、地域計画の構想の下でのこうした試みの重要性を認めている。

写真7-4、7-5
鉢＆田島征三「絵本と木の実の美術館」
（旧十日町市立真田小学校）

筆者はこれらの場所を訪れ関係者の話を聞く機会があったが、改めて実感することがある。小中学校は、学校教育の場であるだけでなく、その学校区によって「地域」を認識させる役割を持ち、しばしば当該地域の社会的公共的な諸活動の「拠点」ともなる。まさに地域の統合的シンボルとして機能することも多い。学校の消失＝廃校が、地域の誇りやアイデンティティの喪失という形で人々に与える負の影響は大きい。だからこそその存在を社会的に（再び）機能させることは大きな意味を持っている。地域の（再）活性化に果たす（いわばヴァーチャル化した存在となったとしても）「学校」の役割に改めて注目すべきだろう。それぞれの地域の実状に見合った創意工夫の余地はまだまだありそうだし、アートの力が求められる場はなお数多く残されているように思われる。

3）「第三の場」としてのカフェ

「カフェ」というスタイル——コミュニケーションを作り出すアート

　次に、より身近でカジュアルな存在として「カフェ」（および「カフェ的なもの」）を取り上げてみたい。

　長らくさまざまなカフェの運営に携わり、アート活動にも深く関わってきた山納洋は、オルデンバーグの「第三の場所」（サードプレイス）論[28]を引きながら、自らの体験を踏まえ、カフェの持つ可能性について論じている（山納2006）。地域活性化の一手段としていわゆる「コミュニティカフェ」が評判となり、各地で同様の試みが叢生しているが、形式的な「場所づくり」に終わり、生きた場となっていないものも少なくない[29]。山納は、豊富な事例を示しながら、カフェを「成長の場所」「他者とつながる場」「創発が起こる場」そして「公共性」を担うものとして位置付けている。

　山納は、議論の中で大阪市西成区で活動を続ける「ココルーム」（特定非営利活動法人「こえとことばとこころの部屋」2008～）を「アートによる包摂の場」として紹介している（同：90-98）。ココルームは、街の一角で喫茶店の形を取りながら（「喫茶店のふりをしている場所」）、「詩の朗読」活動を核として、生活保護受給者、日雇い労働者から研究者、旅人、外国人等誰もが集える場所として運営されている。法人代表の上田假奈代は、その後このアートの立場から「ソーシャル・インクルージョン」を実践する活動を「釜ヶ崎芸術大学」という

写真7-6
ココルーム 2021.6撮影
（写真提供：NPO法人こえとことばと
こころの部屋）

誰もが参加でき学べる「市民大学」（文化芸術を介した恒常的な学習活動）へと
広げていく（この活動は2015年度芸術選奨新人賞（芸術振興部門）受賞）。山
納はそこで上田の「わたし自身は「包摂」しているつもりは全くなくて、むしろ
「包摂する／される」をどんどん入れ替えてゆくようなことが、アートだからこ
そできるんじゃないかと思っています」（同：99）という言葉を紹介し、アート
が持つ力への期待を示している。

　カフェ（的なもの）とアートとの相性は深いものがある。歴史的にもコーヒー
ハウス（17世紀後半〜18世紀）や20世紀初頭の「キャバレー・ヴォルテール」
など当代の芸術家や文化人を始めさまざまな人々が集い語る、まさに談論風
発の場は時代時代の活力を生んできた。欧米のパブやバール（バル）、現代
日本の居酒屋やスナックもそうした場の一つかもしれない。

　お茶や酒など飲み物を提供することを通じて、人々が交流する場を作り出
しコミュニケーションを昂進させるという形式は、現代アーティストにとっても
魅力的な素材の一つのようだ。アーティストが「アート屋台」と共に全国を巡
回しその地の人々とのやり取りを通してお茶（お抹茶）を楽しむきむらとしろう
じんじんの「野点」（1995〜）、街中に「マイパブリック」としてのパーソナル屋
台を持ち込み交流の場を作り出す田中元子の試み（2014〜）など、ユニーク
な実践／表現が生まれている★30。コンセプトはそれぞれ異なるが、自ら楽しむ、
人を楽しませる仕掛けとしてのアートのシンプルな形態がここに見いだせる。
と同時に、二人には、開放的で自由なコミュニケーションを生み出すことへの

関心が読み取れる。

　ここで見たのは、端的に言えば、アートが持つ豊かなコミュニケーションを作り出す機能ということになるかもしれない。「カフェ的なもの」の多様な実践事例はそのことに改めてわれわれの目を向けさせる。

4）アートと地域ケア

「社会的処方」の展望

　最後に、アートと医療・福祉の関係に注目してみたい。アートとケアの関係と言ってもよいかもしれない。

　地域医療・高齢者医療では、近年「社会的処方」（social prescription）という手法が注目されている。論者によってその強調点は異なるが、基本的には医療対象と考えられてきた疾患等の問題に非医療的な形で対処する手法、言い換えれば、投薬や手術のような方法ではなく社会的に（人を介して）心身の問題に対応する手法と考えてよい（西 2020；西岡，近藤 2020）。

　「社会的処方」は、具体的には、生活習慣病等の病気を抱えて社会的に孤立した独居高齢者などに、かかりつけ医が地域とのつながりをサポートすることで、病気の長期化や悪化を防ぎ、健康を取り戻してもらおうという取り組みで、イギリスなどでの先行事例がある。日本でも厚労省はこの取り組みを既に始めており、この考え方と実践は今後より広く知られることになるだろう。

写真7-7
きむらとしろうじんじん
「野点」（えずこホール20
周年記念事業）
2016.10.19
（写真提供：えずこホール）

イギリスでは、釣りやエクササイズ、ダンス、同じ疾患を持つ者同士の語りの会（ピアサポート）などの事例があるが（西 2020）、こうした場づくりやコミュニケーションの形成においてアートは一役も二役も買っている。近年、「社会的孤立」や「孤独」にどう向き合うかという問題は、イギリスをはじめ各国で強い関心を集めるようになっているが★31、これは社会的包摂の課題の一つと考えられている。社会関係資本と健康との正循環の関係などは既に知られるところだが、医療・健康問題は、広義の社会政策的課題と切り離せないものになっており、文化政策との関連性についても今後さらに理解が進むだろう。

　文化芸術と医療福祉との連携については、近年日本でも研究や実践が進んでいる（NPO法人こととふラボ 2020他）。この場で詳細に論じる余裕はないが、特に、経済、教育、雇用等の要素を関連付けた文化芸術による地域包括ケアシステム構築というアイディアには、筆者自身可能性を感じている★32。こういう領域間の関係形成や諸要素の結合に果たす文化芸術の役割は今後さらに注目を集めるようになるだろう。

　「健康とは、身体的、精神的、社会的に完全に良好な状態であり、単に病気がないとか虚弱でないということではない」というWHOの健康の定義（1948）が一般に広く知られるが、近年、これに対し、医師M・Huberは「健康とは社会的、身体的、感情的問題に直面した時に、適応し自ら管理する能力があること」と定義し、これを「ポジティヴヘルス」として新しい健康観を示している（西 2020：41）。人間が「社会的動物」である限り、社会的な要素も心身の健康の一部を成すと考えるのは自然だろう。「生活の質」（QOL）が健康に果たす影響についても今では広く知られるようになっている。生活をその断片ではなく全体として統合的に見る視点は最近の医療や介護・福祉の世界では一般化してもいる。

　こうした新しい健康観は、個人が単独の個として自立的に生きるだけでなく、地域における相互依存関係の中で——支え支えられて——自律的に生きることの価値と結びついている。近代科学以前の医療＝医術はart［ars］（技術・技芸）の一つと考えられていたが、現代のアートと医療が確かな科学に支えられた上で融合・統合することは何ら不思議なことではない。今日的なアートの可能性はこういうところにも見いだせる。

5）小括―地域で活きるアート

アートの多面的機能と多産性

　見てきたように、文化芸術の持つ力、アートの果たす機能は非常に多面的である。その力に多くの人々が期待しそれに応えようと努力や工夫を重ねているアーティストや関係者は少なくない。アートの社会実装の発展過程はこうした関係性の中にある。

　「人と人を結びつける」、「関係性構築」等々言い方はさまざまだが、コミュニケーションを作り出す〈技術〉としてアートが注目されること、特にアートがそのことに特化することについては批判的な見方もある（cf.「地域アート」「リレーショナルアート」批判）★33。もちろん、当事者・関係者の間には一種の健全な緊張関係も必要だろう。しかし、「アートが役に立つ」ということは単にアートを「道具化」することではないし、また、そうであるからといってアートが直ちに「有用性」や「効用」に還元されてしまうということにはならないだろう。アートがこうした機能をさまざまな形で社会の中に構造化し、定着させることの意味は決して小さくない。この過程自体が、アートが変化し社会が変化するという「アートの社会化」であり「社会のアート化」の過程にほかならない。

　実際、アートの力・機能は単純な意味での有用性や効用に限定されるものではない。アートは〈技術〉にもなりうるがそれにとどまるものではもちろんない。アートが何かの役に立つにしてもそれは不定形で融通無碍なアートが持つ多様な機能のあくまで一部にすぎない。そこからむしろアートの可能性の大きさと文化芸術の懐の深さが見えてくる★34。

　アートの力、その多面的機能と多産性が地域／コミュニティで果たす役割は大きい。地域で活きるアートは、われわれにそのことを教えてくれている。

註：

★1　各地で自治体が戦略的に文化芸術政策を展開しているが、近年の注目されるものとして青森県、兵庫県豊岡市の事例がある。青森県では、"青森を「アート県／圏」に"と謳い、県内各地に美術館や滞在制作支援の拠点等を整備し文化資源の充実を図っている。「青森県を「アート県／圏」に。「青森アートミュージアム5館連携」が目指す姿とは？」（2021.3.6）（https://bijutsutecho.com/magazine/news/report/23660）参照。また豊岡市では演劇と観光を主眼とした公立大学（芸術文化観光専門職大学（学長平田オリザ、2021年4月開校））を設立し、豊岡演劇祭を2020年から本格開

催するなど、地域を挙げて「演劇によるまちづくり」を模索している。2021年4月これを推進してきた市長の交代があり、見直しの動きも起こったが、2022年初頭時点で方向性は維持されている。

★2 公共経済学では「公共サービスの便益（benefits）が給付公共団体の行政区域をはるかにこえてその他の区域にも「拡散」することで、公共サービスの提供に関わる費用を負担していない他の地域の住民たちにもその便益が及ぶこと」をスピルオーバー効果（外部経済効果）と呼ぶが、寺岡はこのことに言及し、「地域の優れた美術館や地域アート」もまた他地域にこれと同様の影響を及ぼす効果があると指摘している（寺岡 2016：22）。文化芸術の効用の一つだろう。

★3 「創造都市／創造経済」論については、本書でもたびたび触れてきたが（佐々木 2001；経済協力開発機構 2014；菅野 2018等参照）、同様に、地域衰退への危機感から生まれ、地域とアートの関係性を視野に入れた「縮小都市」論についても、上記の議論と響き合うものとして注目したい。矢作 2014参照。

★4 松永は、徳島県神山町のITベンチャー企業、島根県邑南町の「食」の振興、「6次産業」化などの事例を挙げている。

★5 経済資源・文化資源が集中する三大都市圏以外の地方圏における創造的人材の定住・交流の可能性を探るという趣旨から、現地調査は、大地の芸術祭（越後妻有）、瀬戸内国際芸術祭（高松市、島嶼地域）を含み、富良野市、仙北市、金沢市、鳥取市、別府市など10事例、文献調査は、夕張市、取手市、中之条町、氷見市、小布施町、豊岡市、神山町、鹿屋市等40事例と全国各地の先進事例を包括的に扱っている。

★6 「文化」概念を幅広く解釈し、教育文化施設として位置付けられてきた博物館、美術館、動物園、水族館等を「文化資本」と捉えてこれを交流人口増加、観光振興、地域活性化に結びつけようという考え方はこの間広がっている（東北産業活性化センター 2007）。

★7 他にも「社会はアートを必要としているのか？」との問いに対するキーワードとして「社会的包摂」を挙げる議論（中川他 2011）、人と人との交流あるいは「交歓」行為としてのアートの可能性を示唆し、「社会包摂型アーツマネジメント」の可能性を展望する議論（志賀野 2011）などがある。これらのこうした議論はまた創造都市／創造経済論とも親近性があることも改めて確認しておこう（佐々木，水内 2009）。また、こうしたアートの役割については、やはり災害とアートのつながりという契機を見る必要があるだろう（第6章参照）。多少とも時流への同調があるにしても、同様の指摘「多様な価値観が共存する社会、マイノリティの人たちも生きやすい社会をつくろうという社会包摂の側面」「社会の中で小さな「居場所」を見つける」（熊倉 2014：28-29）など、この視角がアートプロジェクトの社会的役割として広く意識され共有されてきていることは確かだろう。

★8 ここでは紙幅の関係上議論は深められないが、この点は、文化と支配という文化資本の問題性の核心部分でもある。

★9 一方で、河島は、こうした新しい文化政策について、その積極的側面と共に困難があるとして、個々の文化事業（プロジェクト）の評価の問題を挙げている。「何をもって「優れた芸術」「素晴らしい文化的体験、感動」だと言えるのか一律に決めることはできない」（河島 2014：138）。個人による価値観の違い、客観的指標の設定の困難等がまずあり、さらに社会的包摂という目標の定義上、事実上の効果を評価することは極めて難しい。河島は、「個々の文化事業を実施した結果たる「アウトプット」指標（例えば美術館の入館者数）と、それを通じてどのような文化的進歩や社会の便益をもたらそうとしているのか、という「アウトカム」の測定とを混同し、前者に傾倒しすぎること」（同：138）の問題も指摘している。実際、文化芸術と社会の関係そのものを可視化する「評価」は、関係者にとって難しい問題の一つである。

★10 同報告書によれば「英国で文化政策を推進するアーツ・カウンシル・イングランドでは、年齢、障害、性別、性適合、妊娠および出産・育児、宗教または信条、性的指向に加え、階級的・経済的不利益、社会的・体制的な障壁をダイバーシティを進める対象として定義している」という（文化庁地域文化創生本部事務局総括・政策研究グループ 2019）。政策意図として包括的な社会課題を想定していることがわかる。社会によって歴史的文化的背景も異なる以上違いは当然だろう。

★11 「戦略」の「6つの視点」は、1. 未来を志向した文化財の着実な継承とさらなる発展、2. 文化への投資が持続的になされる仕組みづくり、3. 文化経済活動を通じた地域の活性化、4. 双方向の国際展開を通じた日本のブランド価値の最大化、5. 文化経済活動を通じた社会包摂・多文化共生社会の実現、6. 2020年を契機とした次世代に誇れる文化レガシーの創出。推進すべき「6つの重点戦略」としては、1. 文化芸術資源（文化財）の保存、2. 文化芸術資源（文化財）の活用、3. 文化創造活動の推進、4. 国際プレゼンスの向上、5. 周辺領域への波及、新たな需要・付加価値の創出、6. 文化経済戦略の推進基盤の強化、が挙げられている（内閣官房、文化庁 2017）。

★12 増田寛也・日本創生会議は『中央公論』（2013年12月号）で「2040年、地方消滅。『極点社会』が到来する」と題して「自治体消滅」論を展開した。同誌が掲げたタイトルは、「壊死する地方都市」（同号）、「消滅する市町村523全リスト」（2014年6月号）、「全ての町は救えない」（同7月号）という極めて厳しいものだった。ほかに増田 2014参照。これをめぐる議論状況については、以下を参照。角田英昭「自治体消滅論、「地方創生」戦略を検証し、真の地域再生を」（2015年10月15日）自治体研究所サイト（https://www.jichiken.jp/article/0011/）

★13 小田切は、若い世代を中心に大都市圏を離れ地方に移住する動きがあることに注目し、農山村移住を主内容とする専門雑誌が20〜40歳代の読者層に支えられている事実などに目をとめている（小田切 2014：iv-v, 175-213）。全国20歳以上を対象とした内閣府「農山漁村に関する世論調査」（2014）（https://survey.gov-online.go.jp/h26/h26-nousan/index.html）によれば、農山漁村への定住願望がある人は31.6％あり、これは9年前2005年の調査の20.6％から11ポイント増加している。総務省の報告書でも、過去2度の国勢調査（2010, 2015）に基づき都市部から過疎地域への移住者が増加している傾向を指摘している（総務省地域力創造グループ過疎対策室 2018）。他に、藤山 2015；小田切、藤山他 2016；小田切、広井他 2016；小田切、筒井 2016等参照。地域衰退の危機的状況と各地の対抗戦略の模索ということについては、小磯 2020；宮崎 2021参照。

★14 総務省「地域おこし協力隊のこれまでの10年間の取組状況に係る調査結果」（https://www.soumu.go.jp/main_content/000678224.pdf）

★15 総務省サイト参照。https://www.soumu.go.jp/main_sosiki/jichi_gyousei/c-yousei/02gyosei08_03000066.html

★16 協力隊については、その「効果」の大きさを高く評価されてきたが、最近になって派遣先の地元定着の伸び悩みなどの課題も指摘されるようになっている。以下参照。「地域隊員、1年で25％退任 住民・行政との関係に悩み」『日本経済新聞』2020年7月24日。この点については同記事にもコメントしている平井太郎（弘前大学）らの以下の論文を参照。平井，曽我 2017。

★17 これについては、以下参照。「アートで地域を盛り上げたい！」
https://kochi-iju.jp/koe/interview/%E3%82%A2%E3%83%BC%E3%83%88%E3%81%A7%E5%9C%B0%E5%9F%9F%E3%82%92%E7%9B%9B%E3%82%8A%E4%B8%8A%E3%81%92%E3%81%9F%E3%81%84%EF%BC%81/
川浪千鶴（高知県立美術館）「アーティスト イン レジデンス須崎「現代地方譚」」
https://artscape.jp/report/curator/10095657_1634.html

★18 地域おこし協力隊とアートの関連は深いものがある。筆者が2020年3月時点で確認した限りで、栃木県那須町、愛媛県東温市等でアートに関わる事業の担い手として協力隊員が位置づけられている例、また長野県大町市、兵庫県豊岡市、福島県西会津町、新潟県三条市などではアートマネージャー的役割を期待した協力隊員募集の事例がある。

★19 「ナリワイ」「小商い」については、伊藤 2012；伊藤2014参照。「半農半X」とは、「持続可能な農ある小さな暮らしをしつつ、天の才（個性や能力、特技など）を社会のために生かし、天職（X）を行う生き方、暮らし方」のことを言う。一種のオルタナティヴな生き方として塩見直紀によって1990年代半ば頃から提唱されてきた（塩見 2014）。

★20 小田切らは、「農村×都市＝ナリワイ」という構図のこうした動きを「クリエイティブ・クラス」の形成として見て、古本業＋α、地産地消レストランの起業等各地の過疎地や中山間地における実践

事例を紹介している（小田切，藤山他 2016）。

★21 こうした一連の動きには、新自由主義と経済グローバル化の潮流という時代的、趨勢的背景がある。創造経済が1980～90年代に進んだグローバリズムに対抗する動きであることを考えればこの親和性は当然とも言える。皮肉なことに、社会経済の「持続可能性」への関心が高まるにつれて、こうしたライフスタイルも別の意味でグローバル化しているということができるかもしれない。これまでのグローバル化とそれに対抗する動きが相補的な関係になっているとすれば、アイロニカルな現象が進行しているとも言える。

★22 総務省の以下のサイトを参照。「関係人口」（https://www.soumu.go.jp/kankeijinkou/zenkoku/07_kohebi.html）、「関係人口とは？」（https://www.soumu.go.jp/kankeijinkou/about/index.html）

★23 「関係人口」概念には「関心」や「関与」など核になる要素は認められるものの、その語義は多様で曖昧でもあることは否めない。しかし「関係人口は、関わるという言葉が持つ多義性ゆえに、多様な展開と可能性がある」（田中（輝）2021：93）ことは確かだろう。田中同書は、同概念の背景や種々の分析視角、島根県海士町等の事例の検討などこの主題をめぐる包括的な議論として参考になる。一方で、この問題をめぐる議論や試行の中には、担い手や主体性の問題を看過した地域再生に対する安直な期待も見え隠れしている。田中はそのことに注意を促してもいる。

★24 日比野克彦が手掛ける「明後日朝顔プロジェクト」は、区内の小学生と朝顔を育て全国の地域に運び地域と地域をつなぐというもの（伊藤総研 2018：137）。藤浩志の「かえっこ」は各地で展開する人気企画だが、「かえるステーション」は全国でも数少ない常設の活動拠点として館内に設置され、同施設開館以来地域の親子に親しまれている。これらは3331が提供する「ロングテール」地域企画と言えるだろう。

★25 建築と空間の「民主化」に強い関心を示す建築家の松村秀一は、「公空間と私空間の間に位置する共空間（コモン）とそれに対応する人間同士の関係（コミュニティ）を、それぞれに人がいかに創造的に生み出せるかが、民主化の核心に位置する問題になる」（松村 2016：216）と述べ、適当な空間資源と出会えないでいる人々の「利用の構想力」の組織化として中村らによる3331の実践を高く評価している（同：211-212）。3331立ち上げとマネジメントについては、これに中村らと共に深く関わった清水義次へのインタビューが参考になる。馬場他 2013：126-141参照。

★26 第4回の同芸術祭では、アート作品の展示、宿泊の場として13の廃校を利用した「廃校プロジェクト」が行われた（小川、森 2010）。このプロジェクトはその後も継続し恒常的な活動として地域に定着している。

★27 これについては全国的な廃校利用のモデルとして北川フラムも紹介している（北川 2015：56-62）。

★28 オルデンバーグは、疎外感、退屈、ストレスにさらされているアメリカ社会のとりわけ中流階級にとっての、家庭でも労働環境でもない「とびきり居心地よい場所」つまり「インフォーマルな公共生活の中核的環境」の重要性を指摘している（オルデンバーグ 2013）。石山 2019も参照。

★29 困難もあるとはいえ、多様な目的と機能を持つ場としてのコミュニティカフェへの関心は全国的になお高まっている（齋藤 2020）。各地で動きも活性化しており、同著者によれば、横浜市内では2005年時点で2～3であったコミュニティカフェは2017年には常設スタイルのもので少なくとも65が確認できるという。週1開催形式などの非常設型サロンも含めると相当数の存在が推定される（同：88）。

★30 きむらとしろうじんじん（1967～）は、陶芸を中心に表現活動を続けてきた。この「野点」プロジェクトは、きむらが開催地に窯や用具を積んだリヤカーで訪れるところから始まる。参加者が素焼きの茶碗の絵付けをし、その場で焼かれた椀でお茶を味わうという過程全体を皆で楽しむというもの。従来の、デベロッパーや行政、学者の「まちづくり」像への違和感を背景にした田中元子（1975～）の「マイパブリック＝私設の公共」というコンセプトも興味深い。田中の考え方と活動については、田中（元）2017参照。

★31 人口6,560万人のイギリスで約900万人が「孤独を感じている」との実情を踏まえ、2018年1月メイ政権下で孤独担当大臣が新設された（『朝日新聞』2018年1月18日他）。この影響は世界中に広がり、日本でもコロナ渦中の菅政権で「孤独問題担当大臣」が任命されるなどの動きがあった。

★32 筆者は「文化芸術による社会包摂の評価手法・ガイドラインの構築」研究プロジェクト（代表・茂木一司群馬大学教育学部教授）のシンポジウム「文化芸術による社会包摂は可能か? 芸術と医療・福祉の対話と越境」（2018年11月16日（前橋市））とワークショップに参加し、こうした視点に関して示唆を得た。同プロジェクトは、文化芸術による地域包括ケアシステムの構築を構想し、WHO、ILOなどの国際機関が進めている戦略に注目している。それは1970年代途上国の障害者を対象に構築されたCBR（community based rehabilitation；地域に根ざしたリハビリテーション）というコンセプトに基づいたもので、同研究グループはこれを活用した文化芸術による社会包摂ガイドライン開発を進めている。CBRは、「障害のある人、家族およびコミュニティ並びに適切な保健医療・教育・職業・社会サービスが一致協力することによって実施される」（NPO法人こととふラボ 2020：7）もので、今日の地域包括ケアシステムの方向性や共生社会の理念と相同的な構造を有している。筆者もこうした「ケアの社会化」の問題を中心に「ケアする社会」の展望について論じたことがある。小松田 2018参照。

★33 藤田直哉は、市民が参加して花を植える行為を「アート」として提示しようとするプロジェクトなどを例に挙げ、公的支援と芸術的価値の担保の「綱引き」的状況があることに一定の理解を示しながら次のように述べている。「アートは、このように、コミュニケーションの生成に関わるものへと変化しようとしている。そのとき、問題が起こってくる。そんなに簡単に、有用になっていいのか。質は何で判断されるのか。芸術の独自性は保ちうるのか。その境界領域では単なるサービス労働と「アート」の区別が曖昧になっているように思う。ときには、「アート」というものが、ある種のやりがい搾取を肯定し、非正規雇用者のアイデンティティを維持させるための道具となっていさえするかもしれない」（藤田 2016：24）。「労働」に関係する問題については第8章第2節参照。

★34 「社会実装には至らない実験」にアートの可能性を見るという橋本誠の発言は示唆的である（橋本, 影山 2021）。

市民社会と文化芸術
——社会とアートをめぐる課題と展望

はじめに

　今日、文化資源へのアクセスや創作の自由といった人々の文化的な権利を認めそれを保障することは、一定の経済的発展を遂げた民主的な社会では一般的なことになってきている。日本でも関係者の長年の悲願であった「文化芸術基本法」が制定・施行（2001年制定2017改正）され、そこでは「文化芸術を創造し、それを享受することが人々の生まれながらの権利である」（同法第2条3項」）ことが謳われている。このことはユネスコ等の国際機関をはじめ国際社会では既に一般的な考え方になっているが、この理念をどのように現実化・具体化していくのか、その点についてはなお多くの問題があることは認めざるをえないだろう。

　文化芸術への関心が高まり、各地で文化的な公共事業や市民活動が盛んになるにつれて、こうした理念と現実の間の乖離について問う声も大きくなってきた。このことは一般的に言えば文化政策の問題ではあるが、今日の地域とアートの関係を考える上で看過できない課題の一つである。このことはまた、地域においては自治の問題であり、さらに言えば「参加と民主主義」の問題でもある。

　終章では、全体を総括する意味で、文化芸術を、（市民的）自由、民主主義、公共性などを主要論点とする市民社会（論）の視点から捉え、その課題と展望を示すことにしたい。

　こうした問題をまず「文化権」（文化的権利）を通して考えたい。これを承けて、文化芸術に関わる者（関与者）の拡大と多様化を背景にした、理念と現実をめぐる葛藤状況に目を向け、「文化の民主化」と「文化デモクラシー」のジレンマについて考察する。

　次に「文化に関する市民権（シティズンシップ）」（文化シティズンシップ）という論点を提示し、社会と文化芸術の良好な関係について、単に「権利」にとどまらず「文化芸術の担い手としての市民」という視点から考えてみたい。

　考察を通して、成熟した社会（市民社会）とはどういうものかということも見えてくるように思う。もっとも、文化芸術が市民社会の論理（理念としての〈市

民社会〉) の中に収まりきるものであるかどうかは別の問題である。社会と文化芸術の現実の関係は、さまざまな要因に条件づけられた動態的な過程としてある。「社会と文化芸術の共進化」という視点から、両者の関係をめぐる課題と可能性について最後に考えてみることにしたい。

第1節 市民社会と文化芸術をめぐる課題

1. 市民社会における文化芸術——文化権の視角から

「文化権」とは何か

中村美帆によれば、「文化権 (cultural right)」は、労働権や環境権と並んで、第二次世界大戦後に国際社会で議論が進められてきた新しい権利概念の一つ」とされ、国際社会ではこれは「その内容と法的枠組みの在り方という二つの次元で議論がなされてきた」(中村 2018：103) という。日本においては、この主題に関する議論は、文化芸術振興基本法 (2001 制定) 以前は、もっぱら憲法上の基本的人権としての文化権の可能性についてのものだったが、同法制定を転機として文化政策との関連で論じられるものになった (中村 2018)。ここでは、こうした法制度的な議論には特に踏み込まず、主として文化芸術活動の「現場」の問題として文化権について考えてみたい[1]。

参加と協働——小金井市の文化行政と「アートフル・アクション」の実践

文化芸術の現場から文化権について考えるとき、基本的な論点となるのは、「参加」と「民主主義」(デモクラシー) である[2]。

例えば、土屋正臣は、自らの経験をもとに、文化財保護行政における発掘調査や古文書蒐集等の市民参加のあり方、またフィールドワークを通じた市民の地域社会との向き合い方について事例を挙げながら、そこで浮かび上がった課題を「文化の民主化と文化デモクラシー」および「参加と協働」の問題として論じている (上屋 2018a；土屋 2018b)。市民社会的理念としての参加と民主主義の意義とその重みは、どの領域であれ変わるものではないが、

この論点は、近年、とりわけ文化芸術活動の領域で関心が高まっているように見える。

東京都小金井市の文化行政における「市民的協働」は先進事例として知られるが、この実践例を通して、宮下美穂は自ら運営に関与するNPOの活動実態を振り返り、市民的な文化芸術事業の展開の課題と可能性について論じている（宮下 2018）。

制定までに時間をかけ熟議を重ねながら「芸術文化」における「市民の文化権の尊重」「市民と市の協働」（市や市民、団体の役割を規定）等の理念を高く掲げた小金井市芸術文化振興条例（2007制定）は、全国の関係者からも注目されている一つのモデルである。同市ではこの条例に基づき小金井市芸術文化振興計画を策定し、これにより推進事業を進めている。

文化権の理念は、特に「協働」についての考え方と切り離せない。小金井市協働推進基本指針では「協働の原則」として4つ挙げている。①対等性・自主性、②相互理解、③役割分担・責任の明確化、④目的・目標の共有化である（同：134-136）。この場合、協働は、市当局をはじめとして、NPO等（NPO法人、市民活動団体、ボランティア団体、自治会など）、公益法人等（社団法人、財団法人、社会福祉法人、医療法人など）、また、教育・研究機関や企業のパートナーシップということになる（「小金井市芸術文化振興計画」より）。こうして「小金井アートフル・アクション！」事業が2009年スタート、この枠組みの下、特定非営利活動法人「アートフル・アクション」（2012年設立）の事業運営を通して、多様なアーティストと共に小学校での授業や市民と協働したワークショップなどが行われている[3]。

同様の考え方は他の地域でも広がり実践例も各地で増えているが、小金井市の展開は人材育成や評価なども含め枠組みの合理性の点でも具体的事例としての重みがある[4]。文化権の理念を現実化するためには、条例等の法整備と制度的な支援、何より協働の実態を支える継続的討議（事業評価等）と関係者間の持続的パートナーシップが要件となることをここから学ぶことができる。

2. 文化政策のジレンマ
——「文化の民主化」と「文化デモクラシー」

文化政策のジレンマ

　文化権について考えるとき、文化芸術と民主主義の間には、一筋縄でいかない厄介な問題がある。その理念の具体化である文化政策に改めて目を向けたい。

　長嶋由紀子は、欧州の文化政策におけるジレンマ状況を「文化ガヴァナンス」の視点から紹介し、日本においても関心が向けられつつある文化と民主主義の問題について論じている（長嶋2018）。この問題は、ここ数年、「表現の自由」や文化事業の公的支援をめぐりさまざまな問題を経験したわれわれにとって今後さらに大きな（ある意味深刻な）問題として浮上する可能性がある。これについて以下で検討してみたい。

　この問題は、長嶋も指摘するように、「文化の民主化」（democratisation of culture）と「文化的民主主義」（cultural democracy）の対立あるいは葛藤の構図として捉えられる（以下、後者は「文化デモクラシー」とする）。

　長嶋によれば、上記の構図は欧州議会から出版されたF・マタラッソ、C・ランドリー著『バランス芸——文化政策における21の［戦略上の］ジレンマ』（Matarasso, Landry 1999）で示されたものだという（長嶋2018：71）。長嶋はこれを元にこの問題構造を以下のように説明している。

　「「文化の民主化」は、あらかじめ定められた文化的な価値、表現、製品のセットに人びとを接近させようとする政策であり、民主国家としては不適切だ、と批判を受けるようになった。すなわち「文化の民主化」は、近代の歴史と階級の文脈のなかで育まれたエリートの文化的価値をトップダウン的に分配する政策だとする声が次第に高まったのである。［中略］つまり、このとき「文化の民主化」に対置された「文化デモクラシー」とは、あらゆる人が、文化の「消費」プロセスで享受者となるだけでなく、「生産、分配、分析」のプロセスを能動的に担う主体となることを重視する政策理念だった」（長嶋2018：72-73）★5。

　第二次世界大戦後、欧米をはじめとした「先進」工業社会は経済成長を経験し、文化状況も大きく変化した。所得水準・生活水準の全般的向上という

経済的民主化を一定程度実現した国家にとって、文化的民主化もその課題の一つとなり、文化的消費・消費的文化も文化政策の視野に入ってくる。

長嶋は、1970年代末のフランスにおいて自治体文化政策に関与した実践者や官僚らの政策論を紹介し、そこに「文化デモクラシー」に呼応する以下のような主張を見いだしている。

「具体的には、映画、テレビ、写真、マンガ、シャンソン、ロック、ポップミュージック等々の「いわゆる大衆文化」や地域言語を持つ地方文化、農村、労働者、若者、女性、移民といった各社会集団に固有の表現形式や生活スタイルなどを包括的に指す「他なる文化」に対して民主化が対象としてきた普遍的な卓越性をもつ芸術を核とする文化と対等な価値を認めて尊重するように求めている」（同：73）。ここに生じている（社会的背景のある）文化的葛藤が政策的ジレンマの根にある。「文化の民主化」が前提とする「文化」と「文化デモクラシー」が前提とするそれは、現実には同じものであるとは限らない。

こうした状況の背景にはフランスにおける文化政策の変化がある。ドゴール政権下（A・マルロー文化相）で1960年代に始まるフランスの国家主導の文化政策は、ミッテラン政権下（J・ラング文化相）の1980年代以降大きく転換した。この転換の構図は、ほぼそのまま「文化の民主化」政策と「文化デモクラシー」政策の関係に対応する。この経緯自体は特殊フランス的ではあるが、問題構造自体は、民主主義を標榜する社会なら避けて通れないものだろう[6]。今日の文化政策においては「参加」をはじめとした民主主義の理念そのものが問われざるをえないのである。

文化ガヴァナンスの可能性

長嶋は、政策的ジレンマの構造を踏まえつつ「能動的参加を促す文化政策」を展望し、日本における文化政策の可能性について言及している。

フランス社会では「文化デモクラシー」論を背景に、早い時期から自治体文化行政において「官治・集権」から「自治・分権」へという動きが進んでいた。その点で不十分だった日本でも、近年地方自治において「ガヴァメント（政府）からガヴァナンス（共治）へ」という流れが生まれていることに長嶋は期待を寄せている（同：70）[7]。

「能動的参加」をいかに実現するか。長嶋は、アーンスタインの「住民参加の梯子」を引照してローカルな意思決定の重要性を指摘し（同：75）、市民参加型社会を展望した文化ガヴァナンス論の可能性を示唆している（同：78-80）。地域におけるガヴァナンス（共治）の確立はここでは不可欠の要素になるだろう。長嶋は「「文化ガヴァナンス」はアクターの協働を導く理念の共有を必要とするが、デモクラシーを実質化するガヴァナンスの基本理念となるのは、人権としての文化権の実現である」（同：80）として市民社会の基本理念の重さについて言及している。自治体文化政策が「協働と共治」を目指すことのいわば必然性をここで述べていると言ってもよいだろう。長嶋は「デモクラシーと文化」という主題を現実に照らして再考する必要も議論の最後に指摘している。

　一方で、長嶋は課題も指摘している。フランスにおいては「アソシアシオン」と呼ばれる民間非営利団体が多くの分野で市民活動を支えている。文化芸術の領域ではとりわけその存在意義は大きい★8。長嶋は、この存在に言及し、NPOなどの日本の中間団体は「アソシアシオン」ほど市民の身近な活動手段になっていない現状に危惧を示した上で、「アクター観察の精緻化」が「難しいが重要な課題となるだろう」と述べている（同：81）。NPOはじめさまざまな活動主体（アクター）がガヴァナンスにどう関与するか。関係者はそれぞれの能力の水準や限界を見極める必要がある。関係組織や地域・コミュニティの力量が問われることは確かだろう。

「市民」とは誰か──文化芸術の関与主体（アクター）とステイクホルダーの問題

　この問題を改めて日本社会の文脈に即して見てみよう。土屋正臣は、「文化の民主化と文化デモクラシー」の問題を、フランスに限定される問題ではないとして、日本においては「上からの」文化政策と「草の根型」の文化活動の間の関係が複雑に絡み合いながら、親和的あるいは対立的な局面を呈していることに注意を促している（土屋2018a：163）。土屋はその上で、文化政策に関わる問題の普遍性に着目するためとして戦後日本の埋蔵文化財行政を取り上げて議論している。土屋は、ある古墳発掘調査における「官」と「民」との間の齟齬、市民の「参加」だけがデフォルメされ「市民の手による文化

財保護行政という物語だけが前景化」(同：174) することの危うさを問題化している が、これは先にも見た (第4章)「参加の実質性」の問題として考えることができるだろう。ここでは事例の詳細には立ち入らずに、問題構造に関わる要点のみを取り上げることにしたい。土屋は、長嶋同様ここに見られるジレンマ構造を問題にしている。

　土屋は、「……かつての「大衆」や「民衆」という言葉が「市民」という言葉に置き換えられているだけであり、過去の事例と共通した「わかりやすさの優先か、学術性の確保か」あるいは、「民の直接関与か、官による制度化か」といった二項対立的な呪縛から、今日に至っても、私たちは解き放たれていないことを痛感する」(同：175) として「今日的な市民参加論がすでにイデオロギー化している」ことを指摘して、この問題の根深さに触れ、その根本にある「問い」について次のように述べている。「「文化の民主化」や「文化デモクラシー」の現在的課題はどのように解消されるべきであろうか。この解決策のためのヒントになるのが文化活動を支えている「市民」とは誰かという問いである」(同：175-6)。

　簡潔で当を得た指摘だろう。われわれは、単に自由な存在であり対等・平等な関係の中にあるのではなく、現実には相異なる社会的経済的あるいは文化的な条件の下にあると共にそれぞれ何らかの利害関係の中にある。われわれの社会は、暗黙のうちに「市民社会」を前提としながら、その「市民」の現実についてはあまり深く問うことをしてこなかったのではないだろうか。現実には、異なる利害を持つ者の間で政治的対立が生じるように、文化芸術においても対立や葛藤が生じることは不自然なことではない。「利害」が単純に「経済的利害」であるわけではないが、土屋は、文化芸術に関与する主体を単に「市民」ではなく、さまざまな背景を持ち立場の異なる利害関係者 (ステークホルダー) として捉える必要をここで述べている。

　土屋は、「多様な地域のステークホルダーと文化遺産との関係が問いなおされるなかでこそ、次の段階が切り拓かれていくに違いない」(同：176) として、こうした利害構造に目を向けることの重要性を指摘している。このことは、文化財調査と文化遺産の問題に限定されず、文化政策一般、さらに社会と文化芸術の関係の問題に敷衍することができるだろう。「文化の民主化」と「文

化デモクラシー」をめぐるジレンマ構造はこうした視点から改めて捉え直す必要がある。

3. 文化芸術と民主主義のゆくえ──公共性と多様性の葛藤

多様性が内包する諸契機

「市民とは誰か」という問題はもちろん簡単な問題ではない。現代社会は、自立した個人と平等的関係性を原理とする市民社会を範型としているにしても、現実にはそれぞれ背景を異にした多様な主体から成る複雑な構成体である。この現実を踏まえれば、ステイクホルダーの問題は、関与する主体（アクター）の多様性の問題であり、それら主体間の相互作用の問題として考える必要がある。見てきたように、文化芸術は作り手・受け手の関係を中心に行政、研究機関、企業、市民団体等々関与者が拡大し多様化している。このことは、今日の文化芸術に関わる社会過程が複雑化しているということでもある。また、歴史的遺産、現代アート、映画、ダンス、アニメーション、ゲーム等々、現在、文化芸術として対象化される領域やアイテムも拡大していることを考えれば、ここに誰も（不特定多数）が共通して受け入れられる要素を見いだすことはますます困難になっているということもある。

　今日の「アート」は、多様な主題や手法から生まれている。アートは、単に「美」の追求としてあるというよりは、ジェンダー、エスニシティ、セクシュアリティ、差別、戦争・紛争、自然環境等々、扱われる主題は社会的課題や政治問題として論じられるものも含め、ますます多様化し、表現形態もインスタレーションや映像、パフォーマンス等々拡張し続けている。しかしながら、誰もがアートが主題化する対象や問題に興味関心を持つとは限らないし、それらの表現に必ずしも受容的に向き合うわけではない。そこにはさまざまな視点、見解、感性があり、趣味・美意識はもちろん歴史認識や社会観など価値をめぐって対立する要素も含まれるだろう。作品や企画そのものも賞賛されることもあれば批判されることもある。そもそも創作行為・表現は、文字通りの政治権力から社会関係の力学のようなものまでを含んだ狭義広義の〈政治〉と切り離すことは難しい*⁹。現代のアートは基本的に「自由な表現」として提示される以上、ポジティヴであれネガティヴであれ受けとめ方がさまざまであるの

は当然だろう。とはいえ、激しい批判や非難が表現そのものを否定し公開の機会そのものを奪うこともある。

「あいちトリエンナーレ2019」の企画展「表現の不自由展・その後」が、その表現をめぐって批判・抗議と脅迫を伴う電話が殺到したこと（いわゆる「電凸」）を受け、開幕から数日後に中止となった事件は、「表現の自由」と文化芸術の公共性をめぐる社会的な議論を呼び起こした。ここで生じた対立は短期間では収まらず、関係自治体や政府・関係省庁の責任、公的支援のあり方をも問う問題へと発展した。「芸術とは何か」が問われ、補助金不交付問題が係争化、文化行政が「政治問題」化したことを考えれば、「文化の民主化」と「文化デモクラシー」のジレンマ問題という以上に、文化芸術活動の萎縮にもつながりかねない、われわれの社会の民主主義そのものに関わる大きな出来事であったことは確かだろう★10。

端的に言えば、ここには「公」と「私」の関係性の問題――正確には、それをどう認識するかという問題――がある。ここで生じた対立は、そのまま公／私の関係性についての認識のすれ違いの問題にほかならない。企画展の批判者の論理には、「公」と「私」の硬直的な対立構造が見て取れる。「表現行為は私的なもの（私利）に過ぎない」という前提で、「公的なもの」（ここでは「国家」と同一視される「公」）が「私的なもの」に優先する、あるいは「私」は「公」に回収されるべきものという構図が粗野な形で持ち込まれているように見える。

意見や見解が競合・対立する状況――相異なる価値が相克・対立する状況にどのように向き合うかという問題は、政治におけるそれと変わるところがな

写真8-1 「あいちトリエンナーレ2019」では、「表現の不自由展・その後」の中止や運営に抗議する参加アーティストから辞退の申し出が相次いだ

写真8-2 ウーゴ・ロンディノーネ『孤独のボキャブラリー』「あいちトリエンナーレ2019」

い。これをいかに調整するかという問題は当該社会の市民社会としての成熟度の問題でもある。ただ対立を回避してそこに予定調和的収束を期待するのは安易に過ぎるだろう。

　近年、〈多様性〉は「多様性を認め合う社会」の実現を求める主張に代表されるように、各人の差異性や個性を尊重することを求める理念、追求すべき価値として至るところで強調されている。しかしこの語＝概念についてはその対象や範囲の点でまだ十分に社会的な共通認識があるわけではない。われわれはこれをまず社会的現実の複雑さとして受けとめるべきだろう。理念としての〈多様性〉に諸個人間の宥和や寛容を期待する人々は少なくないが、そこには敵対や葛藤の要素があることも一つの現実なのである。現実の多様性にはコンフリクトとコンセンサスの契機が共に内包されている。この意味で、理念としての多様性と現実としての多様性は区別されるべきであり、その上で、われわれは対立的な状況の中で、論争的であっても対話的な過程を模索することを諦めてはならないだろう。「文化の民主化」と「文化デモクラシー」の帰趨もその点にかかっている。この問題のゆくえはわれわれの社会の民主主義のゆくえとも重なるだろう。

アートの民主性と公共性──誰に開かれているか

　近代市民社会において、「批判」は対話・討議の契機であり民主主義の過程の重要な要素でもある。文化芸術についても「批評」や「批判」を欠いてその発展や豊饒化は考えられないだろう。作品・作家が批判・批評に開かれていることは、文字通り「公共性（the public）」の理念と深くつながるし、批判的理性の主体としての「公衆（public）」の存在は、近代市民社会存立の条件でもあった。文化芸術は公共性の問題である限り政治の問題ともなる。公共性と公衆の問題は極めて重要だが、とはいえ、「公衆」あるいは「世論（public opinion）」を一枚岩的に考え、「近代」と今日の社会的時代的文脈を無視する議論は粗雑に過ぎるだろう[11]。歴史的位相の問題性には踏み込まずその議論は別の場に譲るとして、ここでは改めて現代のアートの現場に目を向けたい。

　歴史あるアートプロジェクトの一つである「ミュンスター彫刻プロジェクト」

（ドイツ・ミュンスター市）は、市が公共空間に設置した抽象彫刻に対し市民から場にそぐわないと非難の声が上がったことがきっかけになって始まったという★12。このキュレーターの一人カスパー・クーニヒ（1943〜）は「芸術の民主性と公共性」について問われ、以下のように語っている。

> 　民主性とアートは共存するものではないと思います。傲慢ではなく、オープンに、そして誰かを差別することなく、しかし同時に批判的でいられるよう、民主主義的な資質を利用することは大切だと思います。ただ、アートは、アートに興味を持った人々にのみ開かれるのです。いっぽうで、アートは社会にとっていったいなんなのかというアート自体の意義を変えていくことにも興味を持っています。複雑なことですが、複雑なことは良いものだと思うんです。アートは一般大衆向けであるべきですが、それが大衆主義になってはいけません。その美学においては、譲歩すべきではありませんが、傲慢であってもいけません。
>
> （『美術手帖』1055号（2017年7月号）：73 ［インタビュー・文 かないみき］）

　「アートと民主性は共存しない」「アートは、アートに興味を持った人にのみ開かれる」という、民主主義や自由主義的な理念からすると逆説的とも取れるクーニヒの発言は興味深い。これは、アートは興味を持たない人には開かれていないということでもある。アートは複雑なものであって、一般大衆に向けられるべきではあるが大衆に迎合的（ポピュリズム的）であってはいけない。かといって傲慢でもいけない。プロジェクトは税金で賄われていることから無料で市民に公開されるが、クーニヒによればこれらの間に矛盾はない。表現は批判に開かれているが、無関心な人々には開かれてはいない——というより関心を閉ざしている人々には開きようがない。ここでは、「公共性」（Öffentlichkeit）は、本来の語義からしても特に「開かれていること」つまり「公開性」として理解できるだろう。アートは「社会」に開かれていると同時に開かれていない。「芸術と公共性」をめぐる対立や論争を経て継続してきたこのプロジェクトの担い手であるクーニヒの言葉は直截で重い。彼らの社会は、アートの複雑さを受け止める容量を持つ社会ということになるのだろうか。その民主性（民主

主義）と公共性についての理解が、どこまで一般性を持ちうるかは定かではないが、こうした言葉と認識に彼の地の（文化芸術の環境としての）市民社会の一つの成熟を見ないわけにはいかない。とはいえ、「文化芸術は誰のものか」という問いは、彼我を問わず、なお重い問いとしてわれわれの前にある★13。

「公」と「私」と「個」の力──市民社会の隘路？

　文化芸術と社会の間のコンフリクトは、「事件」によって顕在化するものばかりではない。こうした対立や葛藤はさまざまな局面で、洋の東西を問わず、アーティスト自身が実感しているだろう。実際、彼ら彼女らは常に無垢な「表現の自由」の中にいられるわけではない。文化芸術をめぐる状況は沸騰状態にあるように見えながら、アーティストたち（関係者も含め）は、経済的問題や活動地域の事情や要求等々、社会的な〈ルール〉に条件づけられた〈ゲーム〉のプレイヤーであることを強いられてもいるのではないか。

　ラディカルなアーティストであり、批評活動やキュレーションも行う卯城竜太（1977～）と松田修（1979～）は、官民による巨大プロジェクトが盛んになる一方、そのあり方をめぐってさまざまな方面から表現を委縮させる抑圧的な力が働き閉塞化している現状への危機感を示している（卯城，松田 2019）。その一方で、彼らはかつての「前衛」を振り返りながら、「公」と「私」の間に引き裂かれているアーティストの存在を「個の究極形」として捉え直し、そこに活路を見いだそうとしている。種々のアートプロジェクトへの参加など精力的な活動で知られるアーティスト集団Chim↑Pomのメンバーであり、その経験を通して集団や組織、公共に関わる諸事についても多くを知るであろう卯城は次のように述べている。

　「アーティストは、「私」（プライベート）という、「公共」と離れた領域に存在する「私人」ではなく、集団の中でこそ存在しうる「個」（インディビジュアル）の究極形なのだ。公共的な場はもちろん、業界やチーム、家庭など、あらゆる集合体を揺るがすのは「私」ではなく、「個」そのものの力だ。同様に、アーティスト活動に「プライベート」なんてものはない。そうして「個」へのこだわりを話し合っているうちに、僕らはあらゆる集団の中に、「個」の力が試されるべき「公」性とも言うべき性質を見いだしていった」（同：8）。

「公」と「私」の対立の構図に収まらない「個」の力。2人はそれをアーティストの可能性の核心と捉えている。「私」の中に押し込められることを拒否し「個」の力を「公」へと開いていくことに賭けようとする2人にとって、アーティストが自身の存在意義を失う（社会的に消失する）ということは、「個」が消えるということにほかならない。あらゆる表現を一個性として予定調和的に回収してしまうような、緊張感と切迫性のない「多様性」の蔓延に違和感を持ち、批判的・批評的に今日の閉塞状況に向き合っている彼らの反時代的とも言える格闘的なスタイルは、特異な存在感を放っている。

歴史的スパンで見ても、文化芸術は、時に反社会的な要素も孕むが、それは同時代の同調圧力に抗い既存のものを更新する力にもなった。卯城たちの姿勢にはむしろ時代を超えた普遍性を見ることもできる。

文化芸術と社会をめぐる葛藤は、関係者間の相互作用から何かしらを生み出す創発的な契機を内包してもいる。実際には、ある表現が、時代の規範に許容されず、無視されたり抑圧、排除されることも少なくない。しかし、それは「地下水脈」のようなものとして間歇的に人や場所に影響を及ぼすこともある★14。文化芸術の「豊かさ」は、見えている部分にだけあるのではない。こうした直接は見えないものもまたわれわれの文化芸術の一部となっていることに改めて目を向ける必要があるのではないだろうか。その「豊かさ」の中に文化芸術の未来もある。

第2節 社会と文化芸術の共進化

1. 市民が担う文化芸術——社会化されるアート

拡大する文化芸術の担い手

文化芸術の関与者（アクター）の拡大・多様化（それは利害関係者（ステイクホルダー）の拡大・多様化でもある）は、もちろんポジティヴな側面を持っている。このことはその担い手＝支え手が層として厚みを増しているということでもある。この量的変化は質的な変化をもたらしたと考えることができるだろう。こうした可能性に

ついても考えてみたい。

　市民革命と産業革命を経て、多くの人々が一定の自由と豊かさを享受するようになったことで、文化芸術は近代社会と市民生活にとって欠かすことのできない存在となった。芸術と生活は切り離せないものとして、両者を一つのものとする生き方と社会を希求する思想が19世紀の英国に生まれた。J・ラスキン（1819～1900）やW・モリス（1834～1896）の「生活の芸術化」論はよく知られるところだろう。その思想と理念は現代において改めて力を持ってきている（池上 1993；岡田 1993）★15。もちろん、時代的文脈は異なるにしても、当時に比べ社会的経済的条件が整ってきた今、漠然とではあれ、彼らが望んだ暮らしや社会の実現を求める考え方が浸透してきていることは確かだろう。

　多くの「先進」産業社会と同様、日本においても、以前に比べれば豊かな文化芸術を享受できる社会環境が実現している。数多くの問題はあるものの、われわれはこの一定の達成を評価しないわけにはいかない。文化的豊かさを何に求めるかについての議論は単純ではないが、さまざまな文化的資源へのアクセスが可能になり、多くの人々が文化芸術を「受け取る」だけでなく、創造的な活動に参加したり、実際に創作したりする機会が増えてきていることを豊かさの徴の一つと見ることはできるだろう。かつてのような作り手／受け手の一方的な関係ではなく、生産者／消費者のような単純な二項図式では捉えられない豊かな文化生産／文化消費の実態がある。

　文化芸術の生産は、消費と一体になった循環＝再生産構造を主要な契機としてその内部に包摂するようになった。生産と消費の循環過程の拡大は、作り手と受け手の区別を曖昧化してもいる。大衆的な文化（娯楽・エンタテイメント等を含み）に限らず、文化産業は職業的な作り手を創出してきたが、近年はそういう存在もある意味希薄化してきている。美術や音楽の場合、フォーマルな養成課程（専門教育）を経て専門家としてアーティストや作曲家・演奏家になるという道筋に一定の規範性があったが、現在の作り手たちは必ずしもそういう過程を経ているわけではない。いきなり愛好者＝素人からプロフェッショナル＝専門家へと移行する例は稀ではない。多かれ少なかれ（自己）表現の欲求は誰にでもある。今日、分野にもよるが、デジタル技術の発展を背景にしたハードやソフトの簡便化・利便化、総体としての情報化の進展に

よって、フォーマルな教育を経てはいないが一定水準のスキルを持ち創作活動を行う人々は相当数に上ると考えられる（DTM（デスク・トップ・ミュージック）の作り手やYou Tuber等の活躍ぶりに注目されたい）。インターネットは極めて敷居の低い発表の場であり、いくつかの条件が揃えば創作物は大量の人々の目に触れ拡散することになる。産業として活力もあるポピュラー音楽、マンガやアニメーションなどのポップ・カルチャーの領域で近年「二次創作」文化が育っていることは（著作権の問題や「作品」としての評価はさしあたり措くにしても★16）そのことの例証でもあるだろう。このことは今日の文化芸術の状況全体と大きく関わっている。

　熊倉純子は、大学や施設等、もっぱら「ハード」面の整備に力を傾注してきた近代日本の文化芸術政策に欠けている「ソフト」の問題について言及し、文化芸術の社会的必然性やそれを駆動する「モーター」の重要性に着目している。「［日本は］アマチュア芸術家大国だし、お稽古ごとはすごく盛んだし、美意識は結構高い。その上、我々より下の世代は生まれたときから爛熟した文化の消費者で、世界中の文化の情報が手に入る環境で育っています。アーティストのような作り手だけでなく、人びとの表現欲求は全国に溢れている」（熊倉 2014：212）。

　このように、熊倉は今日の文化状況をポジティヴに捉え、「日本型のアートプロジェクトは、日本社会の芸術観や芸術表現に根ざしたものだという確信があります」（同：213）として、文化生産と消費の好循環構造を背景にした文化芸術の担い手層の可能性に期待を寄せている。

　もちろん、そこで問われるのはその内実である。林容子は、アートプロジェクトが全国各地に広がりつつある時期、「アートの社会化」の意義に触れ次のように述べている。「アートの社会化とは、知識層だけではなくて、もっと一般の人々がアートに触れる機会を持ち、アートを人々の一部にすることである。これは「アートの大衆化」とは区別しなければならない。大衆化とはアートの内容を大衆向けに変えることを指すが、社会化とは内容を変えず、芸術的完成度（アーティスティック・インテグリティー）を壊さずに、質の高いアートを人々の生活の中に浸透させていくことを意味する」（林 2004：240）。

　文化的ポピュリズムに対する懸念と危惧がここに読み取れる。2000年代以

降の状況の変化は大きいが、「地域アート」批判の文脈ともつながるこの指摘はシンプルだが今なお、また今だからこそ重いものがある。質の評価は簡単ではないが、文化的成熟ということを考えるときこの点に厳しい眼が向けられるのは当然だろう。

　さまざまなメディウムを介した「表現」の広がり（多様化）は「表現者」の拡大・多様化でもある。日本社会に限らないことだが、広い意味で文化芸術の担い手が拡大している状況は、特にローカルな場の文化環境という点で見れば、前向きに評価してよいだろう。次に、この状況を踏まえて、アーティストの今日的なあり方について考えてみたい。

アーティスト、クリエイターという存在

　文化芸術の「担い手」とはいわゆる「芸術家」のことだろうか。日本における職業としての「芸術家」はどれくらいいるのか。

　国勢調査各年次資料を用いた文化庁『文化芸術関連データ集』（2022）（図8-1）によれば、我が国の「芸術家」人口は増加傾向で推移していたが、2000年の50万人弱をピークとして若干減少した後、近年再び弱い増加に転じている。分野ごとの年齢別人口を見ると概ね30代に最も多く分布している。（＊「芸術家」とは、国勢調査において職業欄に「著述家」「彫刻家・画家・工芸美術家」「デザイナー」「写真家・映像撮影者」「音楽家」「個人教師（音楽）」「舞踊家・俳優・演出家・演芸家」「個人教師（舞踊、俳優、演出、演芸）」のいずれかに該当すると記入した人。個人教師は「音楽家」「舞踊家・俳優・演出家・演芸家」にそれぞれ合算。2005年以前はこれと分類が多少異なる。（同『データ集』による））[17]。

　2000年を境に「音楽家」が減少傾向にある一方、各年で伸縮はあっても全体に「デザイナー」のボリュームが比較的安定的であり、2005年以降は全体に占める割合が相対的に高くなっている（約3割から4割弱へ）。「芸術家」をどう定義するかについては当然議論があるが、統計上の数値は「アーティストおよびクリエイター」の総数とした方が明確だろう。この意味での「芸術家」（ここには言うまでもなく「アマチュア」は含まれない）は、いずれにせよ、各年の労働力人口中の比率で見れば1%にも満たない。雇用の不安定性など

この領域が職業環境として厳しいという負の側面は以前から指摘されるところだが、他方で、副業・兼業あるいは短期雇用の形で創作に関与したり金銭を伴わない関係性などもあり、統計データにはその実態が表れにくい状況があることも確かである。これまで見てきたような、アートプロジェクトの活発化など文化芸術活動全般の活性状況の背景には、経済活動としては見えない形でこれに関与している人々が一定層存在すると考えられる。

　この背後には、文化芸術をめぐる雇用・労働、さらには社会保障の問題があることは言うまでもない★¹⁸。その事実を無視するわけにはいかないが、そのこととは別に、経済的利害から相対的に自由な関係性の中で創作・表現活動を行っている人々（広義の「表現者」）の存在にも目を向けてみたい。

文化芸術における「シティズンシップ」と「パートタイム・アーティスト」

　このところ、福祉とアートをつなげ社会事業化する動きや「アウトサイダーアート」と総称されるアート活動も盛んになっている。かつては「障害者アート」と配慮なく呼ばれていた表現も、従来の「福祉」の枠組みを離れたところ

図表8-1 日本の芸術家人口

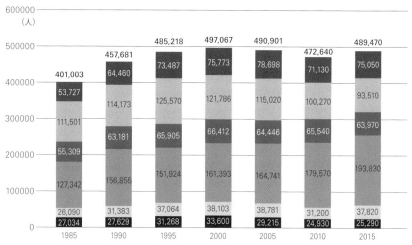

＊ 平成22（2010）年以降は抽出詳細集計による。
＊ 平成17（2005）年以前は、「舞踊家、俳優、演出家、演芸家」は「俳優、舞踊家、演芸家」、「写真家、映像撮影者」は「写真家、カメラマン」、「著述家」は「文芸家、著述家」。

出典：文化庁『文化芸術関連データ集』（2022）

で、「現代アート」というカテゴリとして自立し、最近では特にそのアートとしての市場化（ビジネス化、マネタイズ）にも注目が集まってきている（今中 2010；アトリエインカーブ 2019）。このことは、「措置」や「支援」の視点でのみ論じられてきたこれまでの「福祉」が大きく変化しつつあることとも関係している。多様なメディウムを介した多様な表現は、「障害者」と一括りにして呼ばれてきた人々の個々の人格や個性を鮮明に映し出している。「福祉」と呼ばれる領域もアートの概念を拡張していると言ってよいだろう。

　過去の知識や既存の文化秩序の上に成立する「文化的芸術」を激しく批判し「芸術とは何か」という問題を根底的に問い直したジャン・デュビュッフェ（1901〜1976）が提唱した「アール・ブリュット（生の芸術）」がこうした動きの原点にある（デュビュッフェ 2020）。彼は「規範からの逸脱」を評価したが、現在、これを“「障害者」のアート”としてだけ理解するのはナイーヴにすぎるだろう。作家の心身の「障害」がその要点なのではない★19。デュビュッフェは、職業的芸術家ではない非専門家（素人）の、制度的文化に囚われない自由な創造力が生み出す表現に注目したのであり、この点にこそ理念の根幹がある。彼のラディカリズムをそのまま受け入れないまでも、こうした考え方が受容されこれまでの概念を超えたアートが承認されることで、アートの「世界」は確実に広がっている。この一連の展開は、アート／アーティスト概念の拡張でありその量的質的拡大でもある。

　やむにやまれぬ（自己）表現欲求、“no art, no life”という生き方は、アートを仕事とするかどうかによって左右されるものではない。文化芸術に関心を持つ一般市民もまた作り手になりうる。そうした人々にとって時と場所に応じてアートにコミットする機会が増えることは望ましいし、またそういう環境は実際熟しつつある。こうした社会環境は、誰もがアートに参加・関与することができる――そこまでは言えなくとも、少なくとも限りなくその障壁が小さい――環境ということだろう。このことは、単に「文化権」というよりむしろ、文化芸術に対する市民権（シティズンシップ）、つまり「文化シティズンシップ」として考えることができるのではないか。

　「シティズンシップ」という語は、政治参加や国家への帰属などの「市民権・市民性」として理解され、一般に「権利」と「義務」を含意しているが、最近

ではより広い文脈で用いられるようになっている。この概念を市民社会論の視角から、自立、参加、関与の主体性として捉えようとする議論が広がっている（亀山 2009；寺島 2009；藤原，山田 2010）。この議論を手掛かりにして、特定のエリートや専門家に過度に依存するのではない、市民によって担われる文化芸術という視点からアーティストの問題について考えてみたい。

　先に見たように、職業作家としての「芸術家」だけが文化芸術の担い手や関与者なのではない。専業作家を「フルタイム・アーティスト」とすれば、専業ではない（職業として創作を行うわけではない）作り手を「パートタイム・アーティスト」と呼ぶことができるだろう[20]。ここでいうフル／パートは、単純に制作／労働時間の長短のことではない。また、この関係はプロフェッショナル／アマチュアの関係として見れば、前者は経済的利益に関係づけられ、後者はそうではないということになるが、ここでは職業／非職業、専業・副業・兼業を経済的視点でのみ見ることから離れて考えるべきだろう。実際、金銭は伴うにしても一時的・非恒常的な制作行為や経済的な利益を求めない（少なくともそれを目的にしない）創作・表現活動を続けている人々は少なくない。それを職業としない人々が活発に創作・表現活動を行っている現実を見ると、いわゆる「プロ」と「非プロ」を区別することに拘る意味は希薄ではないかと思えてくる。

　もちろん、一般的に言えば、技量や経験の点で前者は後者に勝るし、今なお多くの点で職業芸術家・実演家が存在感と存在意義を持っていることは確かだろう。しかしそれはそれとして、表現欲求や表現の固有性・独自性、また何より文化芸術に参加し関与することの歓びに目を向ければ──その主体を「アーティスト」と呼ぶかどうかは別にして──芸術において職業や専門性が持つ意味は、他の要素を無視できるほど大きいものだろうか。デュビュッフェは、制度的文化に毒された職業的芸術家に嫌悪に近いものを持っていたようだが、彼に全面的に同調はしないまでも、本来の意味での「アマチュア（愛好家）」のナイーヴな感性や対象への向き合い方について、改めてその問題提起の意義を思い起こしてもよいだろう。

　さまざまなジャンルや場で多くのパートタイム・アーティストが活躍している。今では、技量や経験の点でも優れた半職業アーティストは少なくない。こうし

たパートタイム・アーティストは、作家としてだけでなく批評の眼を持つ公衆やサポーターとして、あるいは人と人をつなぐ媒介者として「地域」の文化芸術を支えそこで重要な役割を果たしていると考えられる★²¹。こうした存在は、地域の文化環境の一部であり文化資源の重要な要素でもある。

　各地のアートNPOやアーツ・カウンシルは、特定の専門施設やイベント（祭り）に過度に傾斜した活動ではなく、恒常的・日常的で開放的な活動を志向するようになっている。この「プロジェクトからインスティテューションへ」（佐藤 2018）という趨勢の中で、市民的アーティストあるいは力量を増した市民としてのパートタイム・アーティストの存在は大きな意味を持っているように思われる。この存在は地域における文化的ガヴァナンス（共治）の可能性も高めるだろう。こうした状況は、それを単純に文化的成熟と呼べるかどうかは別にしても、一つの達成として見ることができるのではないだろうか。文化芸術におけるエリート主義とポピュリズムを共に回避する途もここにあるように思う。

2. 社会と文化芸術の未来──結びにかえて

文化芸術の変容──アートとデザインの「間」

　最後に、社会と文化芸術の共進化とそのゆくえについて考えてみたい。

　社会と文化芸術との関係は、とりわけ20世紀後半から現在までの間に大きく変わったことは確かだろう。日本社会における文化変動──社会と文化芸術との「関係性」の変化──を文化予算や文化消費の変化等、社会経済的な指標を通じて定量的に捉えることはもちろん可能だが、ここで文化芸術の現場で体験した一個人の視点を取り上げてみたい。

　アート、デザインの領域で広く活躍している佐藤直樹（1961〜）★²² は、「アート」とそれに関連する言葉の意味や概念の変容について、以下のように体験的に語っている。

　　　わたしの記憶では、アートという言葉が多くの人々の口に登るようになったのは今世紀に入ってからです。それまでは揶揄の言葉として使われることの方が多かったんじゃないでしょうか。わけがわからなくなってしまったものを指して「まるでアートだね」というように"ART"は基本的

に西洋にしか存在しないものでしたし、「美術」「芸術」は「それだけでは食っていけないもの」の代名詞でもありました。[中略]

六〇年代生まれのわたしのイメージのなかで、「美術」「芸術」はあまりに学校教育的にすぎ、ストリート的な感覚とつながっているのは、テレビやマンガでした。「美術」「芸術」の存在は文科省 (当時は文部省) 管轄の国策の延長でしかなかったのです。映画がちょっと特別な位置を占めていたように思います。音楽や演劇は明らかにまたがって分布していました。この時期、特別な階層の人間が享受してきた「芸術」と、より広範な大衆性の獲得を目指す「芸能」とが強い確執を起こしていたのだと思います。そんななかから「反芸術」のような動きも生まれてきました。それは世界的な流れのなかでの反映でもあったと思います。

そんな最中、70年に大阪で開かれた万国博覧会で、その対立軸が大きく揺らぎます。岡本太郎さんや横尾忠則さんといった、独特の雰囲気を発する人々が目の前に現れてきました。それは国策というにはあまりに自由な動きに見えましたし、市場原理主義的なものでもなく、文字通り見たことも聞いたこともないものだったのです。当時はわけもわからず興奮していただけですが、アートとデザインの両方を同時に感じ取っていたと思います。それはきわめて経済的に見えるものでありながら、その整合性がよくわからないものであったのです。そのことが新鮮で、永遠を謳う芸術作品のほうがむしろ流行の顛末に見えるようになったのです。(佐藤2017：31-33)

高度成長期末期から次の時代への移行期、「文化」「芸術」「アート」といった語彙と語用の変化から、極私的視点である個人史の中に、ある時点の文化的付置状況と文化変動の実相が浮かび上がり、佐藤直樹という一個人の目を通して——彼にとっては「芸術」と「芸能」の「対立軸の揺らぎ」という形で——芸術／アートの概念的変容が見えてくる。それは「高級・高等なもの」とそうでないものの間の境界線の希薄化であり、「文化芸術」的なものの日常化ということになるだろう。それと同時に、こうした変動を経た現代的な文脈で焦点化されるのが、アートとデザインの関係性である。

ものすごく大雑把に分けるとするならば、デザインは経済の問題を先に考えますが、アートはそれを後回しにします。なぜ後回しにできるかというと制度介在の面が大きいからです。すぐには回収しなくてよいと考えられている。したがってゴミのような作品も大量に生み出されることになります。逆に回収までの道筋を問われ続けるのがデザインです。それなりの結果を出さなければすぐに交代させられる。しかし、それはあくまで現象的な問題であって、人の心の奥底でマグマのように煮えたぎっているものまでが、そのような表層の現象によって区分けされるわけではありません。また、逆に言えば、いかに核のような場所でマグマが煮えたぎっていても、表面上はまったく異なる様相を呈します。(同：33-34)

　「時代」から「アートとデザインの両方を同時に感じ取っていた」佐藤は、「アート」と「デザイン」を制度の側面から区別してみせると共に、区別できない要素(「マグマのように煮えたぎるもの」)についても語っている(後者は、アートもデザインもなくクリエイターとしての情熱(表現欲求)ということだろう)。ここで佐藤は両者の関係性に焦点を当てながら、それぞれを確定的に扱うのではなく、その「間」の問題を慎重に迂回的に論じているように見える。

　こういう感覚は、佐藤の生きた時代に培われたものかもしれないが、彼の言う「アートとデザインの間」とは、「アート」あるいは「デザイン」と呼ばれたもののそれぞれの変化と両者の関係性の変化、アートのデザイン化／デザインのアート化の進行そして何より今日の文化芸術全般のあり方の問題のことであろう。高級／大衆的(高級でないもの)の間の境界線の希薄化とこの過程は並行している★23。

　現実の(制作・創造の場の)アートやデザインは、それぞれ前者は「美」を、後者は「実用性」を追求するものという認識を前提とした、純粋なアート、純粋なデザインという観念から自由になっているように見える。両者は、対立関係にあるのではなく、またその間に明快な境界線を引くことができるというようなものでもない。それらは「アートにおけるデザイン的なもの」、「デザインにおけるアート的なもの」の連続体としてあるという認識がここには読み取れる。「クリエイティヴ」の「現場」の人々にとっては、言わずもがなの、身体化され

た論理──いわば〈実践感覚〉が恐らくここに濃縮されている。それはクリエイターとしての矜持を背景にした佐藤自身の創作・創造との向き合い方の問題だとしても、この認識には現代における表現の現場の状況的一般性が投映されているように思われる。

　佐藤の視点に立つと──立てたとしたら、だが──、しばしば言われるアートの「道具化」「手段化」の議論は（その意図は理解できるにしても）いささかナイーヴにも見えてくる。

　アートは単に何かの「道具」や「手段」になるのではなく、その働きもすれば、まったく異なるものとして立ち現れもする。少なくともそういう可能性を持っている。それはデザインにおいても同様であるだろう（例えば脱機能性のようなアート的な要素を持ちうる）。アートにもデザインにもそれぞれには「アートワールド」やビジネスや地域コミュニティ等々の主戦場はあるにしても、「アートとデザインの間」とは結果的には、さまざまな要素を含んだ「最広義のアート」を指していると考えることができる。また、このことはこれまでの「アート」の内包的拡大（その要素の豊富化）あるいは「アート」概念の更新として理解できるだろう。ここには「経済」（これも広義の）の視点が含まれてもいる★[24]。「最広義のアート」──これを〈アート〉としよう──は、まさに文化芸術と社会の共進化の所産と言えるだろう。われわれはこの〈アート〉とどのように向き合っていくべきなのか。

アートの力──あらゆるものを総合する力?

　これまでも見てきたように、近年の文化芸術の動向は、グローバル経済の負の反動、地域経済の衰退、人口減少・少子高齢化等々の危機的状況に対抗する動きと切り離して考えることはできない。その意味で、今日ほど文化芸術／アートが「社会」を意識した時代はないとも言えるのではないか。程度の差はあれ、多くの文化芸術関係者はそのことに関して自覚的である。

　「自然、科学技術、人間性の統合を可能にするのはアートである。アートこそが、多様な知と創造的な思考、分野を超えた協働と地域に根ざした活動、哲学的視野と日々の生きる喜びを統合して、明日への新たなヴィジョンを開示できるのではないだろうか」（南條他 2016：11）。

「KENPOKU ART 2016 茨城県北芸術祭」の総合ディレクターを務めた南條史生は、芸術祭開催に際して、あらゆるものを総合する力としてのアートの力についてこう述べている★25。近年のアートに対する社会的な期待はこの言葉の中に端的に集約されていると言えるかもしれない。アートの創造性や問題提起・解決力、そして何より「総合する力」あるいは統合力——こうした「アート思考」に価値を認めそれに期待する傾向は、ビジネスをはじめとして（秋元 2019；電通美術回路 2019）、教育や人材育成の分野にも見られる（胸組 2019）★26。またここに前述の「最広義のアート」としての〈アート〉のイメージを見ることができるだろう。実際、このゆるさと幅の広さ、懐の深さに多くの人々が引き込まれ巻き込まれる魅力があることも確かである。

　あらゆる問題を解決し未来を指し示す〈アート〉。そうしたアートの万能性・多能性へのナイーヴな期待は、〈魔術〉に対するそれのようにも見えてくる。そこにはわれわれがかつて期待していた近代科学技術への失望も見え隠れするが、失望（絶望？）を希望に変え、不可能を可能にするかに見える〈アート〉が、多くの人々の思いを吸引しながら巨大化している様には一抹の危惧を感じないでもない。すでに指摘されているところではあるが、しばしば創造経済のコンセプトとも結びつきながら、さまざまな思惑で大規模化する芸術祭やプロジェクト、過大な期待の下で巨額が投じられる文化政策や事業が今後どういう展開を見せるか、冷静に見守る必要があるだろう★27。

持続可能なアートへ

　産業資本主義の限界に直面しそこからの離脱と既存の社会経済システムの革新を志向する動きとして生まれてきた創造経済の進展と拡大は、われわれの社会に何をもたらすのかまだ不透明である。この潮流は、文化芸術の社会の関係性を強化するものとして働いているが、これと平仄を合わせて進む「文化の経済化」の圧力は、しばしば荒々しい力として作用する。文化芸術の現場は政治と市場の力関係の影響を免れない。

　政府の文化予算（文化庁予算）は、2003年度予算1,003億円ではじめて1,000億円を超えて以降はほぼ横ばいで推移してきた。このところ微増傾向で2020年度は約1,067億円である（文化庁各年次資料等）。もともと先進国中

第8章 市民社会と文化芸術　281

「KENPOKU ART 2016 茨城県北芸術祭」

写真08-03 イリヤ＆エミリア・カバコフ『落ちてきた空』

写真08-04 紫舟＋チームラボ『世界はこんなにもやさしく、うつくしい』

でも高い水準ではないが、国内外の経済情勢や国家財政の見通し等を考えると、これまで見られたような大きな金が動く文化芸術活動やプロジェクトの現実性や継続性に期待することは困難と言わざるをえない。ビエンナーレ、トリエンナーレ形式の大規模型の芸術祭は今後も一定程度存続するだろうが、いかに内容があるものを継続していくか、国家や大企業、「中央」(大都市) の

写真08-05
原高史『サインズ オ
ブ メモリー 2016：鯨
ケ丘のピンクの窓』

写真08-06
森山茜『杜の蜃気楼』

　ような大きいものに過度に依存しない「持続可能性」の視点は今後ますます
重みを増していくだろう。それは相対的に自立的・自律的な活動に向かうとい
うことでもある。実際、前節でも見たように、アーツ・カウンシルの組織化や
地元大学と連携した官民協働プログラムなど、文字通り協働的な文化芸術支
援・運営の体制が各地で生まれ実働し始めている。「過熱」気味だった状況

に変化の兆しを感じて、アート界隈の人々もこの状況を冷静に受け止めているように見える。

　アートをめぐる状況において、全般的に地域／コミュニティを志向し、日常的・恒常的な形態を志向する傾向はますます強まっている。それは、非日常の祭りとしてある「芸術祭」のような一時的・仮設的な形態から恒常的・継続的な形態へという動きに見られるように思う。ごく簡単に言えば、誰もが日常的に文化芸術に親しむことのできる環境づくりということである。「プロジェクトからインスティテューションへ」という流れは確かなものになっている★28。

　現実問題として財政的な問題は常につきまとうが、この方向性に「持続可能な文化芸術／アート」の未来を見ることができるように思う。地域を一つの文化資源として捉え、より質の高い文化環境として成長させていくことは、地域にとってはもちろん文化芸術の豊饒化にとっても望ましいことだろう。この道筋に「社会と文化芸術の共進化」の可能性を期待したい。

　「地域」を「ローカル」という視点で捉えると、それは「中央」に対する「地方」あるいは「周縁」や「辺境」という概念と結びつく傾向がある。しかし、「地域」はそうした階層的・抑圧的な関係性の中に単純に封じ込められるものではない。それは「点」であり小さな「面」であってもその内部／外部との関係性次第で大きな可能性を開く存在でもある。文化芸術は、人や作品や情報などを通してそうした関係性を形成する力も持っている。地域内（intra）の関係もあれば地域間（inter）の関係もある。どちらか一方だけではなく両者の視点が重要なのは言うまでもない。地域内では受け入れられるが外部では通用しないものもあれば、地域内では必ずしも受け入れられないものが、外部（他の地域や人あるいは「世界」）では承認され評価されるということもある★29。地元で生産し地元で消費する「地産地消」型の文化芸術にも意義はあるが、それが地域を超えていく可能性を諦めたり見失ったりしてはならないだろう。

　社会は文化に依存し、文化は社会に依存している。社会と文化芸術は、結び付きを強めてはいるが、一方が他方に対し寄生的あるいは搾取的であったりと、いわば片利的な関係にあることも少なくない。両者が互いに恩恵を与え合う関係に発展するとすれば、それはやはり望ましい「共進化」と言えるかもしれない。しかし、両者の関係が十全な意味で共利的なものになるかどう

かは別にしても、より重要なのは、文化芸術が経済的な利益や短期的なメリットに還元されない価値をもたらす存在であり続けることだろう。いずれにせよ、われわれは皆、その利益を享受する可能性を持った主体であり利害関係者なのである。

アートの可能性と未来──多様性と共存する市民社会

「社会的多様性」という曖昧な表現が一般的なコミュニケーションの中でどういう意味を持ちどれだけの切実性を持って流通しているのかは定かではないが、少なくとも、個人や集団やコミュニティ等々の多様な主体がわれわれの「(全体)社会」を構成しているという事実は否定しようがない。グローバル化の進展、情報化等々その背景についてはさまざまな議論はあるにしても、さまざまな争点をめぐる異なる主体間の葛藤は文化芸術の領域に限らず避けようがないし、そのことは現実に多様化──異なる属性や背景を持つ人々の増加や価値観の多様化等──が進むほど激しくなると予想される。変化には必ず反発や反動がつきまとう。しかし、安定性や秩序を優先させるあまり多様性を抑圧したり排除したりすることは〈市民社会〉の理念に抵触することは明らかだろう。多様性と文化デモクラシーをいかに両立させるか。それは文化芸術が多様性の豊かさをポジティヴに提示できるかどうかにかかっている。

本章で取り上げた「文化権」や「文化の民主化」「文化デモクラシー」そして「文化シティズンシップ」や「パートタイム・アーティスト」などいずれの主題も市民社会の論理の内にある。とはいえ、理念はともかく、現実の「市民社会」には隘路も限界もある。文化芸術は、ある意味で社会的現実の写像にほかならず、良くも悪くもそのことを映し出す鏡のようなものでもある。

今日われわれが前提にしている「芸術」という概念は、「芸術家」「作品」「独創性」などの概念と共に18世紀後半のヨーロッパに生まれたとされる(小田部 2001)。その形成過程からして「芸術」は「市民社会」と共に「近代(性)」と深く結びついている。

しかしながら、両者を支えてきた諸条件は大きく変化した。とりわけ20世紀以降、文化芸術においても社会においても、諸々の価値体系や規範が激変したことが今日の両者をめぐる状況の前提になっていることは言うまでもない[★30]。

今日、「（近代）芸術」の規範はなお強い力を持っているにしても、古典や名作などの「正典」の脱権威化・脱聖化に見られるように、それは緩みあるいは希薄化しており、例えば現代社会において支配的な経済合理性や即時的な欲求充足指向あるいは多元主義は、時にそうした近代的価値と衝突もする。多様な価値観と美学は渾然一体となってわれわれの——まさに多元主義的な——文化環境を形成している。この状況はしばしば「危機」や「逆説」として語られ、芸術と社会の間の相関関係は新たな局面を迎えていることは確かだが、それは必ずしも否定的に捉えるべきものではなく、むしろわれわれはこの「逆説」と多元主義にこそ文化芸術と社会の未来を見るべきではないだろうか。

　「アート」——かつて「芸術」と呼ばれたものと位相が異なる対象としての——は、随分身近なものとなった。何の気なしに惹かれたり、気づきを与えられたり、教えられたり、力づけられたり、癒されたりもする——多くの人々にとってそういうものになっている。その一方で、不快や痛みや絶望や空虚といった一般的にはネガティヴとされる要素をわれわれに与えもする。さらには毒を薬に、薬を毒に変え、美と醜を逆転させもする。プラス／マイナスの価値転換もまたアートの重要な働きの一つである。こうしたアートの複雑な機能・作用のどの部分をその魅力や「有用性」と捉えるかで、アートとの向き合い方は変わってくるだろう。アートは相反するもの同士さえ取り込みあらゆるものを融通無碍に包み込む、単に豊かなものというだけでなく懐深いものとしてわれわれの前にある。

　矛盾や対立もまた「あらゆるもの」の要素にほかならない。アートはそういう意味で、平穏無事、無害なものばかりではない、時に緊張や葛藤の可能性を孕んだ場でもあり続けている。

　われわれの社会は一つの「文化的共同体」ではないし、実際、すべての人が「文化コミュニズム」を生きているわけではない。われわれは、包摂的な社会を目指すにしても、そのことは忘れずにおくべきだろう。文化芸術は「多様性の収蔵庫」にほかならない。それは多様な価値観や視点をわれわれに提供し、寛容なものの見方や姿勢を教えてくれるが、また同時に、対立や葛藤との向き合い方について学びを与えてくれもする。

葛藤は多様性を引き受けることの対価にほかならない。多様性の豊かさを享受するということは、葛藤自体を回避しないということでもある。それは葛藤を公共性を形成する一つの社会的過程として受け入れることでもあるだろう★31。豊かな文化芸術を享受するためにも、多様性の内圧に耐えそれと共存する——単に寛容性というより強靭な公共性を基盤とする——市民社会を実現できるのかがわれわれに問われているとも言える。

　新世紀を5分の1ほど経過した時点にあって、われわれが経験している激変が未来に何をもたらすのかはまだ明確には見えてこないが、「社会とアート（文化芸術）の共進化」が次の段階に入りつつあることは確かだろう。この新しいステージはどのようなものになるのだろうか。いずれにせよ、われわれはこの大きな変化を、グローバルな変化と相即する形で、さまざまな場——とりわけ個々の「地域」において目にすることになるのではないか。

　こうした動態を新たな視点で捉えようとする研究も生まれている★32。そうした知見にも学びながらこの「共進化」のゆくえを注視したい。

註：

★1　その要点は「自由権的基本権と社会権的基本権両者の内容を包摂した〈文化権〉」（小林 1995）という考え方である。基本法制定はその方向性の一定の確立と言えるが、現実には文化行政と市民（地域住民）の間には自由権と社会権の問題が交錯する課題が多くある。

★2　本来、「デモクラシー」は「民主制」とすべきだが一般的な語用に倣って「民主主義」とする。

★3　同NPOの活動については以下参照。https://artfullaction.net/

★4　同事業は、東京でも吉祥寺「TERATOTERA」（2008〜）、足立区「アートアクセスあだち」（2011〜）などと相前後して東京都との共催事業として始まったが、条例や支援枠組みなど制度的な安定性という点では好事例と言えるだろう。吉澤は芸術祭とアートプロジェクトを区別して、こうした各地の「社会化する芸術」の事例を紹介し、その課題と展望を示している。吉澤 2019 参照。

★5　李知映は、「国家主導のフランス型と民間主導のアメリカ型を組み合わせたかたちで行なわれてきた」（李 2018：3）という韓国の文化政策について概要を紹介し、「創作者中心から享受者中心へ」という転換の構図を示している。そこで李は「文化の民主化」をめぐる問題を以下のように整理している。「「文化の民主化」という理念は、主に文化芸術のアクセスの増進と拡散（diffusion）に基礎を置いているため、国民を受動的な存在として認識する傾向がある。これにくらべ、文化デモクラシーは個人の創造性、自発的で主体的な文化活動、文化生産の多様性、文化的多様性、地域性等を重視し、追求するという含意が強い。文化政策の対象である国民を、主体的で能動的かつ創意的な存在として文化デモクラシーの理念は認識するのである。」（同：13-14）

★6　このことについては、「文化国家」フランスの文化政策をめぐる以下の議論を参照。友岡 1997；友岡 2005；フュマロリ 1993。また、こうしたフランスの人々の「文化国家」に対する誇りと矜持は、（一種の屈折を含むにしても）今日の同国における芸術教育への力の入れようにも見ることができる。小

笠原 2018 参照。「先進的文化国家を自任し、文化の民主化と教育の民主化とが一体となり、個々人の芸術的教養（カルチャー）こそが国の文化（カルチャー）をなすものであるというフランスの「国としての文化」という考え方が教育政策にも顕れている（同：43）。

★7　日本におけるいわゆる「官民協働」の潮流については、松本 2015 参照。

★8　「アソシアシオン」は、1901年の法整備に起点を持ち、現在約90万団体あるとされる。非営利セクターにおける官民連携・市民協働の中核的役割を担っている。活動は各分野にわたるが、団体総数では「文化・余暇活動」の比率が最も高い。自治体国際化協会パリ事務所 2010 参照。

★9　本書第4章第2節参照。

★10　この対立は「（社会的）分断」としても語られたが、この背景と当事者の見解については、津田，平田 2021 参照。この件については以下も参照。河島伸子「税金を使った美術展は「不自由」でも仕方ないか──「展示の意義」はしっかり説明すべき」（2019.8.27）https://president.jp/articles/-/29730。河島伸子（文化政策学）は、この出来事について、「検閲」が強化されることへの強い懸念を示すと共に、海外の事例を紹介しながら、説明責任の重要性を示し公的助成のあり方について提言している。また、これに関連して法学専門誌も特集「芸術と表現の自由」を組んでいる（法学セミナー 2020）。同誌は、憲法問題を中心とした「表現の自由」をめぐる総論と公的補助金や専門職による運営体制等の観点から「あいちトリエンナーレ2019問題」の諸論点を取り上げた各論をその内容としている。ここで太下義之は、文化専門職の立場から、マイノリティや文化的多様性を重視する文化振興のあり方に言及し「民主主義と文化振興は相反する概念」であることのいわばジレンマを指摘している（太下 2020）。日本でも一定の自立性を持った芸術の専門組織である「アーツ・カウンシル」（菅野 2018）が各地で生まれ、その役割に対する期待が高まっているが（第3章第2節参照）、われわれの社会においては政府・自治体の干渉を許さない（「金は出すが口は出さない」）という「アームズ・レングスの原則」を保証する制度的基盤が確立しているとは言い難い（太下 2017；菅野 2018）。こうした問題状況を構造的に考えるためには、アメリカ社会で一時期激化した「文化戦争」（culture war）と呼ばれる社会的政治的対立についても見ておく必要がある。ギトリン 2001 およびトンプソン 2018 参照。例えば、「現代アート」に対する拒絶は、文脈によっては可視化された「文化戦争」という一面も持つ。Heinich 2000 参照。また、「サン・チャイルド」（ヤノベケンジ）の撤去をめぐる一連の出来事もやはりアートと公共性の問題として重い課題を残した。以下の論評が興味深い。小田原のどか「拒絶から公共彫刻への問いをひらく：ヤノベケンジ《サン・チャイルド》撤去をめぐって」（2018.10.19）（https://bijutsutecho.com/magazine/insight/18635）「あいちトリエンナーレ」の件をはじめ、こうした現代アートの困難と危機をめぐる最近の状況を詳述しグローバルな視点で見渡す議論として小崎 2021 は大いに示唆に富む。

★11　「公共性」と「公衆」について考える上で「近代」の文脈をそのまま現代に持ち込むことはできない。われわれはこの間、「市民的公共性」あるいは「市民的公共圏」と呼ばれたものの変貌（構造転換）を経験している。これらの概念の歴史性を踏まえないまま今日の文化芸術をめぐる状況について議論するのはナイーヴに過ぎるだろう（ハーバーマス 1994）。「「市民的公共性」を、特定時代に固有な類型的カテゴリーとしてとらえる」（同：1）必要がある。私生活主義と文化消費の拡大によって「教養階層」の変質や「文化を論議する公衆から文化を消費する公衆へ」（ハーバーマス）の転換（それは直線的なものではないにせよ）を経た現代社会において、公共性や公衆について今日的文脈に即したより深い考察と議論が必要であることは言うまでもない。このことについては水林 2003 および北田他 2016：260-294 参照。後者は特にハーバーマス、アーレントらの「公共性」の議論の総括的検討などが参考になる。

★12　「ミュンスター彫刻プロジェクト」は、1977年第1回が行われ10年ごとに開催されている。2017年で5回目。作品の一部は恒久設置となる。同プロジェクトは美術館内の展示も含め入場料は無料。前掲『美術手帖』1055号他、美術手帖 2019：69参照。「芸術と公共性」をめぐる論争が同プロジェクトの起点になったことは興味深い。参加アーティストが長期的に地域住民と関わり対話を繰り返しながら作品を制作するスタイルなど、現在の世界各地の同様の試みに影響を与えたプロジェクト

である。以下参照。https://ja.wikipedia.org/wiki/%E3%83%9F%E3%83%A5%E3%83%B3%E3
%82%B9%E3%82%BF%E3%83%BC%E5%BD%AB%E5%88%BB%E3%83%97%E3%83%AD%
E3%82%B8%E3%82%A7%E3%82%AF%E3%83%88

★13　芸術の民主性と公共性をめぐる問題として、今一つ注目したい事例に「宮城県美術館移転問題」
　　　がある。2019年、老朽化を理由に宮城県美術館（1981開館）を「除却」「移転」する方針が県か
　　　ら出され、これに対して一般市民、専門家、大学人らによる現地存続を求める運動が起こった。県
　　　をはじめ関係者のさまざまな意向や利害も絡み、経済性や再開発、地域文化等々の論点をめぐっ
　　　て議論は錯綜したが、モダニズム建築の泰斗前川國男（1905〜1986）設計の同館に県側も高い価
　　　値を認め、「文化財の保護と活用」の観点から最終的には現地存続となった（その後改修も決まった）。
　　　「美術館は誰のものか」を問い直す、公共性をめぐる問題として地域を超えた関心を呼んだ。野家
　　　啓一・森まゆみ・鷲田めるろの鼎談「文化と行政の行方」（上・下）『河北新報』（2020年12月1日・
　　　2日）では、美術館移転問題の他、「あいちトリエンナーレ」にも触れながら、「表現や学問の自由」「民
　　　主主義どう守る」などの論点をめぐって議論が交わされている。以下も参照。『東北大学日本学国
　　　際共同大学院シンポジウム「公共性と美術館の未来」報告書』（2020年8月28日）東北大学日本
　　　学国際共同大学院 https://www.sal.tohoku.ac.jp/media/files/_u/event/file2/pzzmlb0yz.pdf

★14　「市民社会」自体も批判にさらされることは免れない。ある種の文化や芸術は、時に強い批判性や
　　　挑発性をもって〈市民社会〉の微温的な秩序に敵対的・破壊的に向き合うこともある。だからこそ
　　　そこに含まれる政治性や過激さはしばしば危険視され排除の対象ともなった。例えば「反芸術」の
　　　立場に代表される人々の表現（特に身体的表現）は、「アンダーグラウンド化」もしたがそれらはま
　　　さに「地下水脈」として現在の表現に間接的に影響を及ぼしている。黒ダ2010参照。

★15　池上惇はその文化経済学の基本的視角をラスキン、モリスらの思想に置いている（池上1993）。岡
　　　田隆彦は、モリスの議論を承けて「芸術の生活化」の可能性を論じている（岡田1993）。

★16　著作権の問題については、例えば以下参照。文化審議会著作権分科会法制問題小委員会パロディ
　　　ワーキングチーム2013。

★17　国勢調査を元にした芸術家の動向に関する詳細な分析として、永山，勝浦2020参照。同論説を
　　　含む文化統計研究会2020は、芸術家の所得分析（周防他2020）など、多様な視点から日本の文
　　　化芸術の実状を明らかにしようとする包括的な実証研究である。なお、芸術系大学出身者の労働
　　　の実態に関しては、喜始2014も参照されたい。言うまでもなく、芸術系大学出身者のすべてがアー
　　　ティストや音楽家になるわけではない。

★18　もちろん、他の分野と同様、低賃金・無償労働など、アーティスト、特に若い世代が置かれている
　　　厳しい労働環境を看過して「希望」を語ることはできない（藤井，吉澤2016）。労働としての芸術を
　　　どう考えるかについては、「非物質的労働」の問題をはじめ論ずべき課題は多い（白川，杉田
　　　2018）。アートやクリエイティヴの世界特有の「やりがい搾取」の構造、「「誰もが芸術家」というディ
　　　ストピア」（菅谷2018）の陥穽の問題を見過ごしてはならないだろう。日本でも、コロナ禍の窮状の
　　　下でアーティスト、音楽・舞台の実演家らを含めフリーランスの存在に改めて注目が集まり生活保
　　　障が問題化したが、海外各国では芸術家に対する迅速な緊急支援も行われ、彼我の制度面での
　　　違いが浮き彫りになった。海外の支援状況については、以下参照。「遅れ際立つ日本。世界各国の
　　　文化支援策まとめ」（https://bijutsutecho.com/magazine/news/headline/21598）＊2020年3月末時点
　　　の情報。ドイツ、フランスでは、それぞれ「芸術家社会保障」（Künstlersozialkasse）、「アンテルミタン・
　　　デュ・スペクタクル」といった芸術家のための社会保障制度が以前から一定の機能を果たしている。
　　　後者についてはグレフ2007、特に第3章「芸術家支援政策」（同：69-95）参照。

★19　この点は近年の障害学等における「障害」および「障害者」の理解においても重要である。「障害」
　　　とは科学的医学的に決定される実体（「医学モデル」）ではなく、当人と社会（環境）との関係におい
　　　て生成する「障壁」という考え方（「社会モデル」）が一般的になっている。阿部2011：178-9参照。
　　　アートの概念の広がりはこうした認識の広がりとも関係している。

★20　筆者はこうした存在について短く論じたことがある（小松田2015）。1990年代に「ニヒリスト・スパ

ズム・バンド」（The Nihilist Spasm Band）というカナダの音楽家集団をその来日公演を機に知ったことが筆者が「パートタイム・アーティスト」という存在に関心を抱いたきっかけになった。同集団は1960年代半ばに結成されたバンドで、手製のオリジナル楽器や伝統楽器で即興演奏するというスタイルをずっと続けている。メンバーはそれぞれアートを主要な活動領域とし音楽活動そのものを職業にしているわけではない。彼らは自分たちを矜持を持って「パートタイム・ミュージシャン（アーティスト）」と呼んでいる。以下参照。https://en.wikipedia.org/wiki/Nihilist_Spasm_Band。即興系・インディペンデント系の音楽家には彼らと同様の活動形態を取る者は多い。

★21 批評家、研究者、出版社、ジャーナリストなどのように、情報、コネクション、経済的交換等、さまざまな「媒介」の形はありうるが、一定水準の知識や技術、経験を持ち、作り手と受け手、文化芸術と一般社会をつなぐ「文化媒介者」の重要性についても改めて注目しておきたい。ブルデュー1990：228-236参照。

★22 佐藤直樹は、グラフィックデザイナー・アートディレクター。現在多摩美術大学教授。自身『WIRED日本版』創刊や3331 Arts Chiyodaにアート／デザインディレクターとして関与したほか壁画制作などアートとデザインの境界をまたぐ多面的な活動で知られる。

★23 1930年代末の美術批評家C・グリーンバーグの議論をはじめとして、美術評論のみならず文化研究・文化社会学では、階級社会論や文化産業論、メディア論等を背景にこうした、High Art/Low Art（sub-culture）、Highbrow／Lowbrow等の対立図式に基づく議論とそれに対する批判の蓄積がある。グリーンバーグ2005；ブルデュー1990；シュスターマン1999；小松田1998参照。

★24 佐藤は、前述「3331」の他、公民連携（PPP: Public Private Partnership）による「地方創生」の成功事例として注目される複合施設開設・運営事業「オガールプロジェクト」（岩手県紫波町）などに関わった経験から「文化の側の経済との向き合い方」について以下で語っている。「文化が衰える前に公共でできること　佐藤直樹×岸野雄一×出口亮太」（2018.12.17）https://www.cinra.net/interview/201812-satokishinoideguchi。同プロジェクトについては猪谷2016および公共R不動産2018：160-163参照。

★25 「KENPOKU ART 2016 茨城県北芸術祭」は、「アートと科学技術の芸術祭」として、岡倉天心、クリスト・ヤヴァチェフらの活動、近代鉱工業の発展など現代の文化芸術と先端科学技術につながる地域の履歴を背景に、常陸大宮市、大子町等茨城県北部6市町を舞台に開催された。85組のアーティストが参加し、100を超えるプロジェクトが展開。会期期間（65日）中77.6万人が訪れ、経済波及効果は直接効果23.38億円のほか第1次／第2次間接効果を含み35.33億円に上る（同芸術祭総括報告書より）。

★26 このところ、主として経済界の期待を受けて、人工知能や環境技術などの人間と社会全般に関わる領域横断的な問題系が社会的課題として焦点化し、これに対応した科学技術人材教育を求める動きが強まっている。その一つが統合的知の養成を重視するSTEM教育（Science, Technology, Engineering and Mathematics Education）だが、これにArtを加えたSTEAM教育に注目が集まっている。胸組2019参照。問題解決能力や総合力といった実践的能力養成への期待がうかがえるが、そこには実利的な打算も見え隠れしている。教育に関わることだけに、長い眼でこれを見守る必要があるだろう。芹沢高志は、数学教育を例に取り「問題解決型」と「問題発見型」という類型を示して、今日、アートにはしばしば前者が期待されるが、むしろ後者に可能性があることを指摘している。このことはむしろ学校現場の問題として考えるべきだろう。「美術教育」の問題性を中心に、教育とアート・美術をめぐる議論として芹沢らの議論は参考になる。茂木他2019、特に同：48-62参照。

★27 「茨城県北芸術祭」は、意欲的な芸術祭として評価も高かったが、知事交代後、「一過性のイベントとして真の効果があったか曖昧」として2回目（2019年予定）は開催されなかった。この例に限らず、こうした事業は常に政治的争点にもなる。近年では、やはり首長の交代後、公的支援の存続をめぐって議論が沸騰した新潟市における公共劇場専属舞踊集団「Noism Company Niigata」（芸術監督・金森穣）の事例も興味深い。地域住民の理解を得ながら中長期的な視野で文化政策を講ずることの重要性と難しさをこうした事例に見ることができる。

★28 これを特定の場所／時間から非特定・非限定の場所／時間へ、特定の個人から個人を超えた集団や不特定多数者への基本軸の移行と考えることができるだろう。このことは、〈集約的なもの〉(インテンシヴ) から〈拡張的なもの〉(エクステンシヴ) へという図式として捉えることができる。

★29 地方においても「芸術祭」のような期間限定的なイベント的活動は今では珍しくないが、通年的恒常的な活動にも目を向けるべきだろう。地方都市の気概を示した水戸芸術館 (1990〜) の総合的な文化芸術活動は知られるところだが、富山県利賀村における演劇・舞台芸術活動 (鈴木忠志主宰の劇団 SCOT (1976年より同地を拠点に活動)) や新潟における公共ホール専属ダンスカンパニーの活動 (Noism Company Niigata (2004〜)) のように、都会から遠く離れた「地方」において、地域の固有性 (地域の履歴や特性) をベースにしながら、世界に通用する優れた表現を発信し豊かな文化環境を実現している例は少なくない。これ以外でも、青森県八戸市を中心に演劇・ダンス集団「モレキュラー・シアター」の演出家として、また市民協働で先鋭的な美術展を組織するキュレーターとして活動した豊島重之 (1946〜2019) の事例は興味深い。豊島の活動は海外公演の比重が高く評価や注目度も国内より海外の方が高い。世界的なスケールで活躍する一方、独自の地域文化論を展開し、地域内外の芸術家を招聘して地元で芸術啓蒙活動を行うなど「地域」へ強い関心を持ち続けた。倉石信乃「虐げられた人々への共感 豊島重之さんを悼む」『東奥日報』(2019年1月23日) 等参照。

★30 小田部胤久によれば、われわれは「芸術家」「作品創造」等の概念系から成る「近代的」芸術観の内部になおとどまっており、その根底にある、人為と自然、自律性、独創性等々をめぐる「逆説」に囚われざるをえないという。20世紀以降、美の理想や規範の消失が言われ、芸術の自律性にも疑問が付され、「芸術の終焉」さえ語られるようになっている (小田部 2001)。しかし、本文に見るように、むしろこの状況の中に文化芸術と社会の新たな関係性構築の契機を見いだすことは可能だろう。

★31 「公共性」には公約数的なものと公倍数的なものがあるとは考えられないだろうか。ある可能性の幅の中で、最大公約数的な「公共性」を追求するか最小公倍数的な「公共性」を追求するか、それはそこから生み出されるものの大きさへの期待と安全性やリスクの最小化／最大化の比較考量をめぐる選択であるかもしれない。

★32 最近、社会学や人文研究の周辺では、文化芸術と社会の関係をめぐって、欧米圏を中心に「芸術化」(artification) という主題に関心が集まっている (Heinich, Shapiro 2012)。芸術化とは「人、対象、活動の定義と状態の変化を生み出す複合的な作用から生じる、非芸術から芸術への転換の過程」(同：20) つまり「芸術と見なされなかった何らかの対象」が「芸術になる過程」のことである。こうした、「(何らかの対象は) いつ芸術となるのか」「どんな条件の下でモノ／行為は芸術作品になり、作り手はアーティストになるのか」という「転換の過程」に注目して現代社会の文化現象を読み解こうとする研究が発展してきている。今日、芸術 (家) と非芸術 (家) の境界、ジャンル間の境界は確定的なものではなくなり多種多様な創作あるいは表現が生まれている。言うまでもなく「芸術」もまた時代や社会の所産である。旧来の「芸術」の範疇に入らなかった映画、写真をはじめとして、まんが、ファッション、ヒップホップ音楽・ダンス、グラフィティ等々、20世紀以降新しく生まれた表現やジャンルが「芸術」として受け入れられるようになってきた。各国の社会的背景の違いを踏まえる必要はあるが、本書でも見てきたような、社会と文化芸術をめぐる現代の動態的状況を包括的に捉える視点としてこうした研究の展開に注目したい (小松田 2020)。ただし、artfication と本書で用いた「アート化」は異なる用語である。

あとがき── 2020年代のアクチュアリティ

　本書は、「共進化」という視角から今日の社会と文化芸術の関係性について多面的に記述、考察しようとしたものである。筆者はここで「文化と経済」「地域とアート」「アートとデザイン」等、異なる対象の間の相互作用、関係性の動態を捉えたいと考えた。深められなかった論点も少なくないが、「地域」を意識しつつ筆者なりの視点で文化芸術をめぐる現状と課題を提示したつもりである。

　こうした「共進化」の諸形態はどのような歴史的位相にあるのだろうか。

　本書の主要部分は2019年から21年にかけ断続的に執筆したものである。この数年間は、積年の構造的矛盾が一気に噴き出し、国内外で社会・経済・文化芸術をめぐる諸状況が激変、不安定化した時機でもあった。この稿執筆時点（2022年4月）でわれわれが見ている〈現在〉は、近過去が想定していたものとは異なる「世界線」の上にある。「東京オリンピック・パラリンピックの年」になるはずだった2020年は、それ以上に新型コロナウイルス感染症の〈危機〉に向き合う年となった。グローバル経済の進展とその反動を背景に、世界の人々が新時代の社会システムを模索する中襲来した感染症の脅威は、小波大波を繰り返しながら世界中を侵食し、その確実な収束も見えない状況下で起きたロシアのウクライナ侵攻はそれ以上の強度で世界を震撼させている。2020年代が世界史的な危機＝激変期として記憶されることは間違いない。

　文化芸術は現実状況と無縁ではありえない。文化芸術は〈世界〉の構造を映し出し、社会的現実に敏感に反応する。自然災害やコロナ危機は、「文化芸術は人間と社会にとって“なくてはならないもの”なのか」という問いを改めてわれわれに投げかけたが、この問いは繰り返される必要があるし、さまざまな〈危機〉を通じて今後も繰り返されるに違いない。われわれは社会と文化芸術の共進化の帰結をこの問いの現実化として目にすることができるだろうか。

　この数年間は、「文化政策の歴史的大転換期」（文化庁文化経済・国際課「最近の文化行政の変化と文化経済領域への取組」2019）でもあった。関係者の「思惑」はそれとして、さまざまな領域で進む構造転換（崩壊？）とこれらの動きは

どう結びつきどのような展開を見せるのか。筆者もそのゆくえを見守りたい。

*

　諸状況の複雑で激しい変化に戸惑いながら改稿を繰り返し、個人的事情も重なって脱稿までに思わぬ時間がかかってしまった。本書を公にするにあたって多くの方たちに感謝を申し上げなければならない。

　是永幹夫氏（元劇団わらび座代表・ホルトホール人分館長）は、本書の元となった論文にすぐさま反応を示し形のはっきりしないものを出版へと導いてくださった。氏には感謝の言葉もない。

　中村政人氏、石山拓真氏にはこの間大変お世話になった。両氏には「ゼロダテ」や「3331」という場を通して「地域とアート」の問題性について考える契機と示唆を与えていただいた。

　野村幸弘氏もまた本書にとって重要な存在である。氏の旺盛な研究・表現活動から得たものは多く執筆の上で大きな力となった。

　画像使用・資料提供などで藤浩志氏、岩井成昭氏、栗原良彰氏、後藤仁氏、金野吉晃氏にお世話になった。「社会理論研究会」や科研のメンバーなど研究者仲間からも多くの示唆をいただいた。名を挙げられなかった方々を含め、関係各位に改めて感謝申し上げたい。ここまで来られたのは、遅々として進まない執筆状況を辛抱強く見守ってくださった仙道弘生水曜社社長のおかげである。

*

　記述には正確を期したが、誤り等があればもちろんその責は筆者にある。

　本書は基本的に書き下ろしたものだが、元になったのは以下の2本である。

・ 小松田儀貞（2015）「アート化する社会／社会化するアート―地域社会と文化芸術の未来―」『秋田県立大学総合科学研究彙報』16：11-23
・ 小松田儀貞（2017）「秋田の円空仏―地域資源としての文化財―地域における文化資本の可能性」『秋田県立大学ウェブジャーナルA』4：104-114
　本研究は、以下の科学研究費（JSPS）の助成を受けたものです。
・ 2017～2022年度基盤研究（C）「包括型社会の確立に向けた地域コミュニティと教育の連携・協働についての研究」（17K04602）
・ 2020～2023年度基盤研究（B）「社会とアートの共進化的動態とartificationの諸相に関する領域横断的研究」（20H01576）

参考文献（アルファベット順）

〈1章〉

- 天野敏昭（2010）「社会的包摂における文化政策の 位置づけ――経験的考察に向けた分析枠組みの検討」『大原社会問題研究所雑誌』第625号：23-42
- アートNPOリンク（2017）『ARTS NPO DATABANK 2016-17 アートNPOの基盤整備のためのリサーチ』特定非営利活動法人アートNPOリンク
- アートNPOリンク（2019）『ARTS NPO DATABANK 2018-19 実践編！ アートの現場からうまれた評価』特定非営利活動法人アートNPOリンク
- 淺野敞一郎（1997）『戦後美術展略史1945-1990』求龍堂
- 美術手帖（2019）『これからの美術がわかるキーワード100』美術出版社
- 地域活性化センター（2013）『平成24年度地域活性化事例集~アートを活用したまちづくり~』財団法人地域活性化センター
- 地域創造（2014）『災後における地域の公立文化施設の役割に関する調査研究報告書―文化的コモンズの形成に向けて―』財団法人地域創造
- コマンドN（2012）『つくることが生きること―東日本大震災復興支援プロジェクト』コマンドN
- 藤浩志，AAFネットワーク編（2012）『地域を変えるソフトパワー アートプロジェクトがつなぐ人の知恵、まちの経験』青幻社
- 藤井匡（2016）『公共空間の美術』阿部出版
- 藤田直哉（2014）「前衛のゾンビたち―地域アートの諸問題」『すばる』10月号：240-253
- 藤田直哉編著（2016）『地域アート 美学/制度/日本』堀之内出版
- 福武總一郎，北川フラム（2016）『直島から瀬戸内国際芸術祭へ 美術が地域を変えた』現代企画室
- 橋本敏子（1997）『地域の力とアートエネルギー』学陽書房
- 八田典子（2004）「芸術作品の成立と受容における「場」の関与」『総合政策論叢』島根県立大学総合政策学会，8：143-244
- 林容子（2004）『進化するアートマネージメント』レイライン
- 星野太，奥本素子（2017）「インタビュー：アートが地域を変えるのか？地域がアートを変えるのか？」『科学技術コミュニケーション』北海道大学高等教育推進機構オープンエデュケーションセンター科学技術コミュニケーション教育研究部門，22：71-83
- 石崎尚（2004）「国際美術展のマネジメントに関する一考察」『アートマネジメント研究』日本アートマネジメント学会，5：26-32
- 伊藤裕夫（2004）『アーツ・マネジメント概論』水曜社
- 岩崎京子（2018）「サイトスペシフィック・パフォーマンス」『美術手帖』8月号：82-84
- 加治屋健司（2016）「地域に展開する日本のアートプロジェクト――歴史的背景とグローバルな文脈」藤田直哉編著『地域アート 美学/制度/日本』堀之内出版：95-134
- 加藤種男（2018）『芸術文化の投資効果―メセナと創造経済』水曜社
- 北川フラム（2001）『大地の芸術祭 越後妻有アートトリエンナーレ2000』現代企画室
- 北川フラム（2014）『美術は地域をひらく 大地の芸術祭10の思想』現代企画室
- 北川フラム（2015）『ひらく美術――地域と人間のつながりを取り戻す』筑摩書房
- 北川フラム（2017）『ファーレ立川パブリックアートプロジェクト―基地の街をアートが変えた』現代企画室
- 熊倉純子（監修），菊地拓児，長津結一郎，アートプロジェクト研究会編（2013）『日本型アートプロジェクトの歴史と現在 1990年→2012年』公益財団法人東京都歴史文化財団東京文化発信プロジェクト室
- 熊倉純子（監修），菊地拓児，長津結一郎編（2014）『アートプロジェクト 芸術と共創する社会』水曜社
- 熊倉純子，長津結一郎，アートプロジェクト研究会編著（2015）『日本型アートプロジェクトの歴史と現在 1990年→2012年 補遺』アーツカウンシル東京
- 暮沢剛巳（2009）『現代美術のキーワード100』筑摩書房

- 松宮秀治（2003）『ミュージアムの思想』白水社
- 松宮秀治（2008）『芸術崇拝の思想―政教分離とヨーロッパの新しい神』白水社
- 松尾豊（2015）『パブリックアートの展開と到達点　アートの公共性・地域文化の再生・芸術文化の未来』水曜社
- 宮本結佳（2018）『アートと地域づくりの社会学　直島・大島・越後妻有にみる記憶と想像』昭和堂
- 中川真, フィルムアート社編集部編（2011）『これからのアートマネジメント“ソーシャル・シェア”への道』フィルムアート社
- 中川眞（2016）「アートによる社会的包摂？」NPO法人こえとことばとこころの部屋・應典院寺町倶楽部・NPO法人アートNPOリンク『地域に根ざしたアートと文化「大阪市：地域等における芸術活動促進事業」活動報告書』：29-43
- 日本政策投資銀行大分事務所（2010）『現代アートと地域活性化～クリエイティブシティ別府の可能性～』株式会社日本政策投資銀行
- 野村総合研究所（2015）『社会課題の解決に貢献する文化芸術活動の事例に関する調査研究報告書』野村総合研究所
- 野村幸弘（1994）「聖なる空間を求めて」彫刻の森美術館編『彫刻の森美術館開館25周年記念　彫刻評論集』彫刻の森美術館：95-111
- 小野譲司（2012）「価値共創時代の顧客戦略」『AD・STUDIES』公益財団法人吉田秀雄記念事業財団, 39：29-35
- 大澤寅雄（2018）「二つの震災を節目とした文化と社会の関係性の変化」小林真理編著『文化政策の現在3　文化政策の展望』東京大学出版会：263-285
- 太下義之（2016）「「オリンピック文化プログラム」序論―東京五輪の文化プログラムは二〇一六年夏に始まる」東京文化資源会議編（2016）『TOKYO1/4と考えるオリンピック文化プログラム　2016から未来へ』勉誠出版：2-32
- 佐々木雅幸, 水内俊雄編著（2009）『創造都市と社会包摂　文化多様性・市民知・まちづくり』水曜社
- 佐藤李青（2018a）「仲介者」小林真理編著『文化政策の現在1　文化政策の思想』東京大学出版会：275-290
- 佐藤李青（2018b）「芸術祭とアートプロジェクトは、新たな制度となりうるか？──プロジェクトからインスティテューションへ」小林真理編著『文化政策の現在2　拡張する文化政策』東京大学出版会：53-69
- 竹田直樹（2001）『アートを開く　パブリックアートの新展開』公人の友社
- TAM運営委員会編（2004）『トヨタ・アートマネジメント講座の軌跡　1996-2004 全講座収録版』トヨタ自動車株式会社
- 谷口文保（2019）『アートプロジェクトの可能性　芸術創造と公共政策の共創』九州大学出版会
- 十和田市現代美術館（2020）『地域アートはどこにある？』堀之内出版
- 山口裕美（2010）『観光アート』光文社
- 山本浩貴（2019）『現代美術史　欧米、日本、トランスナショナル』中央公論新社
- 山崎亮（2016）『縮充する日本「参加」が創り出す人口減少社会の希望』PHP研究所
- 吉田隆之（2015）『トリエンナーレはなにをめざすのか―都市型芸術祭の意義と展望』水曜社
- 吉田隆之（2019）『芸術祭と地域づくり“祭り”の受容から自発・協働による固有資源化へ』水曜社
- 吉本光宏（2008）「再考、文化政策―拡大する役割と求められるパラダイムシフト──支援・保護される芸術文化からアートを起点としたイノベーションへ」『ニッセイ基礎研究所報』51：37-116
- 吉本光宏（2014）「トリエンナーレの時代──国際芸術祭は何を問いかけているのか」『ニッセイ基礎研究所報』58：53-64
- 吉澤弥生（2011）『芸術は社会を変えるか？　文化生産の社会学からの接近』青弓社
- 吉澤弥生（2018）「アートNPOの展開と実態：公共の新たな担い手として」小林真理編著『文化政策の現在3　文化政策の展望』東京大学出版会：205-215
- 吉澤弥生（2019）「アートはなぜ地域に向かうのか―「社会化する芸術」の現場から―」『フォーラム現代社会』18：122-137

〈2章〉
- 秋田県（2019）「第2期あきた文化振興ビジョン」秋田県
- AKIBI plus 事務局（2017）『辺境芸術最前線：生き残るためのアートマネジメント』秋田公立美術大学
- 天野敏昭（2010）「社会的包摂における文化政策の位置づけ──経験的考察に向けた分析枠組みの検討」『大原社会問題研究所雑誌』625：23-42
- 荒牧敦郎（2018）「秋田・パフォーミングアーツの源流と文化による地域ブランド戦略」『あきた経済』一般財団法人秋田経済研究所，6月号：16-24
- アートNPOリンク（2019）『ARTS NPO DATABANK 2018-19　実践編！アートの現場からうまれた評価』特定非営利活動法人アートNPOリンク
- ベッカー、ハワード．S（2016）『アート・ワールド』（後藤将之訳）慶應義塾大学出版会＝＝Becker, Howard. S.［1982］*Art Worlds*, University of California Press
- 文化芸術創造都市モデル事業仙北実行委員会（2012）『文化芸術創造都市モデル事業仙北実行委員会事業評価報告書』
- 地域活性化センター（2013）『平成24年度地域活性化事例集〜アートを活用したまちづくり〜』財団法人地域活性化センター
- コマンドN（2012）『つくることが生きること─東日本大震災復興支援プロジェクト』コマンドN
- コマンドN，中村政人（2017）『新しいページを開け！　2,000人を越えるアーティストが表現したアートプロジェクトの東京論』コマンドN
- 藤浩志, AAFネットワーク編（2012）『地域を変えるソフトパワー　アートプロジェクトがつなぐ人の知恵、まちの経験』青幻社
- 藤田直哉（2014）「前衛のゾンビたち─地域アートの諸問題」『すばる』10月号：240-253
- 藤田直哉編著（2016）『地域アート　美学／制度／日本』堀之内出版
- 波出石誠（2015）『廃校の民間活用と地域活性化』日本評論社
- 平田オリザ（2013）『新しい広場をつくる　市民芸術概論綱要』岩波書店
- 平田オリザ（2015）『文藝別冊　平田オリザ』河出書房新社
- 本田洋一（2016）『アートの力と地域イノベーション　芸術系大学と市民の創造的協働』水曜社
- 星野太，奥本素子（2017）「インタビュー　アートが地域を変えるのか？地域がアートを変えるのか？」『科学技術コミュニケーション』北海道大学高等教育推進機構オープンエデュケーションセンター科学技術コミュニケーション教育研究部門，第22号：71-83
- 影山裕樹（2016）『ローカルメディアのつくりかた』学芸出版社
- 加治屋健司（2016）「地域に展開する日本のアートプロジェクト──歴史的背景とグローバルな文脈」藤田直哉編著『地域アート』：95-134
- 片岡真実（2015）「ソーシャリー・エンゲイジド・アートと日本を考える」P・エルゲラ『ソーシャリー・エンゲイジド・アート入門　アートが社会と深く関わるための10のポイント』フィルムアート社：176-185
- 小林美津江（2011）「公立文化施設による地域活性化〜アウトリーチと社会的包摂〜」『立法と調査』参議院事務局企画調整室，11月号：86-97
- 是永幹夫（2014）「伝統芸能の「現代的再生」と「3.11」の意味」佐々木雅幸他編著『創造農村』学芸出版社：122-137
- 熊倉純子（監修），菊地拓児，長津結一郎編（2014）『アートプロジェクト　芸術と共創する社会』水曜社
- 熊倉純子（著,監修），槇原彩，源田理子，若林朋子（2020）『アートプロジェクトのピアレビュー　対話と支え合いの評価手法』水曜社
- 小松田儀貞（2017）「アートプロジェクトの可能性─ローカルな文化事業の評価をめぐって─」AKIBI plus 事務局『辺境芸術最前線：生き残るためのアートマネジメント』秋田公立美術大学：48-55
- 松永桂子（2015）『ローカル志向の時代──働き方、産業、経済を考えるヒント』光文社
- 松永桂子（2016）「「ローカル志向」をどう読み解くか」松永桂子他編著『ローカルに生きる　ソーシャルに働く　新しい仕事を創る若者たち』農山漁村文化協会：6-22

- 室井研二 (2013)「離島の振興とアートプロジェクト—「瀬戸内国際芸術祭」の構想と帰結—」『地域社会学年報』第25集：93-107
- 長門宏紀 (2016)「文化・芸術による社会的包摂—フランス・パリに学ぶ—」『地域づくり』一般財団法人地域活性化センター, 10月号：24
- 中川真, フィルムアート社編集部編 (2011)『これからのアートマネジメント"ソーシャル・シェア"への道』フィルムアート社
- 中川眞 (2016)「アートによる社会的包摂？」NPO法人こえとことばとこころの部屋, 應典院寺町倶楽部, NPO法人アートNPOリンク『地域に根ざしたアートと文化 「大阪市：地域等における芸術活動促進事業」活動報告書』NPO法人こえとことばとこころの部屋, 應典院寺町倶楽部, NPO法人アートNPOリンク：29-43
- 中村政人 (2010)「中村政人の発想の源」『広告』博報堂, 4月号 (381)：106-107
- 中村政人 (2013)『コミュニティ・アートプロジェクト ゼロダテ／絶望をエネルギーに変え、街を再生する』特定非営利活動法人アートNPOゼロダテ
- 中村政人 (2014)『もうひとつの秋田』特定非営利活動法人アートNPOゼロダテ
- 中村政人 (2015)『大館・北秋田芸術祭2014「里に犬、山に熊」特定非営利活動法人アートNPOゼロダテ
- 中村政人 (2021)『アートプロジェクト文化資本論——3331から東京ビエンナーレへ』晶文社
- 日本政策投資銀行大分事務所 (2010)『現代アートと地域活性化～クリエイティブシティ別府の可能性～』
- 小田切徳美, 筒井一伸編著 (2016)『田園回帰の過去・現在・未来 移住者と創る新しい農山村』農山漁村文化協会
- 小田切徳美, 広井良典, 大江正章, 藤山浩 (2016)『田園回帰がひらく未来——農山村再生の最前線』岩波書店
- 太下義之 (2016)「「オリンピック文化プログラム」序論」東京文化資源会議編『TOKYO 1/4と考えるオリンピック文化プログラム 2016から未来へ』勉誠出版：2-32
- 大阪市立大学都市研究プラザ編 (2017)『包摂都市のレジリエンス 理念モデルと実践モデルの構築』水曜社
- 佐々木雅幸 (2001)『創造都市への挑戦 産業と文化の息づく街へ』岩波書店
- 佐々木雅幸, 水内俊雄編著 (2009)『創造都市と社会包摂 文化多様性・市民知・まちづくり』水曜社
- 佐々木雅幸, 川井田祥子, 萩原雅也編著 (2014)『創造農村 過疎をクリエイティブに生きる戦略』学芸出版社
- 佐々木雅幸 (2017)「レジリエントな創造都市に向けて」大阪市立大学都市研究プラザ編『包摂都市のレジリエンス』水曜社：11-30
- 澤村明編著 (2014)『アートは地域を変えたか 越後妻有大地の芸術祭の十三年2000-2012』慶應義塾大学出版会
- 創造都市横浜のこれまでとこれからPart2編集委員会 (2014)『創造都市横浜のこれまでとこれからPart2』BankART1929
- 東京文化資源会議編 (2016)『TOKYO 1/4と考えるオリンピック文化プログラム 2016から未来へ』勉誠出版
- 十和田市現代美術館 (2020)『地域アートはどこにある？』堀之内出版
- 山本浩貴 (2019)『現代美術史 欧米、日本、トランスナショナル』中央公論新社
- 吉田達彦 (2016)「農山漁村へ向かうクリエイティブ人材——徳島県神山町、美波町および三好市のサテライトオフィスの事例から」松永桂子他編著『ローカルに生きる ソーシャルに働く 新しい仕事を創る若者たち』農山漁村文化協会：196-217

〈3章〉

- 文化庁×九州大学共同研究チーム (2019)『はじめての"社会包摂×文化芸術"ハンドブック 一人ひと

りに向きあい共に生きる社会をつくる』九州大学大学院芸術工学研究院附属ソーシャルアートラボ

- 枝川明敬（2007）「地域文化の振興―地域社会と地域文化振興の進展―」根本昭『文化政策の展開―芸術文化の振興と文化財の保護―』日本放送出版協会：99-113
- えずこせいじん研究会（2019）『えずこせいじん』仙南芸術文化センター（えずこホール）
- フロリダ、リチャード（2008）『クリエイティブ資本論　新たな経済階級の台頭』（井口典夫訳）ダイヤモンド社＝Florida, Richard L. [2002] *The Rise of the Creative Class: And How It's Transforming Work, Leisure, Community and Everyday Life*, Basic Books
- 藤浩志、AAFネットワーク（2012）『地域を変えるソフトパワー　アートプロジェクトがつなぐ人の知恵、まちの経験』青幻社
- 藤田直哉（2016）『地域アート　美学／制度／日本』堀之内出版
- 服部正（2003）『アウトサイダーアート　現代美術が忘れた「芸術」』光文社
- 平田オリザ（2001）『芸術立国論』集英社
- 広井良典（2009）『コミュニティを問いなおす―つながり・都市・日本社会の未来』筑摩書房
- 広井良典（2011）『創造的福祉社会―「成長」後の社会構想と人間・地域・価値』筑摩書房
- 広井良典（2013）『人口減少社会という希望―コミュニティ経済の生成と地球倫理』朝日新聞出版
- ヒューイソン、ロバート（2017）『文化資本　クリエイティブ・ブリテンの盛衰』（小林真理訳）美学出版＝Hewison, Robert [2014] *Cultural Capital: The Rise and Fall of Creative Britain*, Verso
- 伊豫谷登士翁、齋藤純一、吉原直樹（2013）『コミュニティを再考する』平凡社
- ジェイコブズ、ジェイン（2010）『アメリカ大都市の死と生』（山形浩生訳）鹿島出版会＝Jacobs, Jane [1993] *The Death and Life of Great American Cities*, Random House
- 陣内秀信、高村雅彦編著（2019）『建築史への挑戦　住居から都市、そしてテリトーリアへ』鹿島出版会
- 菅野幸子（2018）「アーツ・カウンシル」小林真理編『文化政策の現在1　文化政策の思想』東京大学出版会：131-147
- 川俣正（2001）『アートレス』フィルムアート社
- 松永桂子（2015）『ローカル志向の時代――働き方、産業、経済を考えるヒント』光文社
- 松下圭一、森啓編著（1981）『文化行政　行政の自己改革』学陽書房
- 森岡清美、塩原勉、本間康平（1993）『新社会学辞典』有斐閣
- 根本昭（2007）『文化政策の展開―芸術文化の振興と文化財の保護―』日本放送出版協会
- 日本建築学会（2019）『建築雑誌』5月号（1724号）日本建築学会
- 野村幸弘（1994）「聖なる空間を求めて」『彫刻の森美術館開館25周年記念彫刻評論集』箱根彫刻の森美術館：95-111
- 野村幸弘（1998）「神社を中心とした街作り」『レポート'98』共立総合研究所：54-61
- 野村幸弘（1999）「『幻聴音楽会』とは何か　音楽の場所と聴取形式の問題について（JBA資料24）』社団法人日本バックグラウンド・ミュージック協会：1-14
- 野村幸弘（2021a）「場所の芸術（1）―初期のダンス公演と幻聴音楽会」『岐阜大学教育学部研究報告―人文科学』69（2）：85-94
- 野村幸弘（2021b）「場所の芸術（2）―第14回〜第31回幻聴音楽会」『岐阜大学教育学部研究報告―人文科学』70（1）：89-99
- 沼田衣里（2011）「公共性の観点からアートとコミュニティについて考える―「運河の音楽」の事例とともに―」藤野一夫編著『公共文化施設の公共性　運営・連携・哲学』水曜社：194-220
- 沼田衣里（2016）「異質な価値観を楽しむ即興音楽　音遊びの会（神戸市）」たんぽぽの家編『ソーシャルアート　障害のある人とアートで社会を変える』学芸出版社：138-152
- 小田切徳美（2014）『農山村は消滅しない』岩波書店
- 齋藤純一（2013）「コミュニティ再生の両義性　その政治的文脈」伊豫谷登士翁他『コミュニティを再考する』平凡社：15-46
- 斎藤環（2009）「「関係すること」がアートである」『美術手帖』7月号（923）：88-91

- シェーファー、R.マリー（1986）『世界の調律－サウンドスケープとはなにか』（鳥越けい子・小川博司・庄野泰子・田中直子・若尾裕訳）平凡社＝Schafer, M., R.［1977］The Tuning of the World, Random House
- 椎原伸博（2017）「「地域アート論」以降の「アートプロジェクト」論について」『地域政策研究』高崎経済大学地域政策学会, 20（2）：81-93
- たんぽぽの家編（2016）『ソーシャルアート 障害のある人とアートで社会を変える』学芸出版社
- 友岡邦之（2018）「地域・コミュニティ」小林真理編『文化政策の現在1 文化政策の思想』：225-237
- 十和田市現代美術館（2020）『地域アートはどこにある?』堀之内出版

〈4章〉
- 阿部齊, 内田満, 高柳先男（1999）『現代政治学小辞典【新版】』有斐閣
- アベル、バス・ヴァン、エバーズ、ルーカス、クラーセン、ロエル、トロクスラー、ピーター編（2013）『オープンデザイン 参加と共創から生まれる「つくりかたの未来」』（田中浩也監訳）オライリージャパン
- Arnstein, Sherry, R.（1969）"A Ladder of Citizen Participation" *Journal of the American Planning Association*, 35（4）：216-224
- アート＆ソサイエティ研究センターSEA研究会編（2018）『ソーシャリー・エンゲイジド・アートの系譜・理論・実践 芸術の社会的転回をめぐって』フィルムアート社
- アート＆ソサイエティ研究センターSEA研究会編（2019）『SEAラウンドトーク記録集：アーティストは今、ソーシャリー・エンゲイジド・アートをいかに捉えているのか?』特定非営利活動法人アート＆ソサイエティ研究センター
- ビショップ、クレア（2016）『人工地獄 現代アートと観客の政治学』（大森俊克訳）フィルムアート社＝Bishop, Claire［2012］*Artiificial Hells: Participatory Art and the Politics of Spectatorships*, Verso
- 電通美術回路編（2019）『アート・イン・ビジネス──ビジネスに効くアートの力』有斐閣
- 藤田直哉, 星野太（2016）「まちづくりと「地域アート」──「関係性の美学」の日本的文脈」藤田直哉編著『地域アート 美学／制度／日本』堀之内出版：45-94
- エルゲラ、パブロ（2015）『ソーシャリー・エンゲイジド・アート入門 アートが社会と深く関わるための10のポイント』（アート＆ソサイエティ研究センター SEA研究会訳）フィルムアート社＝Helguera, Pablo［2011］*Education for Socially Engaged Art: A Materials and Techniques Handbook*, Jorge Pinto Books
- 広井良典（2011）『創造的福祉社会──「成長」後の社会構想と人間・地域・価値』筑摩書房
- 本田洋一（2016）『アートの力と地域イノベーション』水曜社
- 星野太（2018）「ソーシャル・プラクティスをめぐる理論の現状──社会的転回, パフォーマンス的転回」アート＆ソサイエティ研究センターSEA研究会編『ソーシャリー・エンゲイジド・アートの系譜・理論・実践 芸術の社会的転回をめぐって』フィルムアート社：121-152
- 岩井成昭（2014）「国内におけるアート・ワークショップの変遷と課題、そして可能性」『秋田公立美術大学研究紀要』1：47-58
- 岩井成昭（2019）「辺境＝課題先進地域に求められるアートとは?」アート＆ソサイエティ研究センターSEA研究会編『SEAラウンドトーク記録集：アーティストは今、ソーシャリー・エンゲイジド・アートをいかに捉えているのか?』特定非営利活動法人アート＆ソサイエティ研究センター：74-83
- 岩井成昭（監修）（2021）『IMMIGRATION MUSEUM TOKYO 10TH ANNIVERSALY BOOK』公立大学法人秋田公立美術大学
- 川口幸也編（2009）『展示の政治学』水声社
- 北川フラム（2014）『美術は地域をひらく 大地の芸術祭10の思想』現代企画室
- 工藤安代（2008）『パブリックアート政策』勁草書房
- 工藤安代（2015）「ソーシャリー・エンゲイジド・アートの現在―社会的文脈に関わる近年のアート活動の動向 」『実践女子大学美学美術史学』29：39-47
- 中野民夫（2001）『ワークショップ―新しい学びと創造の場―』

- 野中祐美子（2017）「藤浩志《Happy Paradies》（ハッピーパラダイズ）──拡張する作品概念」『アール』金沢21世紀美術館, 7：92-96
- 十和田市現代美術館（2020）『地域アートはどこにある？』堀之内出版
- 上野幸子編（2018）『デザインとコミュニティ』武蔵野美術大学出版局
- 鷲田清一（2016）『素手のふるまい アートがさぐる〈未知の社会性〉』朝日新聞出版
- 鷲田めるろ（2009）「アートプロジェクトの政治学 「参加」のファシズム」川口幸也編『展示の政治学』水声社：237-253
- 山崎亮（2012）『コミュニティデザインの時代 自分たちで「まち」をつくる』中央公論新社
- 山崎亮（2016）『縮充する日本 「参加」が創り出す人口減少社会の希望』PHP研究所

〈5章〉
- アビング、ハンス（2007）『金と芸術 なぜアーティストは貧乏なのか？』（山本和弘訳）グラムブックス＝Abbing, Hans［2002］*Why Are Artists Poor?: The Exceptional Economy of the Arts*, Amsterdam University Press
- 油谷満夫（2013）『油谷これくしょん 第1集「酒」「煙草」編』イズミヤ出版
- 愛知県教育委員会（2016）『愛知県文化財保護指針』愛知県教育委員会
- 秋元雄史（2018）『直島誕生』ディスカヴァー・トゥエンティワン
- 秋田県教育委員会（2016）『秋田県の生涯学習・文化財保護─施策の概要─（平成28年度）』秋田県教育委員会
- 雨にぬれても（2020）『秋田が生んだ情熱の収集家 評伝油谷満夫の人生をたどる』萌芽社
- 青柳正規（2015）『文化立国論─日本のソフトパワーの底力』筑摩書房
- アトキンソン、デービッド（2015）『新・観光立国論』東洋経済新報社
- バブロン、ジャン＝ピエール、シャステル、アンドレ（2019）『遺産の概念』（中津海裕子・湯浅茉衣子訳）法政大学出版局＝Babelon, J.-P. et Chastel, André［2008］*La Notion de Patrimoine*, Levi
- 伴蒿蹊（2005）『近世畸人伝』中央公論新社
- バード、イザベラ・ルーシー（2000）『日本奥地紀行』（高梨健吉訳）平凡社
- Bourdieu, Pierre（1979）"Les trois états du capital culturel", *Actes de la recherche en sciences sociales*, 30（1）：3-6
- ブルデュー、ピエール（1990）『ディスタンクシオン 社会的判断力批判Ⅰ・Ⅱ』（石井洋二郎訳）藤原書店＝Bourdieu, Pierre［1979］*La distinction: Critique sociale du jugement*, Minuit
- 永木宏明（2010）「円空仏新発見考」『秋田魁新報』12月28日
- 藤田秀司（1971）「秋田県の円空仏」『出羽路』秋田県文化財保護協会, 44：54-59
- 藤田秀司（1972）「続・秋田県の円空仏」『出羽路』秋田県文化財保護協会, 46：9-14
- 藤田秀司（1984）「三体の円空仏（昭和五十八年に発見された）」『出羽路』秋田県文化財保護協会, 82：37-43
- 藤田秀司（1992）「秋田及び青森・北海道の円空仏 四十余体確認」『出羽路』秋田県文化財保護協会, 104：2-17
- 福原義春, 文化資本研究会（1999）『文化資本の経営─これからの時代、企業と経営者が考えなければならないこと』ダイヤモンド社
- 原研哉（2011）『日本のデザイン─美意識がつくる未来』岩波書店
- 長谷川公茂（2012）『円空 微笑みの謎』新人物往来社
- ヒューイソン、ロバート（2017）『文化資本 クリエイティブ・ブリテンの盛衰』（小林真理訳）美学出版＝Hewison, Robert［2014］*Cultural Capital: The Rise and Fall of Creative Britain*, Verso
- 平田オリザ（2001）『芸術立国論』集英社
- 伊藤裕夫（2018）「メセナ（企業の文化支援）論」小林真理編『文化政策の現在2 拡張する文化政策』東京大学出版会：149-166

- 井上雄彦（2015）『円空を旅する』美術出版社
- 石田佐恵子，村田麻里子，山中千恵編著（2013）『ポピュラー文化ミュージアム―文化の収集・共有・消費―』ミネルヴァ書房
- いとうせいこう，みうらじゅん（1993）『見仏記』中央公論社
- 泉美知子（2013）『文化遺産としての中世　近代フランスの知・制度・感性に見る過去の保存』三元社
- 軸原ヨウスケ，中村裕太（2019）『アウト・オブ・民藝』誠光社
- 陣内秀信，高村雅彦編著（2019）『建築史への挑戦　住居から都市、そしてテリトーリアへ』鹿島出版会
- 垣内恵美子（2007）「文化財の保護―その意義と　一般的な枠組み　」根本昭『文化政策の展開　芸術文化の振興と文化財の保護―』日本放送出版協会：115-131
- 笠原良二（2011）「ベネッセアートサイト直島の活動の軌跡とその意義―現代アート活動による地域活性化の一例―」『財政と公共政策』財政学研究会，50：67-75
- 経済協力開発機構（OECD）編（2014）『創造的地域づくりと文化――経済成長と社会的結束のための文化活動』（寺尾仁訳）明石書店＝OECD［2005］*La culture et le developpement local*, OECD
- 木村至聖，森久聡編（2020）『社会学で読み解く文化遺産　新しい研究の視点とフィールド』新曜社
- 小林克弘，三田村哲哉，橘高義典，鳥海基樹編著（2008）『世界のコンバージョン建築』鹿島出版会
- 小林克弘，三田村哲哉，角野渉編著（2013）『建築転生―世界のコンバージョン建築〈2〉』鹿島出版会
- 小林真理（2018）「文化資源」小林真理編『文化政策の現在1　文化政策の思想』東京大学出版会：261-273
- 小島悌次（2015）『円空と木喰　微笑みの仏たち』東京美術
- 小松田儀貞（1998）「文化資本概念の再検討――アメリカ文化社会学におけるその展開」『富士大学紀要』富士大学学術研究会，31（1）：109-121
- 小松田儀貞（2017）「秋田の円空仏―地域資源としての文化財―地域における文化資本の可能性」『秋田県立大学ウェブジャーナルA』4：104-114
- 小松理虔（2018）『新復興論』ゲンロン
- 窪山洋子（2016）「ヒト・モノ・コトを紡ぐ「アイダ」の仕事」松永桂子・尾野寛明編著『ローカルに生きる　ソーシャルに働く　新しい仕事を創る若者たち（シリーズ田園回帰5）』農山漁村文化協会：185-195
- 熊倉純子，長津結一郎，アートプロジェクト研究会編著（2015）『日本型アートプロジェクトの歴史と現在　1990年→2012年　補遺』アーツカウンシル東京
- 暮沢剛巳（2009）『現代美術のキーワード100』筑摩書房
- 松田陽（2018）「保存と活用の二元論を超えて――文化財の価値の体系を考える」小林真理編『文化政策の現在3　文化政策の展望』東京大学出版会：25-49
- 松宮秀治（2003）『ミュージアムの思想』白水社
- 森まゆみ（2003）『東京遺産―保存から再生・活用へ―』岩波書店
- 内閣官房，文化庁（2017）『文化経済戦略』
- 中村俊介（2019）『世界遺産――理想と現実のはざまで』岩波書店
- 野村幸弘（2012）「円空仏の美術的意義とは」『朝日新聞（全国版）』3月24日
- 野村幸弘（2015）「岐阜の仏像―奈良から江戸時代まで」『リブロ岐阜vol.1 岐阜の自然・文化・芸術』岐阜大学地域協学センター：60-79
- 野村幸弘（2016）「円空の彫刻芸術（1）―その評価の歴史」『岐阜大学教育学部研究報告（人文科学）』64（2）：71-79
- 野村幸弘（2017）「円空の彫刻芸術（2）―様式の分析と編年」『岐阜大学教育学部研究報告（人文科学）』66（1）：113-124
- 野村幸弘（2019）「東北・北海道における円空の旅路」『円空研究』33：27-36
- 小川伸彦（1991）「制度としての文化財―明治期における〈国宝〉の誕生と宗教・美術の問題―」『ソシオロジ』35（3）：109-182
- 荻野昌弘編（2002）『文化遺産の社会学』新曜社

- 碧海寿広（2018）『仏像と日本人　宗教と美の近現代』中央公論新社
- 佐藤道信（1996）『〈日本美術〉誕生　近代日本の「ことば」と戦略』講談社
- 佐藤知久，甲斐賢治，北野央（2018）『コミュニティ・アーカイブをつくろう！―せんだいメディアテーク「3がつ11にちをわすれないためにセンター」奮闘記』晶文社
- 関市，関市教育委員会（2002）『円空（英語版）』関市・関市教育委員会
- スミス，ニール（2014）『ジェントリフィケーションと報復都市―新たなる都市のフロンティア』（原口剛訳）ミネルヴァ書房＝ Smith, Neil［1996］*The new urban frontier: gentrification and the revanchist city,* Routledge
- 菅江真澄（1966）『菅江真澄遊覧記2』平凡社
- 田口昌樹（1998）「円空仏」『「菅江真澄」読本2』無明舎出版：77-100
- タウト、ブルーノ（2003）『日本美の再発見』（篠田英雄訳）岩波書店
- スロスビー、ディヴィッド（2002）『文化経済学入門―創造性の探究から都市再生まで』（中谷武雄・後藤和子訳）日本経済新聞社＝ Throsby, David［2001］*Economics and Culture,* Cambridge University Press
- 土屋常義（1960）『円空の彫刻』造形社
- 鶴見俊輔（1976）『限界芸術』講談社
- 鷲谷良一編（2014）『秋田と円空仏（改訂版）』私家版
- 渡邊明義編（2013）『地域と文化財　ボランティア活動と文化財保護』勉誠出版
- 山本浩貴（2019）『現代美術史　欧米、日本、トランスナショナル』中央公論新社
- 山本勉（2015）『日本仏像史講義』平凡社

〈6章〉
- アーツグラウンド東北（2017）『次代を担う東北の文化的コモンズをつくる報告書（平成29年度戦略的文化創造推進事業）』文化庁・アーツグラウンド東北
- 地域創造（2014）『災後における地域の公立文化施設の役割に関する調査研究報告書―文化的コモンズの形成に向けて―』財団法人地域創造
- 地域創造（2016）『地域における文化・芸術活動を担う人材の育成等に関する調査研究報告書―文化的コモンズが、新時代の地域を創造する―』一般財団法人地域創造
- コマンドN（2012）『つくることが生きること―東日本大震災復興支援プロジェクト』コマンドN
- 帚木蓬生（2017）『ネガティブ・ケイパビリティ　答えの出ない事態に耐える力』朝日新聞出版
- いわてアートサポートセンター（2015）『提言書〜いわて文化支援ネットワークの活動から〜アンケート調査から見える文化復興の未来』特定非営利活動法人いわてアートサポートセンター
- いわてアートサポートセンター（2019）『提言書〜いわて文化支援ネットワークの活動から〜震災から8年　持続可能なコミュニティ形成のために』』特定非営利活動法人いわてアートサポートセンター
- 川俣正（2001）『アートレス マイノリティとしての現代美術』フィルムアート社
- 小松理虔（2018）『新復興論』ゲンロン
- 是永幹夫（2014）「伝統芸能の「現代的再生と「3.11」の意味」佐々木雅幸他編著『創造農村』学芸出版社：122-137
- 倉林靖（2013）『震災とアート あのとき、芸術に何ができたのか』ブックエンド
- 中川眞（2016）「アートによる社会的包摂？」NPO法人こえとことばとこころの部屋・應典院寺町倶楽部・NPO法人アートNPOリンク『地域に根ざしたアートと文化「大阪市：地域等における芸術活動促進事業」活動報告書』：29-43
- 大澤寅雄（2018）「二つの震災を節目とした文化と社会の関係性の変化」小林真理編『文化政策の現在3　文化政策の展望』東京大学出版会：263-285
- 佐藤李青（2018）「地域の文化拠点としての文化施設――東日本大震災後のミッションの再定義を目指して」小林真理編『文化政策の現在3　文化政策の展望』東京大学出版会：197-219
- 佐藤知久，甲斐賢治，北野央（2018）『コミュニティ・アーカイブをつくろう！ せんだいメディアテーク「3

がつ11にちをわすれないためにセンター」奮闘記』晶文社
- 白川昌生（2010）『美術館・動物園・精神科施設』水声社
- 鷲田清一（2016）『素手のふるまい　アートがさぐる〈未知の社会性〉』朝日新聞出版
- 吉野英岐，加藤眞義編（2019）『震災復興と展望　持続可能な地域社会をめざして』有斐閣
- 吉澤弥生（2011）『芸術は社会を変えるか？　文化生産の社会学からの接近』青弓社

〈7章〉
- 天野敏昭（2010）「社会的包摂における文化政策の位置づけ――経験的考察に向けた分析枠組みの検討」『大原社会問題研究所雑誌』625：23-42
- 馬場正尊＋Open A（2013）『RePUBLIC　公共空間のリノベーション』学芸出版社
- 文化庁地域文化創生本部事務局総括・政策研究グループ（2019）『ダイバーシティと文化政策に関するレポート（平成30年度 文化行政調査研究）』文化庁
- 文化庁×九州大学共同研究チーム（2019）『はじめての“社会包摂×文化芸術”ハンドブック　一人ひとりに向きあい共に生きる社会をつくる』九州大学大学院芸術工学研究院附属ソーシャルアートラボ
- 地域創造（2012）『地域における文化・芸術活動の行政効果　文化・芸術を活用した地域活性化に関する調査研究報告書』財団法人地域創造
- 福原宏幸編著（2007）『社会的排除／包摂と社会政策』（シリーズ・新しい社会政策の課題と挑戦第1巻）法律文化社
- 藤田直哉編著（2016）『地域アート　美学／制度／日本』堀之内出版
- 藤山浩（2015）『田園回帰1％戦略　地元に人と仕事を取り戻す（シリーズ田園回帰1）』農山漁村文化協会
- 波出石誠（2015）『廃校の民間活用と地域活性化』日本評論社
- 橋本誠，影山裕樹編著（2021）『危機の時代を生き延びるアートプロジェクト』千十一編集室
- 平井太郎，曽我亨（2017）「地域おこし協力の入口・出口戦略」『人文社会科学論叢』（3），弘前大学人文社会科学部：121-139
- 本田洋一（2016）『アートの力と地域イノベーション』水曜社
- 石山恒貴編著（2019）『地域とゆるくつながろう！―サードプレイスと関係人口の時代―』静岡新聞社
- 伊藤浩志（2012）『ナリワイをつくる』東京書籍
- 伊藤浩志（監修）（2014）『小商いのはじめかた』東京書籍
- 伊藤総研（2018）『廃校再生ストーリーズ』美術出版社
- 菅野幸子（2018）「創造都市と創造産業の隆盛」小林真理編著『文化政策の現在2 拡張する文化政策』東京大学出版会：129-146
- 河島伸子（2014）「文化は人を幸せにするのか―社会的包摂の文化政策―」橘木俊詔編『幸福』ミネルヴァ書房：131-145
- 経済協力開発機構（OECD）編（2014）『創造的地域づくりと文化――経済成長と社会的結束のための文化活動』（寺尾仁訳）明石書店＝OECD［2005］*La culture et le developpement local*, OECD
- 岸上光克（2015）『廃校利活用による農山村再生』筑波書房
- 北川フラム（2015）『ひらく美術――地域と人間のつながりを取り戻す』筑摩書房
- 小林美津江（2011）「公立文化施設による地域活性化~アウトリーチと社会的包摂~」『立法と調査』参議院事務局企画調整室（322）11月号：86-97
- 小磯修二（2020）『地方の論理』岩波書店
- 小松田儀貞（2018）「「ケアする社会」の可能性―ナラティヴ、ケアリング、シティズンシップの視点から―」『秋田県立大学総合科学研究彙報』19：1-7
- 熊倉純子（監修），菊地拓児，長津結一郎編（2014）『アートプロジェクト　芸術と共創する社会』水曜社
- 増田寛也編著（2014）『地方消滅――東京一極集中が招く人口急減』中央公論新社
- 松村秀一（2016）『ひらかれる建築――「民主化」の作法』筑摩書房
- 松村秀一（2018）『空き家を活かす　空間資源大国ニッポンの知恵』朝日新聞出版

- 松永桂子（2015）『ローカル志向の時代』光文社
- 宮崎雅人（2021）『地域衰退』岩波書店
- 内閣官房，文化庁（2017）『文化経済戦略』
- 中川真，フィルムアート社編集部編（2011）『これからのアートマネジメント"ソーシャル・シェア"への道』フィルムアート社
- 中村政人（2013）『コミュニティ・アートプロジェクト　ゼロダテ／絶望をエネルギーに変え、街を再生する』特定非営利活動法人アートNPOゼロダテ
- 成相肇（2015）「キュレーションが拡散している」フィルムアート社編集部『キュレーションの現在―アートが「世界」を問いなおす―』フィルムアート社：44-49
- 西智弘編著（2020）『社会的処方』学芸出版社
- 西岡大輔，近藤尚己（2020）「社会的処方の事例と効果に関する文献レビュー―日本における患者の社会的課題への対応方法の可能性と課題―」『医療と社会』29（4）：1-18
- 野村総合研究所（2015）「社会課題の解決に貢献する文化芸術活動の事例に関する調査研究報告書」
- 小田切徳美（2009）『農山村再生　「限界集落」問題を超えて』岩波書店
- 小田切徳美（2014）『農山村は消滅しない』岩波書店
- 小田切徳美，藤山浩，伊藤洋志，尾野寛明，髙木千歩（2016）『日本のクリエイティブ・クラス』農山漁村文化協会
- 小田切徳美，広井良典，大江正章，藤山浩（2016）『田園回帰がひらく未来　農山村再生の最前線』岩波書店
- 小田切徳美，筒井一伸編著（2016）『田園回帰の過去・現在・未来　移住者と創る新しい農山村（シリーズ田園回帰3）』農山漁村文化協会
- 小川泰文，森傑（2010）「中山間地域のコミュニティ賦活における廃校活用方法としてのアートイベントの可能性―新潟県十日町『大地の芸術祭　越後妻有アートトリエンナーレ』に注目して―」『日本建築学会大会学術講演梗概集』（北陸）：1221-1222
- オルデンバーグ、レイ（2013）『サードプレイス　コミュニティの核になる「とびきり居心地よい場所」』（忠平美幸訳）みすず書房＝ Oldenburg, Ray [1989] *The Great Good Place. Cafés, Coffee Shops, Bookstores, Bars, Hair Salons and Other Hangouts at the Heart of a Community*, Da Capo Press
- 齋藤保（2020）『コミュニティカフェ　まちの居場所のつくり方、続け方』学芸出版社
- 山納洋（2006）『つながるカフェ　コミュニティの〈場〉をつくる方法』学芸出版社
- 佐々木雅幸（2001）『創造都市への挑戦――産業と文化の息づく街へ』岩波書店
- 佐々木雅幸，水内俊雄編著（2009）『創造都市と社会包摂　文化多様性・市民知・まちづくり』水曜社
- 志賀野桂一（2011）「三．一一をこえて　社会包摂型のアーツマネジメントへ」『アートマネジメント研究』12：4-13
- 椎川忍，小田切徳美，平井太郎，地域活性化センター，移住・交流推進機構編著（2015）『地域おこし協力隊―日本を元気にする60人の挑戦』学芸出版社
- 塩見直紀（2014）『半農半Xという生き方　決定版』筑摩書房
- 総務省（2018）『これからの移住・交流施設のあり方に関する検討会報告書―関係人口の創出に向けて―』総務省
- 総務省地域力創造グループ地域自立応援課（2012）『創造的人材の定住・交流の促進に向けた事例調査～定住自立圏の形成を目指して～』総務省
- 総務省地域力創造グループ過疎対策室（2018）『「田園回帰」に関する調査研究報告書』総務省
- 田中元子（2017）『マイパブリックとグランドレベル―今日からはじめるまちづくり』晶文社
- 田中輝美（2017）『関係人口をつくる　定住でもないローカルイノベーション』木楽舎
- 田中輝美（2021）『関係人口の社会学　人口減少時代の地域再生』大阪大学出版会
- 丹間康仁（2013）「農村集落における外発的な廃校活用と住民の学びへの視点：大地の芸術祭「廃校プロジェクト」の事例から」『茗渓社会教育研究』4：16-29

- 寺岡寛（2014a）『地域文化経済論―ミュージアム化される地域』同文舘出版
- 寺岡寛（2014b）「地域社会と文化資本を考える―公立大学の役割をめぐって―」『中京企業研究』36：137-148
- 寺岡寛（2016）「文化資本と地域経済政策―公立美術館との連携性をめぐって―」『中京企業研究』38：13-27
- 東北産業活性化センター（2007）『地域の文化資本』日本地域社会研究所
- 特定非営利活動法人こととふラボ（2020）『文化庁と大学・研究機関等との共同研究事業「文化芸術による社会包摂の評価手法・ガイドラインの構築」に関する事業報告書』文化芸術による社会包摂ガイドライン研究会
- 筒井隆志（2011）「文化・芸術の持つ可能性～直接的な効果と中長期的な効果～」『立法と調査』9月号（320）参議院事務局企画調整室：107-118
- 矢作弘（2014）『縮小都市の挑戦』岩波書店

〈8章〉
- 阿部彩（2011）『弱者の居場所がない社会』講談社
- 秋元雄史（2019）『アート思考 ビジネスと芸術で人々の幸福を高める方法』プレジデント社
- アトリエインカーブ（2019）『共感を超える市場 つながりすぎない社会福祉とアート』メディアパル
- 美術手帖（2019）『これからの美術がわかる キーワード100』美術出版社
- ブルデュー、ピエール（1990）『ディスタンクシオン 社会的判断力批判Ⅰ・Ⅱ』（石井洋二郎訳）藤原書店 = Bourdieu, Pierre [1979] *La distinction: Critique sociale du jugement*, Minuit
- 文化審議会著作権分科会法制問題小委員会パロディワーキングチーム（2013）『パロディワーキングチーム 報告書』文化庁
- 文化統計研究会（2020）『文化統計研究会最終報告書 第1分冊 文化統計研究会35年の歩み』文化統計研究会
- 電通美術回路編（2019）『アート・イン・ビジネス――ビジネスに効くアートの力』有斐閣
- デュビュッフェ、ジャン（2020）『文化は人を窒息させる―デュビュッフェ式〈反文化宣言〉』（杉村昌昭訳）人文書院 = Dubuffet, Jean [1968] *Asphyxiante Culture*, Jean-Jacques Pauvert
- 藤博光, 吉澤弥生（2016）「芸術生産の現場から考える――労働・キャリア・マネジメント」北田暁大他編『社会の芸術/芸術という社会―社会とアートの関係、その再創造に向けて』フィルムアート社：237-259
- 藤原孝, 山田竜作編（2010）『シティズンシップ論の射程』日本経済評論社
- フュマロリ、マルク（1993）『文化国家 近代の宗教』（天野恒雄訳）みすず書房 = Fumaroli, Marc [1991] *L'État Culturel: Une religion moderne*, Fallois
- ギトリン、トッド（2001）『アメリカの文化戦争 たそがれゆく共通の夢』（疋田三良、向井俊二訳）彩流社 = Gitlin, Todd [1995] *The Twilight of Common Dreams: Why American Is Wracked by Culture Wars*, Metropolitan Books
- グリーンバーグ、クレメント（2005）「アヴァンギャルドとキッチュ」『グリーンバーグ批評選集』（藤枝晃雄編訳）勁草書房：2-25 = Greenberg, Clement [1939] "Avant-Garde and Kitsch", *Partisan Review* (*Winter*)
- グレフ、クサビエ（2007）『フランスの文化政策 芸術作品の創造と文化的実践』（垣内恵美子監訳）水曜社
- ハーバーマス、ユルゲン（1994）『公共性の構造転換――市民社会の一カテゴリーについての探求（第二版）』（細谷貞雄・山田正行訳）未来社 = Habermas, Jürgen [1990] *Strukturwandel der Öffentlichkeit. Untersuchungen zu einer Kategorie der bürgerlichen Gesellschaft*, Suhrkamp
- 林容子（2004）『進化するアートマネージメント』レイライン
- Heinich, Natalie（2000）"From rejection of contemporary art to culture war" Lamont, M. and Thévenot, L. (eds.) *Rethinking Comparative Cultural Sociology: Repertoires of Evaluation in France and the United States*, Cambridge University Press: 170-209

- Heinich, Natalie et Shapiro, Roberta（2012）*De l'artification. Enquêtes sur le passage à l'art*, editions EHESS
- 法学セミナー（2020）「特集　芸術と表現の自由」『法学セミナー』786, 日本評論社
- 猪谷千香（2016）『町の未来をこの手でつくる　紫波町オガールプロジェクト』幻冬舎
- 池上惇（1993）『生活の芸術化―ラスキン、モリスと現代』丸善
- 今中博之（監修）, 神谷梢（2010）『アトリエインカーブ　現代アートの魔球』創元社
- 自治体国際化協会パリ事務所「フランスにおける地域振興とアソシアシオン」（2010）『Clair Report』No.344（January 4）財団法人自治体国際化協会
- 亀山俊朗（2009）「シティズンシップをめぐる政治」『大阪大学大学院人間科学研究科紀要』35：173-192
- 菅野幸子（2018）「アーツ・カウンシル」小林真理編『文化政策の現在1　文化政策の思想』東京大学出版会：131-147
- 喜始照宣（2014）「芸術系大学出身者と労働」『日本労働研究雑誌』645：50-53
- 北田暁大, 神野真吾, 竹田恵子編（2016）『社会の芸術／芸術という社会―社会とアートの関係、その再創造に向けて』フィルムアート社
- 小林真理（1995）「文化行政の理念としての《文化権》〈文化〉に関する権利概念の現況」『文化経済学会論文集』第1号：107-112
- 小松田儀貞（1998）「文化資本概念の再検討――アメリカ文化社会学におけるその展開」『富士大学紀要』富士大学学術研究会, 31（1）：109-121
- 小松田儀貞（2015）「アート化する社会／社会化するアート―地域社会と文化芸術の未来―」『秋田県立大学総合科学研究彙報』16：11-23
- 小松田儀貞（2020）「artificationについての一考察―社会と芸術の共進化―」『秋田県立大学総合科学研究彙報』21：1-10
- 公共R不動産編（2018）『公共R不動産のプロジェクトスタディ』学芸出版社
- 熊倉純子監修, 菊地拓児, 長津結一郎編（2014）『アートプロジェクト　芸術と共創する社会』水曜社
- 黒ダライ児（2010）『肉体のアナーキズム　1960年代・日本美術におけるパフォーマンスの地下水脈』グラムブックス
- Matarasso, François and Landry, Charles(1999) "Balancing act : twenty-one strategic dilemmas in cultural policy" Cultural Policies Research and Development Unit, *Policy Note No.4*, Council of Europe Publishing
- 松本茂章（2015）『日本の文化施設を歩く――官民協働のまちづくり』水曜社
- 宮下美穂（2018）「予測不可能性のなかに眠る可能性を――小金井アートフル・アクション！のこころみ」小林真理編『文化政策の現在3　文化政策の展望』東京大学出版会：113-138
- 水林章（2003）『公衆の誕生、文学の出現』みすず書房
- 茂木一司編集代表, 住中浩史, 春原史寛, 中平紀子＋Nプロジェクト（2019）『とがびアートプロジェクト　中学生が学校を美術館に変えた』東信堂
- 胸組虎胤（2019）「STEM教育とSTEAM教育―歴史、定義、学問分野統合―」『鳴門教育大学研究紀要』34：58-72
- 長嶋由紀子（2018）「自治体文化政策策定プロセスにおける文化デモクラシー――共治の実現に向かって」小林真理編『文化政策の現在3　文化政策の展望』東京大学出版会：69-84
- 永山良則, 勝浦正樹（2020）「国勢調査にみる芸術家の動向」文化統計研究会『文化統計研究会最終報告書　第1分冊　文化統計研究会35年の歩み』文化統計研究会：141-168
- 中村美帆（2018）「文化権」小林真理編『文化政策の現在1　文化政策の思想』東京大学出版会：103-118
- 南條史生, 茨城県北芸術祭実行委員会（監修）(2016)『KENPOKU ART 2016 茨城県北芸術祭 公式ガイドブック』生活の友社
- 小笠原文（2018）「フランスにおける芸術教育の展開に関する考察―その教育政策と文化政策の関係の

変遷に着目して―」『広島大学大学院教育学研究科紀要（第三部）』67：37-46
- 岡田隆彦（1993）『芸術の生活化　モリス、ブレイク、かたちの可能性』小沢書店
- 太下義之（2017）『アーツカウンシル ── アームズ・レングスの現実を超えて』水曜社
- 太下義之（2020）「文化専門職と表現の自由」『法学セミナー』786：55-61
- 小田部胤久（2001）『芸術の逆説　近代美学の成立』東京大学出版会
- 小崎哲哉（2021）『現代アートを殺さないために　ソフトな恐怖政治と表現の自由』河出書房新社
- 李知映（2018）「文化政策のパラダイム変化 ── 創作者中心から享受者中心へ」小林真理編『文化政策の現在2　拡張する文化政策』東京大学出版会：3-16
- 佐藤直樹（2017）『無くならない　アートとデザインの間』晶文社
- 佐藤李青（2018）「芸術祭とアートプロジェクトは、新たな制度となりうるか？ ── プロジェクトからインスティテューションへ」『文化政策の現在2　拡張する文化政策』東京大学出版会：53-69
- 白川昌生，杉田敦編（2018）『芸術と労働』水声社
- シュスターマン，リチャード（1999）『ポピュラー芸術の美学 ── プラグマティズムの立場から』（秋庭史典訳）勁草書房＝ Shusterman, Richard［1992］*Pragmatist Aesthetics: Living beauty, Rethinking Art*, Blackwell
- 菅谷奈緒（2018）「「誰もが芸術家」というディストピア」白川昌生，杉田敦編『芸術と労働』水声社：29-40
- 周防節雄，松田芳郎，永山貞則（2020）「日本の芸術家調査から見た20年間の音楽家、舞踊家、演劇人の所得分析」文化統計研究会『文化統計研究会最終報告書　第1分冊　文化統計研究会35年の歩み』文化統計研究会：111-137
- 寺島俊穂（2009）「市民活動とシティズンシップ」『關西大學法學論集』58（6）：1015-1066
- トンプソン，ネイトー（2018）『文化戦争 ── やわらかいプロパガンダがあなたを支配する』（大沢章子訳）春秋社＝ Thompson, Nato［2017］*Culture As Weapon. The Art of Influence in Everyday Life*, Melville House
- 友岡邦之（1997）「時代に適応する「国民文化」―1980年代フランスにおける文化政策の大規模化をめぐって―」『ソシオロゴス』21号：13-27
- 友岡邦之（2005）「再考の時期にきたフランスの文化政策」（https://performingarts.jp/J/overview_pre/0502/overview_pre0502j.pdf）
- 土屋正臣（2018a）「文化の民主化、文化デモクラシー」『文化政策の現在1　文化政策の思想』東京大学出版会：163-177
- 土屋正臣（2018b）「参加と協働のゆくえ ── 草の根市民参加型発掘調査の文化財保護行政化」『文化政策の現在3　文化政策の展望』東京大学出版会：99-112
- 津田大介，平田オリザ（2021）『ニッポンの芸術のゆくえ　なぜ、アートは分断を生むのか？』青幻舎
- 卯城竜太，松田修（2019）『公の時代』朝日出版社
- 吉澤弥生（2019）「アートはなぜ地域に向かうのか ―「社会化する芸術」の現場から―」『フォーラム現代社会学』18：122-137

索引

小松田 儀貞（こまつだ・よしさだ）

秋田県立大学総合科学教育研究センター准教授。1960年生まれ。知識社会学・文化社会学・地域研究・生命／医療研究。2002年より秋田へ。論文に「ブルデューの再帰的社会学と「社会理論」 ― 社会学的認識の国際的流通の条件」（『社会学研究』74）など、共著に『辺境芸術最前線：生き残るためのアートマネジメント』（秋田公立美術大学）、『〈21世紀への挑戦4〉科学・技術革新・人間』（日本経済評論社）など、共訳書にP・ブルデュー『社会学の社会学』（藤原書店）。

社会化するアート／アート化する社会
――社会と文化芸術の共進化

発行日	2022年6月23日　初版第一刷発行
著者	小松田 儀貞
発行人	仙道 弘生
発行所	株式会社 水曜社
	160-0022
	東京都新宿区新宿1-26-6
	TEL 03-3351-8768　FAX 03-5362-7279
	URL suiyosha.hondana.jp
装幀	井川 祥子（iga3 office）
印刷	株式会社 丸井工文社

© KOMATSUDA Yoshisada 2022, Printed in Japan
ISBN 978-4-88065-528-4 C0036

全国の書店でお買い求めください。価格はすべて税込（10%）